KB055019

한국 인권문제

미국 반응 및 동향 3

한국 인권문제

미국 반응 및 동향 3

한국학술정보

| 머리말

일제 강점기 독립운동과 병행되었던 한국의 인권운동은 해방이 되었음에도 큰 결실을 보지 못했다. 1950년대 반공을 앞세운 이승만 정부와 한국전쟁, 역시 경제발전과 반공을 내세우다 유신 체제에 이르렀던 박정희 정권, 쿠데타로 집권한 1980년대 전두환 정권까지, 한국의 인권은 이를 보장해야 할 국가와 정부에 의해 도리어 억압받고 침해되었다. 이런 배경상 근대 한국의 인권운동은 반독재, 민주화운동과 결을 같이했고, 대체로 국외에 본부를 둔 인권 단체나 정치로부터 상대적으로 자유로운 종교 단체에 의해 주도되곤 했다. 이는 1980년 5 · 18광주민주화운동을 계기로 보다 근적인 변혁을 요구하는 형태로 조직화되었고, 그 활동 영역도 정치를 넘어 노동자, 농민, 빈민 등으로 확대되었다. 이들이 없었다면 한국은 1987년 군부 독재 종식하고 절차적 민주주의를 도입할 수 없었을 것이다. 민주화 이후에도 수많은 어려움이 있었지만, 한국의 인권운동은 점차 전문적이고 독립된 운동으로 분화되며 더 많은 이들의 참여를 이끌어냈고, 지금까지 많은 결실을 맺을 수 있었다.

본 총서는 1980년대 중반부터 1990년대 초반까지, 외교부에서 작성하여 30여 년간 유지했던 한국 인권문제와 관련한 국내외 자료를 담고 있다. 6월 항쟁이 일어나고 민주화 선언이 이뤄지는 등 한국 인권운동에 많은 변화가 있었던 시기다. 당시 인권문제와 관련한 국내외 사안들, 각종 사건에 대한 미국과 우방국, 유엔의 반응, 최초의 한국 인권보고서 제출과 아동의 권리에 관한 협약 과정, 유엔인권위원회 활동, 기타 민주화 관련 자료 등 총 18권으로 구성되었다. 전체 분량은 약 9천여 쪽에 이른다.

2024년 3월

한국학술정보(주)

| 일러두기

· 본 총서에 실린 자료는 2022년 4월과 2023년 4월에 각각 공개한 외교문서 4,827권, 76만 여 쪽 가운데 일부를 발췌한 것이다.

· 각 권의 제목과 순서는 공개된 원본을 최대한 반영하였으나, 주제에 따라 일부는 적절히 변경하였다.

· 원본 자료는 A4 판형에 맞게 축소하거나 원본 비율을 유지한 채 A4 페이지 안에 삽입하였다. 또한 현재 시점에선 공개되지 않아 '공란'이란 표기만 있는 페이지 역시 그대로 실었다.

· 외교부가 공개한 문서 각 권의 첫 페이지에는 '정리 보존 문서 목록'이란 이름으로 기록물 종류, 일자, 명칭, 간단한 내용 등의 정보가 수록되어 있으며, 이를 기준으로 0001번부터 번호가 매겨져 있다. 이는 삭제하지 않고 총서에 그대로 수록하였다.

· 보고서 내용에 관한 더 자세한 정보가 필요하다면, 외교부가 온라인상에 제공하는 『대한민국 외교사료요약집』 1991년과 1992년 자료를 참조할 수 있다.

| 차례

정리보존문서목록					
기록물종류	일반공문서철	등록번호	21571	등록일자	1995-04-18
분류번호	701	국가코드	US	보존기간	영구
명 칭	미국 장로교 총회 한국문제 결의안 대책, 1985-86				
생 산 과	북미과/정보2과	생산년도	1985~1986	담당그룹	북미국
내용목차	1. 1985 년도 2. 1986 년도 * 미국 장로교 총회, 제198차. Minneapolis, 86.6.10-17 - 한국통일과 북한선교에 관한 공동결의안 채택				

0001

1. 1985년

0002

관리번호	85/2237

발 신 전 보

번 호: WUS-1412 일 시: 022217ㅁ0 전보종별:

수 신: 주 뉴욕 총영사 (사본 : 미국주재 기타전공관)

발 신: 장 관 (정이)

제 목: 미장로교 총회 한국문제결의안 추진

1. 귀지 소재 미장로교단 (Presbyterian Church,U.S.A.)은 오는 '85.6. 제197차 총회시 종교문제와 관련이 없는 "동북아지역에서의 남북한 화해" ("Korean Reconciliation in the North East Asia Context") 라는 제목의 한국문제에 관한 결의안을 채택코저 추진중에 있으며, 현재 동 초안을 교단관계 인사에게 배포, 의견을 수집중인 것으로 파악되고 있음.

2. 동 결의안 초안은 교단내 Program Agency소속 동아 및 태평양그룹 ("East Asia and Pacific Coordinating Group)에서 제기된 것이며, Robert Smylie목사와 한국계미국인목사 이승만과의 협조하에 추진되고 있는 것으로 보임.

3. 동 결의안 초안은 남북한간의 정치문제에 관하여 일방적으로 북한측의 입장을 옹호하는 아래내용을 포함하고 있음 ~~로써 동 (교단의 종교적 권위를 실추시키고 있음~~ (동 초안은 추후 파편송부 위계임)

가. 미.북한간의 직접접촉 촉구

나. 한미간 군사기동훈련중지

다. 주한미군의 단계적철수

라. 북한 장로교대표의 동총회 참석초청등

앙고재	85년 2월 22일	정보 2과	기안자	과 장		국 장		차 관	장 관
			(서명)	(서명)		(서명)			(서명)

발신시간 :

외신과	접수자	과 장
	(서명)	

0003

4. 본건에 관한 대책수립에 필요하니 우선 다음 사항에 관하여 지급 타전 조사보고 바람.

가. 동 결의안 제출 경위 및 배경

나. 미장로교단의 전국적 조직 및 책임자

다. 동 교단내 영향력 있는 주요인사명단(성분구분; 한국계 미국인 포함)

라. 금번 총회개최 장소 및 일시

바. 동교단의 한국장로교회측과의 관계 및 금차 총회시 한국측 참석인사명단

바. 동건저지 또는 수정결의안 추진에 관한 귀관의 의견

사. 기타 참고사항

5. 미장로교단은 1983. 6. 아틀란타 총회시 "DPRK and Christians in the U.S.A" 제하의 결의안을 채택하고 북한에 대한 선교지침을 통과시킨 바 있으며, 동 결의안 채택시 전기 이승만목사의 역할이 크게 작용하였음을 참고바람.

6. 동 교단주소는 아래와 같음을 참고 바람.

The Program Agency,
Presbyterian Church(U.S.A.)
475 Riverside Dr.,
New York, NY 10115

끝.

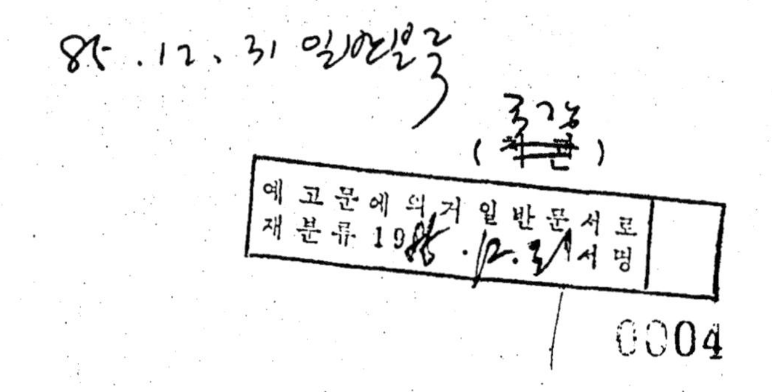
85. 12. 31 일반문서
(주관)
예고문에 의거 일반문서로 재분류 198. 12. 31 서명

0004

전 언 통 신 문

문서번호 : 국미 400-162

수 신 : 수신처 참조

발 신 : 국가안전기획부장

제 목 : 미국장노교총회 결의안관련 대책회의 소집

안기부 3국 중m과
962-6837
정사무관

1. 미국 장노교의 한국문제 결의안 채택시도에 관한 관계부처 대책회의를 아래와 같이 소집하오니 참석하여 주시기 바랍니다.

가. 일 시 : '85. 2. 25 (월) 14:30

나. 장 소 : Plaza Hotel 2158호

다. 참석범위 : 외무부 정보문화국장
문공부 종무실장
통일원 남북대화사무국장
안기부 제 3국장
청와대 고문비서관

2. 금번 회의 참석자는 할당된 과제에 대한 자료를 필히 지참하여 주시기 바랍니다. 끝.

일 시 : '85. 2. 22 10:50

[REDACTED]

수화자 : 마영삼

홍보문화과	공람	85년 2월 22일	담 당	과 장	국 장	차관보	차 관	장 관

0005

미국장로교 총회 한반도문제 관련

결의문(초안)에 대한 의견

(대책회의 토의자료)

1985. 2. 25

국 토 통 일 원

0006

목 차

0007

1. 의 견

1. 1페이지 10행

The perpetuation of that division has provided justification for the suppression of civil rights in both societies, and for the continued dependency of both on heavily militarized political systems.

"분단의 장기화는 남북한 쌍방이 인권을 탄압하고 계속 강력한 군사적 정치 체제에 의존하도록 정당성을 부여하고 있다"

의 견

"오랜역사를 통해 단일문화민족으로서 통일국가를 계승해온 남북한이 40년 동안 상호 적대적단절과 대립을 지속하고 있는 것은 한국민족의 불행일 뿐 아니라 세계사의 오점이 되고 있다"

2. 2페이지 17행

Dr. Syngmann Rhee, an American educated Korean was chosen by the United States.

0008

"미국 정부는 미국에서 교육받은 한국인 이승만 박사를 선택하였다"

의 견 :

"미국 정부는 남한의 민족적 정치 지도자들과 국민의 절대다수가 추대한 이승만 박사를 지지하였다."

3. 2페이지 24행 - 27행

The Korean War that began in 1950 saw the introduction of United States forces under United Nations auspices in the south, and volunteers from the People's Republic of China in the north, but none from the Soviet Union. The intense twelve months of fighting ...

"1950년에 시작된 한국전쟁으로 말미암아 남한에는 유엔군의 이름으로 미국군대가, 북한에는 '중화인민공화국 의용군이 진주하였다. 그러나 소련군은 참전하지 않았다. 12개월간의 격렬한 전투는 - - - - "

의 견 :

"1950년 6월 25일 새벽 북한공산군의 전면 남침으로 시작된 한국전쟁은 미국등 16개국의 군대로 구성된 유엔군과 중화인민공화국의 의용군의 참전을 유발하였다. 소련은 북한공산군에게 전쟁수행에 필요한 탱크,

0009

대표, 항공기 등 모든 무기와 화력을 진직으로 공급하였다. 37개월간의 격렬한 전투는 - - - "

4. 3페이지 3행 - 9행

The situation has been frozen ever since, marked by constant tension, incidents along the demilitarized zone, heavy burdens of military expenditures on both societies, the permanent stationing of American forces in the Republic of Korea, the introduction of nuclear weapons into the arsenals of the South. The result is a flashpoint situation capable of igniting a global nuclear war between the United States and the Soviet Union.

"그후 긴장상태의 지속, 비무장지대의 충돌발생, 쌍방의 과중한 군사비 부담, 주한미군의 영구주둔, 핵무기의 남한배치 등으로 사태가 계속 경화되었다. 그 결과 미.소간에 세계 핵전쟁이 발발할 수 있는 점화점이 될 수도 있는 상태에 놓여있다"

의 견 :

"그후 북한측의 계속되는 정전협정 위반과 대남도발, 군사분계선상의 충돌사고와 긴장고조, 그리고 북한의 꾸준한 무력증강 정책과 남북대화거부 등으로 말미암아 한반도에는 항시 전쟁재발의 가능성이 잠재하고 있다"

5. 3페이지 17행 - 26행

In political terms, both the ROK and the DPRK have developed authoritarian patterns. The ROK is now well into its third basically military government: Syngmann Rhee, 1948-1960; Park Chung Hee, 1961-1980; Chun Doo Hwan, 1980-present. All three have been staunchly supported by the United States without regard for the cost to the people of South Korea. .... Although North Korea is considered part of the communist world relations with both the People's Republic of China. and the Soviet Union have not been close.

"정치적면에서 남북한은 모두 권위주의적 전형이다. 대한민국의 현 정부는 기본적으로 세번째의 군사정부다.

이승만 대통령은 1948-1960년, 박정희 대통령은 1961-1980년, 전두환 대통령은 1980년에서 현재까지 통치하고 있다.

이 세사람은 모두 남한국민들의 이해관계를 떠나서 미국의 강력한 지지를 받아왔다. ------------------------------

북한은 공산세계의 일부로 간주할 수 있으나 그동안 중공과 소련에 대해서 소원한 관계를 유지하였다."

- 4 -

0011

의 견 :

"정치적으로 남북한은 극히 대립적이며 대조적이다.

대한민국은 서구의 자유민주주의 이념과 제도를 받아들였으나, 북한은 공산주의 이념과 제도를 받아들였다.

대한민국은 건국이후 오늘에 이르기까지 많은 시행착오를 경험하기는 하였으나, 기본적으로 3권분립, 다원적 정당정치, 자유, 경쟁선거에 의한 의회구성 등 민주주의의 본질에 입각한 정치발전을 도모해 왔다.

북한에서는 프롤레타리아 독재의 이름밑에 공산당이 국가권력의 핵심이며, 정점에 있다. 이에따라 조선노동당 총비서 김일성은 지난 40년간 북한을 독단적으로 통치해 왔으며, 지금은 그의 아들 김정일이 제 2인자로서 정치권력을 상당부분 이양받아 북한을 통치하고 있다.

북한이 외교적으로 독자노선을 표방하고 있지만 군사 및 경제적으로 소련과 중공에 크게 의존하고 있다"

6. 4페이지 4행 - 20행

The "trickle down" has not worked for the good of all. The results have been extravagant wealth for some, the largest external debt burden in Asia, increasing economic dependency on the United States and Japan, its former occupier. In addition South Korea has shifted from a food exporting to a food importing country.

- 5 -

0012

The North, perhaps even more devastated by the war, has rebuilt with only limited help from the People's Republic of China and the Soviet Union. It has followed more of a socialist model, stressing he heavy industrial development, placing a high premium, not on consumer goods but on citizen basic needs, and the development of its agricultural sector. It has further stressed self-reliance and hence boasts a remarkable degree of economic autonomy, with modest debt, with self-sufficiency in food production, and a consistent growth rate. It, also, is facing difficulties, needing access to new technology and energy. Furthermore it carries a heavy burden from its defense establishment for wihich it gets virtually no help from its former partners.

"미미한 경제성장이 모든 국민에게 고루 혜택을 줄 수는 없었다.

그 결과는 일부의 지나친 치부, 아시아 제 1의 외채, 과거의 점령국 가인 미국과 일본에 대한 경제적 의존 증대를 낳았다.

그리고 남한은 식량 수출국에서 식량 수입국으로 바뀌었다!"

아마도 전쟁으로 일층 더 폐허가 되었었던 북한은 중.소로 부터의 극히 제한적인 원조로 재건을 이룩하였다.

북한은 사회주의 모델을 추구하면서 시구품이 아닌 시민의 기본적 수요를 크게 장려하고 중공업과 농업분야의 발전을 강조하였으며, 나아가 북한은 자립을 더 강조한 결과 괄목할만한 경제자립, 적절한 부채, 식량자급과 꾸준한 성장률을 자랑하게 되었다.

0013

북한역시 곤경에 직면해 있고 새로운 기술과 에너지에로의 접근을 필요로 하고 있다. 더우기 북한은 종전의 원조국인 중.소로 부터의 지원없이 실질적으로 진인도움을 받지 못하고 방위를 구축해야 하는 무거운 부담을 지고 있다.

의 견 :

"그러나 남한은 자원과 기술 그리고 국제경쟁여건면에서 제반 불리한 조건을 극복하고 개발도상국가들이 부러워하는 모범적인 경제성장국으로 부상되었다.

외채가 많은 나라에 속하는 것은 사실이나 최근 국제수지의 개선과 물가 안정 그리고 급속한 기술 개발 등을 고려한다면 남한은 어느 외채국가 보다도 건실하고 신뢰할만한 경제발전국 가라는 것이 국제금융시장의 일반적 평가다.

전쟁으로 폐허가 되었었던 북한은 중.소로 부터의 원조로 재건을 이룩하였다. 북한은 사회주의 모델을 추구하면서 중공업과 농업분야의 발전을 강조하였으며, 나아가 폐쇄적 자력갱생(autarky)를 추구하여 50년대와 60년대에 어느 정도 성장을 이룩하였다.

0014

그러나 북한은 지나친 중앙집권적 통제경제를 바탕으로 중공업 및 군비

증강에 치중한 나머지 인민의 소비생활과 기술개발의 낙후로 경제적 곤경

에 직면해 있고 새로운 기술과 에너지에로의 접근을 필요로 하고 있다."

7. 4페이지 25행 - 28행

The second set of dynamics that makes reconciliation and reunion difficult is the superpower context, wherein it might be argued that Korea is held hostage to the overarching conflict between the United States and the Soviet Union.

"화해와 통합을 어렵게하는 두번째 요인은 초강대국과의 관계인바,

한반도는 미국과 소련간의 분쟁속에 말려든 볼모와 같다고 할 수 있다."

의 견 :

"화해와 통합을 어렵게하는 두번째 요인은 초강대국과의 관계인바, 한반

도의 항구적 평화와 통일을 달성하기 위해서는 한반도 분단과 한국전쟁에

직접.간접으로 책임있는 관계국들이 남북한에 대하여 선린 우호적 관계를

유지하고 남북한의 화해와 통일에 유리한 환경을 조성하도록 상호 협력

해야 한다."

0015

8. 5페이지 20행 - 6페이지 3행

What began as a United Nations action to protect South Korea from an invasion by North Korea in 1950 has evolved from an act of collective security to a protracted conflict in which the United States, still flying a United Nations flag, has concluded an alliance with one of the two parties to the division.

The fact that it wears the United Nations mandate effectively precludes the United Nations from other activity that might be designed to foster reconciliation and reunification. We are concerned that the perpetuation of the conflict in Korea has come to serve more the strategic interests of the United States than the needs of the Korean people, or the United Nations which has not only the responsibilities of the peacekeeper, but also the responsibilities of being the peacemaker.

"1950년 북한의 침략으로 부터 한국을 보호하기 위한 유엔의 행동으로 시작되었던 조치는 미국이 아직도 유엔의 깃발을 휘날린채 분단당사자의 어느 일방과 동맹을 체결함으로써 만성적인 분쟁에 대한 집단안전보장 조치로 발전되어 왔다.

미군이 유엔의 깃발아래 한국에 주둔하고 있다는 사실은 화해와 통일의 촉진을 목적으로 하는 유엔의 어떠 활동을 실질적으로 저해하고 있다.

0016

우리는 한반도 분쟁의 장기화가 한국과 유엔의 이익보다는 미국의 전략적 이익에 도움을 주고 있음을 우려하고 있다.

유엔은 평화유지 뿐 아니라 분쟁조정의 임무도 수행해야 한다"

의 견 :

"1950년 북한의 침략으로 부터 한국을 보호하기 위한 유엔의 결의에 따라 한반도에 파견된 유엔군은 아직도 유엔의 깃발아래 그곳에 주둔하고 있다. 주한미군을 주축으로 하는 유엔군의 존재가 그동안 이 지역의 전쟁억제와 평화유지에 실질적으로 기여해 온 것은 사실이다.

그러나 우리는 앞으로 북한과 북한의 동맹국들도 이 지역의 평화유지와 한국민족의 화해를 촉진하기 위해 보다 긍정적으로 참여함으로써 주한유엔군의 임무가 조속히 종결될 수 있기를 희망한다"

9. 6페이지 7행 - 10행

............with United States troops serving as a triwire with nuclear weapons in place, there remains the potential for a conflict that could trigger nuclear confrontation between the superpowers.

"------ 핵무장을 한 미군이 최 전선에 배치되어 있는 한, 초강대국간의 핵전쟁을 유발할 수 있는 분쟁요인이 항시 잠재하고 있다"

0017

의 견 :

"남북 한간의 군사충돌은 언제든지 전면전쟁으로 비화될 수 있으며, 최악의 경우에는 주변 강대국들 간의 핵전쟁으로까지 확대될 위험성마저 있다"

10. 7페이지 1행 - 9행

A number of initiatives have been made by both parties, only to be silenced by some political event or the fanning of suspicious. Hopeful signs have developed in recent months despite the KAL incident and the Rangoon bombing. Devastating floods in South Korea brought an offer of help from North Korea for the flood victims, an offer as unusual as was South Korea's decision to receive it. Furthermore early in 1985, talks have been initiated dealing with economic relations and Red Cross negotiations have begun.

"그동안 남북한이 여러가지 대화제의를 하였으나 정치적 사건들과 상호 불신때문에 대화는 중단되었다. KAL 기 사건과 랑군사건에도 불구하고 최근 고무적인 사태가 전개되었다. 남한에서 큰 홍수 피해가 발생하자 북한이 대남구호를 제의하였으며, 남한은 이례적으로 이를 받아들였다. 나아가 1985년 초에는 경제문제를 다루는 회담이 시작되고 있고 적십자 회담이 시작되었다.

0018

- 11 -

의 견 :

"지난해 남북한 사이에는 70년대의 남북대화중단 이래 가장 활발한 접촉이 이루어진 한해로 평가된다. 이같은 새로운 긍정적인 사태발전은 작년 8월 20일 대한민국의 전두환대통령이 남북한 물자교역과 경제협력을 시급히 추진할 것을 호소하였고, 뒤이어 9월말 북한이 남한의 수재민들에게 다량의 구호물자를 제공함으로써 비롯된 것이다.

이미 남북한 사이에는 70년대 초에 이산가족의 재회문제를 해결하기 위한 적십자회담과 민족화해와 정치적 통일을 이룩하기 위한 양 정부당국간의 회담이 진행된 바 있다.

당시 대한적십자사와 대한민국정부의 주도적 노력에 의해서 진행된 이같은 대화는 그후 북한측의 일방적 보이콧으로 모두 중단되었으며, 쌍방의 합의로 마련되었던 서울.평양간의 직통전화와 판문점 내 쌍방 연락사무소의 기능도 정지되었다.

그러나 중단된 남북대화를 재개하기 위한 남한측의 노력은 꾸준히 계속되었다.

특히 대한민국의 전두환 대통령은 취임직후 남북한 정상의 상호방문과 회담을 제의하는 적극적인 조치를 취함으로써 내외의 비상한 관심을 모았다. 대한민국정부는 1982년 초에 획기적인 '민족화합 민주통일방안'을 제의하고

0019

북한측의 호응을 촉구하였다.

그 주요 골자는 첫째, 통일헌법을 마련하기 위한 민족통일협의체 구성, 둘째, 통일까지 남북한 관계를 공존과 협력의 관계로 발전시키기 위한 잠정협정체결 등으로 요약할 수 있다.

이같은 제의는 북한측의 거부로 아직 실현되지 않고 있다.

그러나 1983년의 KAL 기 사건과 랑군사건이후 한반도 주변국가들이 이 지역의 평화와 남북한의 화해를 강조하고 남북대화를 적극 종용하고 나서자 북한의 태도에 다소의 유연성을 보이기 시작했다.

우리는 모처럼 시작된 남북경제회담과 남북적십자회담 등이 잘 진척되어 경제분야의 교류와 협력이 실현되고 이산가족들의 재회가 이루어지기를 기대하고 있다"

11. 7페이지 12행 - 16행

In addition strong evidence emerges from North Korea of the existence of small Christian communities, house churches, remnants of a long period of religious suppression. In 1983 the government allowed, for the first time since 1950, printing of a hymn book, and the New Testament.

0020

-13 -

"또한 북한에는 장기간의 종교탄압의 잔재로서 작은교회의 가족예배가 존재하고 있다는 뚜렷한 증거가 있다. 1983년 북한당국은 1950년 이래 처음으로 찬송가와 신약성서의 출간을 허가하였다"

의 견 :

"1950년 이후 북한당국은 기독교인들을 그들 혁명의 적대세력으로 간주하고 모든 교회를 말살하는 정책을 펴왔다.

우리는 하루속히 북한의 기독교도들도 남한에서와 똑같은 신앙의 자유를 누리고 널리 하나님의 복음을 전파할 수 있게 되기를 바라고 있다"

12. 9페이지 5행 - 7행

.... and further offers its prayers of REPENTANCE for the complicity of the United States and even the church in helping to create and perpetuate the tragic division and conflict that has beset the people of Korea.

"------ 또한 한국민족에게 가해진 비극적 분단과 분쟁을 조성하고 이를 영속화시켜 온 미국과 교회의 잘못을 회개하는 기도를 드립니다"

의 견 :

"또한 우리 교회가 지난 40년 동안 분단과 전쟁으로 고통받고 있는 한국 민족을 소홀히하고 그들에게 사랑을 다하지 못한 잘못을 회개하는 기도를 드립니다."

0022

결 의 안

- 관계국에 대한 촉구 -

(원 안)

1. Establishment of direct communications links between North and South Korea, including a "hot-line", regular telecommunications and postal arrangements;

2. Establishment of family reunification centers with open access to both North and South for the location, verification and facilitation of family contact and relations, either under Red Cross or neutral United Nations agency control;

3. Establishment of trade relations followed by a trade federation;

4. A formal treaty ending the Korean War, including a friendship and non-aggression pact between the Republic of Korea and the Democratic people's Republic of Korea;

5. Mutual recognition of the two existing governments by those governments that now only recognize one of the two;

6. Simultaneous full admission of the two governments to the United Nations, coupled with termination of the United States authorization to act as agent for the United Nations;

0023

7. Mutual reduction of military forces and tensions along the Demilitarized Zone, with a drawback to be accompanied by the placement of a neutral peacekeeping force under United Nations auspices or some other appropriate body such as ASEAN;

8. Phased withdrawal of United States military forces as other actions build confidence.

(우리측 요청안)

1. 남북한간에 Hot-line 과 정규적인 통신 및 우편제도를 포함한 직접적인 코뮤니케이션 수단을 마련할 것.

2 남북이산가족과 친척들의 주소 및 생사확인의 편의도모를 위해, 적십자사 통제하에서 남북한 양지역을 개방적으로 왕래할 수 있는 이산가족 재회 센타를 설립할 것.

3. 남북한간에 무역협정체결에 의한 무역관계를 수립할 것.

4. 88 서울올림픽에 남북한이 단일팀으로 참가하거나 아니면 북한이 한국과 함께 동 대회에 참가함으로써 남북한간의 화합을 도모할 것.

5. 남북한간에 우호불가침협정을 비롯하여 한국전쟁을 종식시키는 공식적인 협정을 체결할 것.

0024

6. 현재 남북한중 일방만을 승인하고 있는 국가들이 남북한 기존 두개 정부를 다같이 승인하는 문제에 대해 남북한 당사자들이 이를 수용할 것.

7. 남북한의 유엔동시가입과 국제기구에 공동참여할 것.

8. 비무장지대내의 군사시설을 완전히 철거한 후 평화적으로 이용할 수 있는 조치를 강구하고 남북한간에 군사훈련의 사전통보를 비롯하여 상호 군사훈련참관, 군비통제, 군협감군 등의 점진적 과정을 거쳐 긴장을 완화시킬 것.

9. 이상의 문제들을 효율적으로 협의.해결하기 위한 방법의 하나로 남북한간에 정상회담을 조속히 개최할 것.

- 미국정부에 대한 촉구 -

(원 안)

1. To support and facilitate where possible negotiations between North and South Korea, whether on the level of two powers, three powers, four powers or multipower;

2. To initiate its own discussions with the Democratic People's Republic of Korea on ways to reduce tension, improve and normalize relations with appropriate diplomatic and trade relations;

3. To halt military maneuvers in the NE Asia context as they are seen as tension building and threatening;

0025

4. To negotiate with the Soviet Union a moratorium on the introduct-ion of new missiles in the area, including the Tomahawk and the SS20's;

5. To initiate a phased withdrawal of United States forces from the Republic of Korea as other confidence building measures occur;

6. To provide economic assistance to agencies identified for family reunification work.

(우리측 요청안)

1. 남북한간의 직접대화가 잘 진척되고 또 최고위급 정치회담이 개최되도록 지원할 것.

2. 한반도의 평화보장을 위해 남북대화의 진행과 더불어 남북한과 한반도 분단과 한국동란에 직접 또는 간접으로 책임이 있는 국가들이 함께 참가하는 다자회담의 개최를 관계국들과 협의할 것.

3. 남북한관계개선과 한반도 평화통일을 위한 국제환경조성을 위해 주변국가들이 호혜평등의 원칙하에 남북한에 대해 문호를 개방하고 교류.협력하며 승인하는 문제를 관계국들과 협의할 것.

- 19 -

0026

4. '토마호크'와 SS-20 미사일을 포함한 소련의 동북아에서의 새 미사일 배치를 중지시키기 위해 소련과 협상할 것.

5. 남북한간에 불가침협정이 체결되고 한반도의 평화유지를 위한 국제보장 조치가 취해짐으로써 진실되고 항구적인 신뢰가 구축될 경우, 주한미군을 한반도에서 단계적으로 철수시키는 방안을 모색할 것.

- 장로교회 단체에 대한 촉구 -

(원 안)

1. To encourage study and understanding of the history and circumstances leading to the division and conflict in Korea and the need for reconciliation;

2. To participate with and support the initiatives of Christians in Korea that are directed toward reconciliation and reunification;

3. To provide financial support, as appropriate, for agencies that may be involved in family reunification endeavors;

* Authorized the sending of a deputationn from the Presbyterian Church(U.S.A.) to visit the Democratic People's Republic of Korea and the Republic of Korea on a fact finding mission (under

Advisory Council of Church and Society or other appropriate auspices) to report to the 198th General Assembly on conditions in the two countries.

Extends to Presbyterians in North Korea an invitation to attend the 198th General Assembly of the Presbyterian Church (U.S.A.) as may be possible.

(우리측 요청안)

1. 한반도의 분단과 분쟁을 초래한 역사와 환경 그리고 화해의 필요성에 대해 연구와 이해를 하도록 고무시킬 것.

2. 화해와 통일을 위한 한국 기독교인들의 이니시어티브에 참여하고 지원해 줄 것.

3. 이산가족의 재회와 결합을 위해 노력하고 있는 대한적십자사에 대해 격려와 지원을 보내줄 것.

* 대북선교 가능성 모색의 일환으로 북한에 기독교 신앙의 자유가 허용되고 있는지의 여부를 확인하고 만약 신앙의 자유가 있다면 교세가 어느 정도인지를 파악하기 위해, ~~세계교회협의회(WCC)주관아래 세계교회협의회,~~ 한국 기독교, 미국 장로교측 대표들로 구성되는 합동 대표단을 북한에 파견하기 위한 교섭권한을 동 '교회와 사회의 자문회의'에 부여해 줄 것.

#3

제 196차 미 장로교총회 한국 인권문제 결의안 채택

1. 제 196차 미 장로교총회 개요

- 일 시 : '84. 5. 28 - 6. 6.
- 장 소 : 아리조나주 피닉스
- 참석자 : 1,500여명 (총회 대의원 678명 포함)
- 한국 참석자 : 11명 (예장통합 10, 기장 1)

  림인식, 이의호, 안경운, 성갑식, 임 옥, 이연옥, 양신석, 서정한, 손세진, 김동익, 이영찬.

- 임원선거

  - 회 장 : 해리어트·넬슨 (여, 장로)
  - 총 무 : 제임스·앤드류 (전 남장로교 총무)
  - 미 장로교는 '83.년 남·북 장로교가 통합한 이후 올해 처음으로 통합총회를 개최, 새임원을 선출한 것임. 전통적으로 북장로교는 정치색이 강한 진보파이며 남장로교는 보수 노선이라는 점을 고려할때 남장로교 출신인 앤드류 목사가 총회 총무로 선출된 것은 최근 미국 기독교계의 보수회귀 성향을 반영한 것으로 분석됨.

2. 한국 인권관계 결의안 채택

가. 한국 인권관계 결의안 내용

- 미 장로교회는 한국 인권에 관한 한국 기독교인들의 노력을 지지함.

- 한국정부는 최근 정치범 석방, 제적학생 복교조치등으로 정치 자유화를 인식해가고 있다고 보나 아직도 언론, 집회, 선거 자유등이 제한되고 있음.

- 징집제도의 오용, 즉 강제징집된 반정부 학생 8명의 의문의 죽음은 군부에 대한 국민신뢰를 손상시켰으며 국가안보를 위협 함.

- 언론 자유 부재가 국민을 정부로 부터 등 돌리게하며 한·미간에도 오해를 낳게 함.

- 미국 여론 조사에 의하면 한국의 독재정부에 대한 미국의 군사 지원을 좋지않게 생각하는 비율이 증가하고 있음.

- 총회는 미국 대통령이 한국정부에 대해 특히 다음 4개항의 중요성에 대해 명심하도록 하는 적절한 조치를 취하기를 촉구함.

2

0030

첫째, 언론기본법 폐지

둘째, 집회 및 시위에 관한 법률 폐지

세째, 정치활동 금지법 폐지, 선거법 개정

네째, 징병제도의 정치적 및 응징적 목적사용 종식.

나. 결의안 채택 경위

1) 평화 및 국제관계 위원회 결의

° 총회 대의원 2명이상 연명으로 발의가 가능하다는 규정에 따라 재미목사 문동환, 장윤성 2명이 평화 및 국제관계위원회에 결의안을 발의.

참 고 : 문동환은 워싱턴지역 대의원자격으로 장윤성은 교포교회의 증가에 따라 미국 장로교 총회가 올해 처음으로 인정한 소위 한미노회 대의원 자격으로 참석함.

° 옵서버로 참가한 한국목사들은 '83년 총회가 대북한관계 입장을 표명한것을 상기하고 이번 총회에서는 동종의 동향이 없다는 것을 확인했을 뿐 상기 위원회가 문동환이 제출한 인권관계 결의안을 채택한다는 것은 전혀 예상치 못하고 있었음.

3

0031

2) 한국 대표 4명, 공식 항의서 제출

- 예장통합 소속의 림인식, 이의호, 안경운, 성갑식 목사등 4명은 위원회의 결의안 채택 사실에 접한후 미국 장로교 소속의 이승만, 림인식 목사의 협조를 받아 아래 내용의 항의서를 예장통합을 대표하여 미 장로교 총회장에게 공식서명 제출, 즉

  - 한국문제에 관한 결의를 한국대표단과 사전 협의하지 않은데 대한 유감.

  - 결의안은 한국 전반에 대한 이해부족의 소치이며 한국민과 한국 안보를 위협 할 것임.

  - 미국 대통령을 통한 한국정부에 대한 압력요구등은 우방국간의 국제적 예의에 벗어남.

  - 쟁점들에 대한 한국교회의 노력을 경시하는 태도.

  - 일부 표현은 내정간섭적임. 징집제도는 필요함. 정치목적 사용운운은 부당함.

  - 총회가 동 결의안을 채택하지 않기를 권고함.

4

0032

3) 평화 및 국제관계 위원회서 항의서 검토

ㅇ 총회장을 통해 한국대표의 항의서를 접수한 위원회는 이승만 목사의 강력한 항의와 당시 체류중이었던 기장소속 이영찬 목사의 증언으로 당초 결의안을 다소 수정할 것을 건의하는 보고(별첨)을 총회서기에게 제출.

보고내용

- 이승만 목사에 의하면 결의안 내용이 한국교회의 의견을 전혀 반영안하고 있고 또 한국정부를 공격하는 내용일 뿐 아니라 예장통합의 입장을 곤란하게 하고 있음.

- 총회에서 낭독되거나 대의원들에게 배포되지 말것이며 총회에서 토론되지 않기 바람.

- 몇개부분 자구수정으로 전체적으로 부드럽게 할 것.

4) 위원회 건의 및 총회의 수정결의

ㅇ 위원회가 자구수정을 건의하고 그에따라 총회에서는 보고를 접수하므로서 토론없이 결의안 채택.

첨 부 : 제 196차 미 장로교 총회 한국 인권관계 참고자료

참 고 1 - 한국 인권에 관한 평화 및 국제관계 위원회 결의문

참 고 2 - 비망록 (결의안 수정에 관한)

참 고 3 - 결의문에 대해 한국대표 4명이 서명한 항의문 서한

참 고 4 - 평화 및 국제관계 위원회 결의에 관한 동 위원회 보고서 추록.

참고 1

평화 및 국제관계 위원회 결의문 (84 - 26) : 한국의 인권에 관하여

- 평화 및 국제관계 위원회는 1984년 196차 총회가 하기 수정 결의안 에 대하여 동의할 것을 건의함 -

" 한국의 인권에 관한 결의 "

1984년은 한국장로교회와 미국 장로교회가 한국에서의 장로교 선교 100주년을 축하하고, 지난 100년동안 어려움과 고통에도 불구하고 이룩한 한국교회의 경이적인 성장과 기독교 신앙증거에 대해 신에게 감사드리는 바임.

미국장로교회는 총회를 통하여 한국 인권문제에 깊은 우려를 표시했으며, 모든 한국민을 위한 인권을 위해 한국 그리스도인들이 펼친 노력을 지지해 왔음.

한국 정부는 최근 수백명의 정치범들을 석방하고 제적학생들을 학원에 복귀시키므로서 정치적 자유화의 중요성을 인식하였음.

민주사회의 3대 기본요소라 할수있는 언론, 집회, 선거의 자유는 심각할 정도로 계속 법률로 제한되고 있으며 실제로 억압받고 있음.

최근 정부비판자들을 처벌하기 위한 징집제도의 오용, 즉, 수백명의 반정부 학생들을 강제징집하고, 최근 수개월동안 무자비한 폭행으로 최소한 8명의 학생이 의문의 죽음에 이르게 한것은 한국 군부에 대한 국민의 신뢰를 심각하게 손상시켰으며, 국가안보를 위협케 하였음.

언론자유의 부재는 정부로부터 국민들을 등 돌리게 하고 냉소주의화 할뿐만 아니라, 전대통령 정부에 대해 무비판적으로 호의를 표시해온 미국에 대해서도 오해와 적대감을 갖게하는 것임.

군대는 한국민의 자유를 보호하기 보다는 억압의 도구라고 하는 일반의 관념은 한국의 국가안보를 심각하게 손상시키고 있음.
미국에서의 여론조사들은 한국에서 독재정부를 지원하는 미국의 군사행동을 달갑게 생각치 않는 미국 사람들이 증가되고 있음을 보여주고 있음.

0035

따라서 제 196차 미국 장로교회 총회 (1984)는 총회서기로 하여금 미국 대통령이 한국정부가 아래사항의 중요성을 명심하도록 모든 적절한 조치를 취하기를 촉구할 것을 결의함.

(참고 : 상기 문장은 다음과 같이 수정됨. 즉 총회서기는 한국내 인권문제지원을 위해 미국 정부가 한국정부에 하기 사항의 중요성을 명심시키도록 하기 위해 모든 적절한 조치를 취할것을 결의함)

1) 언론기본법의 폐지로 언론자유회복
2) 집회 및 시위에 관한 법률폐지로 평화적인 집회의 자유 회복
3) 99명의 저명인사 정치활동을 금지하는 특별법을 폐지하고 선거법의 개정으로 의의 있는 선거가 가능토록 함.
4) 징병제도의 정치적 및 응징목적 사용 종식.

* 투표결과 70 - 0 으로 채택.

0036

8

참고 2

비망록(메모)

수 신 : 총회 협동총무 윌리엄·피·톰슨

발 신 : 평화 및 국제관계 위원회 의장 알덴·마쯔바라

일 시 : 1984. 6. 4.

제 목 : 총회에 제출한 본 위원회 보고 (13 - 4페이지)중 한국인권
에 관한 결의에 관한 건.

평화 및 국제관계위원회에서 통과된 결의는 유감스럽게도 대한 예수교 장로회(통합)의 의견을 반영하지 않고 있음.

이사실은 이승만 목사에 의해 알게되었음. 그는 결의문 내용중에는 한국 정부에 대해 모독적인 표현이 있으며, 그것은 대한 예수교 장로회의 활동을 더욱 어렵게 할 것으로 믿는다고 함.

우리는 이런상황에 가장 현명하게 대처하기 위한 최상의 방안으로서 당신의 재결을 원함.

1) 물론 대한 예수교 장로회(통합)로 부터 미국장로교회 총회장 해리엇·넬슨에 보내온 서한이 있음 (별첨 참조)

9

0037

첫번째 질문은 총회에서 평화 및 국제관계위원회 보고가 어떻게 다루어 질것인가 하는 것입니다.

이승만씨는 총회에서 전 대의원들에게 제공되어 알려지게 되는것에 대해 우려하고 있으며, 이 문제는 총회에서 거론 되지 않기를 희망하였으며 그것이 오히려 바람직하다고 제안 하고 있음.

2) 특히 결의내용중 5절과 4)항의 결의내용을 부드럽게 하기를 원하는 이승만 씨와 바로 이부분을 초안한 문동환씨와 잠간 회동한 결과 2개의 대안이 거론되었음.

첫째, 우리가 평화 및 국제관계위원회를 재소집하여 결의 내용을 계속 지지할 것인지 또는 수정할 것인지를 결정하거나

둘째, 장로교내 한국대표들끼리 토론토록 함.

평화 및 국제관계위원회의 간부는 물론 전문요원들은 대안에 찬동하고 있음. 이승만 씨의 의견은 동 서한이 만일 공식의견으로서 총회에 제출되어야 한다면 평화 및 국제관계 위원회를 재소집하여 동 서한을 처리하는 것이 좋겠다는 것임.

그러나 불행히도 동 서한에 서명한 4명 모두가 이미 떠나버렸기 때문에 평화 및 국제관계위원회를 다시 개최한다고 해도 그 서한을 지지 받을수 있는 길이 없는 상태임.

10

0038

만일 당신이 평화 및 국제관계위원회를 재소집키로 결정한다면, 오늘 오후 1시 30분 6호실에 알려주시기 바람.

0039

11

참고 3

시한 38 - 84

수 신 : 미 장로교 총회장 헤리잇·넬슨

관 련 : 한국의 인권에 관한 길의문에 관하여

넬슨 총회장 귀하,

우리는 피닉스에서 개최되고 있는 제 196차 총회가 신의 가호 아래 있기를 기도함. 우리는 당신의 초청과 따뜻한 우의에 감사하며 총회기간을 즐겁게 보냈음.
어제밤 우리들 한국 장로교회 대표는 평화 및 국제관계 (PIR) 위원회가 한국인권 문제를 우려하는 결의를 채택한것을 알았음. 우리는 동 결의문에 대해 매우 심각하게 생각하며 다음과 같은 우리의 공동의견을 제시하는 바임.

1) PIR 위원회에서 채택된 한국인권에 관한 결의는 우리 대표단에게 알려주지도 않은채 결의된 것임. 만일 동 위원회가 총회를 대신하여 그런 결의를 해야 할 만큼 심각한 쟁점이라고 믿었다면 그것이 채택되기전에 우리 대표단과 마땅히 협의했어야 함.

12

0040

2) 이 결의문은 한국의 정치, 사회, 군사상황 등에 대한 깊은 이해 없이 채택된 것임. 그러므로 이 결의문은 미국 장로교회와 한국 장로교회간의 진실한 협력과 상호이해를 해치고 있음.
그것은 또한 결국 한국교회발전에 악영향을 줄 것이며, 한국민과 한국의 안보를 위태롭게 할 것임.

3) 결의문은 레이건 미국 대통령에게 한국의 인권상황개선을 위해 한국정부에게 가능한 방법으로 압력을 가하도록 촉구하고 있음.
우리는 미국장로교회와 100년간이나 선교관계를 맺어오고 있음.
과거에 우리가 당신들의 도움을 요청할때 신속하고 적절하게 대처해 주었음.
당신들의 동지인 한국교회의 요청없이 그런결의가 이루어져서는 안될 것임.
우리는 필요할때 당신들의 도움을 요청할 것임.
결의문의 정신은 또한 특히 우방국간의 국제적 예의범절을 어기고 있음.

4) 그 결의는 한국 기독교계가 그러한 쟁점들에 대해 어떤일을 하고 있는지에 대해 언급하지 않고 있음. 참고로 알리거니와, 대한 예수교 장로회는 평화적인 집회와 언론자유 보장을 위한 상황 개선을 위해 총회차원의 조치를 취한바 있음을 밝혀두는 바임.
인권개선을 위해 미국 정부가 한국정부에 압력을 가하도록 하는 대신 196차 총회는 인간존엄성, 정의, 평화를 위해 투쟁하고 증거하는 한국의 동지들을 격려하는 것이 더 적절하지 않을까 사료됨.
우리는 예수그리스도안에서 하나 될 것을 확인하기를 원함.

13 0041

5) 우리는 결의문 3)항속의 표현은 한국정부의 내정에 관한 강대국의 외부 간섭이라고 봄.

한국은 북쪽의 적군에 대항해서 경계선을 방어하기 위해 징집제도를 시행하고 있음. 대학생들에게는 중단없이 학업완수를 할수 있도록 하기 위해 병역연기가 허용되고 있음.

우리는 한국의 징집제도가 응징적 정치목적에 사용되고 있다고 말하는 것은 온당치 못한것이라고 믿음.

우리는 196차 미국 장로교 총회가 현재 제시된바와 같은 한국인권에 관한 결의를 채택하지 않기를 권고하는 바임. 그 대신 예수 그리스도에 의해 약속된 정의사회달성을 위한 우리들의 공통된 증거와 투쟁에 뜻을 같이하고 우리를 믿어주기 바라는 바임.

다시한번 여러분의 호의에 감사하며 오는 9월 서울에서 개최 될 총회에 여러분을 즐겁게 맞이하게 되길 바람.

미국 장로교회 제 196차 총회 대한예수교장로회(통합)대표단

임인식 총회장　　　　이의호 총무

안경운 전총회장　　　　성갑식 전총무

참고 4

1984 미국장로교회 196차총회 "평화 및 국제관계위원회" 보고서 추록

위원회 결의 (84 - 26) 관련

위원회는 1984. 6. 4 (월) 특별모임을 가지고 총대 결의 84 - 26에 대한 반응으로 작성된 84 - 38 서한을 협의함.

위원회는 총대 결의문 84 - 26호 처리문제를 재고하는데 만장일치로 합의했으며, 결의내용에 기록된 쟁점에 관하여 보다 더 많은 정보를 적절한 인물로 부터 들었음.

위원회는 84 - 38 서한의 요구에 따라 84 - 26 결의내용을 총회가 다음과 같이 수정한 내용을 결의할 것을 권고하였음.

위원회 결의 5절은 다음과 같이 수정 :

최근 정부 비난자들을 처벌하기 위해 징집제도의 잘못운용, 즉 수 백명의 불만학생들이 강제징집에 관련되고 있으며, 최근 수 개월 최소한 6명의 학생들이 의문의 죽음에 이르고---

결의사항 제 4항중 "정치적" 이라는 용어를 삭제하고 다음과 같이 수정 : 징병제도 징벌로서의 활용 종식

15

0043

결의사항 첫부분을 다음과 같이 수정 :

1984년 미국 장로교 총회는 총회서기가 모든 적절한 방법을 동원하여 미국 정부로 하여금 한국정부에 대해 사안의 중요성을 명심하도록 압력을 가하는 조치를 취하도록 촉구할 것을 결의함.
(투표 63 - 2)

위원회는 1984년 196차총회 총회장과 총무 그리고 평화 및 국제관계위원회 위원장이 한국 장로교회 총회장과 총무에게 미국장로교회에 대한 그들의 서한에 감사를 표시하는 서한을 쓰게하고 한국장로교회의 우려가 196차 총회의 해당위원회에 의해 이미 전달되었음을 알려주도록 조치할것을 건의함.(투표 66 - 0) 끝.

16 0044

미 장로교 한국문제 결의안에 대한 대책

85. 2. 25.

국 가 안 전 기 획 부

0045

1. 배 경

ㅇ 최근 미 종교계에서 한반도 문제에 관해 관심을 갖고 있는 주요 교단은 다음 3개의 교단임.

- 퀘이커 교도 : 산하단체인 AFSC 요원이 80년이후 4차에 걸쳐 방북(80.7, 82.7, 83.6, 84.9)

- 루터교 : 84.5.29 - 6.11 Paul Wee 목사등 4명 방북

- 장로교 : 83.6월 195차 년차총회에서 "대북선교 지침" 통과 시도.

ㅇ 이중 장로교는 현실 참여를 표방하는 정치성향 때문에 한반도 문제와 대북선교에 깊은 관심을 가지게 된것으로 분석됨.

ㅇ 특히 장로교내에서 활동하고 있는 교포 목사들은 대북선교를 희망한다는 관점에서 미 장로교의 한반도 문제에 대한 관심을 촉구 시켜왔는바, 금번 결의안 제출의 배후에서도 이들 교포 목사들이 주동적인 역할을 한것으로 보임.

* 금번 결의안 초안은 미 장로교내 Program Agency 소속 동.아태 그룹 (East Asia and Pacific Coordinating Group) 에서 제기되어 Robert Smylie 목사와 이승만 목사간의 협조하에 추진하고 있는 것으로 파악되고 있음.

o 미 장로교에서 활동중인 대표적인 교포 목사는 다음과 같음.

- 이승만 (미 장로교 아시아 담당총무, 1회방북)
- 김인식 (미 남장로교 전아시아 담당 총무)
- 김성락 (L.A 거주목사, 조국통일촉진회장, 2회방북)
- 홍동근 (L.A 거주 목사, 1회방북)
- 노외선 (L.A 거주 목사, 2회방북)

2. 결의안이 지닌 문제점

o 동 한국문제 결의안은 2.23. Synod of S. California and Hawaii 에서 승인을 받고, 6월 197차 인디아나 폴리스 총회에 상정될 예정임.

* 미 장로교 산하에는 210여개의 노회(Presbytery)가 있으며, 중간조직으로서 30여개의 Synod 가 있는바 Synod 는 장로교 내에서 상당한 비중을 가지고 있음.

o 동 결의안이 총회에서 통과된다 하더라도 특별한 구속력은 없으나 동 결의안이 미 대통령, 상.하원, 유엔사무총장, 남.북한 정부에 통보될 예정임.

0047

o 동 결의안이 지닌 문제점은 아래와 같음.

- 결의안 내용중 이산가족 재회촉구, 남북한 교차승인 및 동시 유엔 가입등 많은 부분이 아국 정책에 부합되나, 주한미군 철수, 극동지역에서의 군사훈련 중지 및 미-북괴 접촉등 아측 통일정책에 반하는 정치적 성격의 내용이 포함.

- 총회후 동결의안 시행을 위한 실태 파악을 위해 미 장로교 대표단의 남북한 파견.

- 86년 198차 총회에 북괴 대표를 초청.

3. 대 책

가. 방 침

o 동 결의안 제출이 비록 교포 목사들의 주동으로 이루어 졌다 하더라도 이는 미 장로교의 종교활동의 일환이므로 아정부가 결의안 채택 저지등을 위해 적극 개입할 경우 미국 종교에 대한 간섭이라는 불필요한 물의를 야기 시킬 수 있음.

0048

3

o 따라서 정부 차원의 대처 방법을 지양하고 국내 교계 인물들을 활용하여 대처하는 것이 좋겠음.

o 본건 대책 시행은 문공부(종무실)에서 주관하고 관련 부서가 협조하여 시행함.

나. 방 안

o 대책 방안은 다음과 같은 목표하에 추진함.

- 결의안 자체가 총회에 상정되지 않도록 유도

- 불가시 아측에 불리한 부분 수정 및 삭제 시도

o 상기 목표를 달성키 위해 다음과 같은 인원을 조직적으로 활용함.

- 국내 장로교소속 목사

- 교포 목사

o 총회에 파견되는 아측 대표단 목사에게 사전 교육을 실시.

0049

4. 세부 대책 및 추진일정

추 진 내 용	일 정	주관부서	협조부서	비 고
가. 국내 장로교내에 특별대책 위원회(7명정도) 구성.	3.1 - 3.10	문공부	2 국	
나. 통일원에서 작성한 결의안 내용과 아측입장 재검토.	3.11-3.20	문공부	통일원 6 국	
다. 총회 대표단 선발 및 교육		문공부		
ㅇ 인원선정	3.15-3.20		2 국	
ㅇ 교육 자료 (대북 선교 입장, 결의안 수정내용 및 아측 입장, 북괴종교실태등) 준비 * 북괴 예배처 비데오 및 성경책, 찬송가 포함.	3.15-3.25		6 국	
ㅇ 교 육	3.25-4.5			

5

0050

추 진 내 용	일 정	주관 부서	협조 부서	비 고
라. 교포목사조종 (국내목사를 통해 조종) ㅇ 김인식 ㅇ 이승만	 3.20-3.20 4.1-4.10	문공부	3 국	* 입국 예정 ㅇ김인식(3.20경) ㅇ이승만(4월초)
마. 국내목사 미국파견 방안 검토 ㅇ 인원선정 ㅇ 파 견	 4.1-4.5 4.5-4.30	문공부	2 국 3 국	* 장로교목사 수명을 사전에 미국 파견하여 교포 목사와 미장로교 지도자들에게 아측입장 이해 촉구 활동 방안을 검토.
바. 총회대표단 파견 ㅇ 인원선정 ㅇ 파 견 *홍보물 제작 검토	 5.1-5.5 5.20-6.20	문공부	2 국 3 국	
사. 총회에서 대북선교 문제가 대두될 가능성을 감안 대북선교문제에 대한 아측의 기본입장 확정.	5.1-5.15	문공부	통일원 2 국 6 국	

6

0051

첨 부 1. 국내활용 대상자

2. 미 장로교 총회 결의안 (초안) 요지

3. 결의안 원문. 끝.

0052

7

첨부 1

국내활용대상자

성명	직책	비고
박종열	예수교 대한장로회 총회장	
이종성	" 부회장	
김창인	" 서기, 총무 대행	
김의관	" 북한선교 대책위원장	
임 옥	영암교회 목사	
이연옥	예장 여전도회 전국연합회장	
김형태	WCC 중앙위원, 연동교회	
김소영	NCC 총무	
김윤식	NCC 부회장	
이영갑	정능교회 장로	
림인식	노량진 교회 목사	
안경운	전 예장 총회장	
이의호	전 예장 총무	
박치순	해방교회	
강명찬	전 기장 총회장	
김상근	전 기장 총무	
한기원	동신교회 목사	
노정현	연세대 교수 (장로)	

0053

첨부 2

미 장로교 총회 결의안(초안) 요지

가. 의결사항 (검토 대상 안건)

- 우편등을 통한 남북한 직접 통신교류 지지
- 남북한 이산가족 재회 센타 설치 제의
- 남북한 불가침 조약 체결 촉구
- 주한 미군을 철수하면서 남북한 유엔 동시가입 지지
- 주한미군 대신에 유엔 또는 아시아 제국의 중립 평화군으로 대체 주장.

나. 미국 정부에 대한 요망 사항

- 북괴와의 관계 개선을 위한 협상 개시
- 긴장을 조성하는 동북아에서의 군사 훈련 중지
- 주한 미군의 단계적 철수

다. 미 종교계에 대한 요망 사항

- 한반도 상황에 대한 이해 촉구
- 이산가족 재결합을 위한 기관에 대한 재정지원

* 동 결의안 실행을 위한 계획사항

- 결의안을 남북한정부, 미 대통령, 미 상하의원, 유엔사무총장, WCC 사무총장, 남북한 교회 지도자에게 통보함.

0054

- 동 결의안 실행을 위해 미 장로교 대표단을 남북한에 각각 파견함.

- 86년도 개최되는 198차 총회에 북괴대표단을 초청함.

0055

미국장로교 총회 결의문(초안)에 대한 대책보고

교 육 . 문 화

0056

금년6월 미장로교 총회에 제출될 예정인 미장로교 교회사회자문위원회의 한반도 남북문제 결의문(초안)에 대한 관계기관의 검토 및 대책회의 결과를 보고드립니다.

1. 관계기관 회의

o 일 시 : 85. 2. 15(금)

o 의 제

- 동 결의문(초안) 문제점 검토

- 동 결의문(초안) 문제점 시정방법

o 참 석

안기부2차장, 문공부차관,

통일원차관, 교문수석 및 관계국장

(외무부 차기회의 참석 예정)

0057

2. 토의내용

o 결의문(초안)이 전반적으로 남북한을 대등한 관계에서 평가, 한국에 관한 문제부분이 많이 있음.

- 3자회담, 미. 북괴접촉, 주한미군 철수, 한국경제성장 불균형등 북괴 주장 열거

- 부분적으로 남북한 직통전화 설치 이산가족 재회 촉구, 남북한 교차 승인, 유엔 동시가입등 우리측 주장도 반영

o 문제부분을 시정하여 바람직한 결의안이 상정되도록 추진

o 시정방법은 종교단체를 활용, 미장로교 측에 요청

0058

3. 추진대책

o 안기부에서 주관, 세부대책 보고
(관계기관 협조)

o 문제부분 시정하여 새로운 결의안 및
우리의 입장을 밝히는 자료 작성
(통일원 2. 25 한)

o 미장로교의 구성인사, 영향력, 한국
장로교 측과의 관계 파악
(외무부, 안기부)

o 한국장로교의 미장로교에 대한 관계
영향력있는 인사를 파악
(안기부, 문공부)

o 2. 25(월) 제2차 회의를 소집,
통일원 작성안을 검토 후 전달 방법등
최종적인 대책을 협의

0059

관리번호	617

발 신 전 보

번 호: WUSM-15 일 시: 0226 1850 전보종별:

수 신: 주 라성, 뉴욕, 상항, 시카고 대사 · 총영사 (사본 : 미국주재 기타전공관)

발 신: 장 관 (정이)

제 목: 미장로교회 한국문제 결의안

연 : WUSM- 12

1. 관계기관 정보에 의하면 미장로교단 산하 지역단체인 Synod of Southern California and Hawaii 회의가 2.23. 라성소재 임마뉴엘 장로교회에서 개최되었으며, 동회의에서 Korean Presbyterian Church 소속 오은철, 천방욱, 이창식 목사등의 강력한 주장으로 한국문제 결의안이 상정되지 못하였다함.

2. 동건과 관련, 아래사항 조사보고 바람
   1) 미장로교단의 조직구성 및 각조직의 직능
   2) 총회와 각종산하단체(예 : Synod, Korean Presbyterian Church, Asian Presbyterian Council, Advisory Council of Church and Society등 와의 관계
   3) 결의안 채택에 관한 절차 및 방식
   4) 금차 총회에서 처리하여야할 사항과 동 사항중 한국관계 결의안의 중요도
   5) 한국결의안을 움직일수 있는 주요인사명(친한, 반한등 성분구분)
   6) 기타 참고사항

보안통제	

앙고재	85년 2월 26일	정보2과	기안자		과 장		국 장		차 관	장 관
			[signature]		[signature]		[signature]			[signature]

외신과	접수자	통 제
	[signature]	

0060

3. 정부로서는 연호로 통보한바와 같은 결의안이 논의되거나 채택되는 것은 바람직스럽지 않는것으로 보는 바, 동건 저지를 위한 귀관의 구체적인 의견을 제시바라며, 총회 및 기타회의에서 아측 입장을 대변하여 줄 수 있는 교계인사(미국인 및 한국인)를 우선 물색보고 바람. 끝.

(국 장)

예고 : '85.12.31. 일반

예고문에 의거 일반문서로
재분류 1985. 12. 31 서명

0001

관리번호 6?5

3년 85.12.31 일반

기 안 용 지

분류기호 문서번호	정이 120.2-569	(전화번호)	전결규정 조 항 전결사항
처리기간		장 관	
시행일자	85. 2. 27		
보존연한			
보조기관 국장	전결		
과장			
기안책임자	정보2과	이 남수	1985. 2. 27 검열

경유 수신 참조	주미지역전공관 (주시카고총영사관 제외)	발신		통제	
제목	미장로교회 한국문제결의안 초안 송부				

연 : WUSM - 12

연호 미장로교단의 한국문제결의안 초안을 별첨과 같이 송부합니다.

첨부 : 동결의안 초안 각 1부. 끝.

정서 관인 발송

1205-25(2-1)A(갑) 1981. 12. 18승인

정직 질서 창조

0062

190mm×268mm(인쇄용지 2급 60g/㎡) 조 달 청(1,500,000매 인 쇄)

DRAFT DR'"T DRAFT DRAFT DRAFT 'AFT DRAFT DRAFT

ACCS Resolution - 197th General Assembly Presbyterian Church (U.S.A.)

1985

KOREAN RECONCILIATION IN THE NE ASIA CONTEXT

STATEMENT OF CONCERN

Korea has been divided since the end of World War II when the Soviet Union occupied the north and the United States occupied the south following the surrender of Japan. The major powers solidified influence in their respective sectors by the creation of the Republic of Korea in the south and the Democratic People's Republic of Korea in the north. The Korean War - the fratricidal conflict that followed bestowed a legacy of bitterness, hatred and inflexibility on both parties, perpetuating a tragic division that is of concern for all who are interested in world peace and reconciliation of peoples. The perpetuation of that division has provided justification for the suppression of civil rights in both societies, and for the continued dependency of both on heavily militarized political systems.

The Christian community, in its concern for breaking down the dividing walls of hostility and for achieving world peace is called upon to foster reconciliation between peoples of the two Koreas, in order to create the context wherein they may work toward the reunion that befits a people whose cultural heritage stretches over thirteen centuries, undivided prior to outside influences.

BACKGROUND

A divided Korea is one of the tragic legacy's of World War II. The original division by the United States and the Soviet Union, coming after thirty-six years of imperial Japanese occupation, appears, in retrospect, more an accident of history than a calculated design. In

0063

the summer of 1945 the Soviet Union entered the war against Japan as had been previously agreed. Previous agreement had also been made that Korea would be allowed toestablish a democratic government. The United States, unable to prevent a Soviet occupation of all of Korea, yet desirous of keeping the Soviet Union out of Japan, suggested to the Soviet Union a temporary division at the 38th parallel, a division the Soviet Union accepted. Unlike the division of Germany, Korea was not divided because it had been a threat to anyone or because it was the enemy, though it had been a base of supply for the Japanese military forces. This division was an act of expediency, intended to be transitional until government could be transferred to the Koreans themselves. Circumstances, however, quickly led to a solidification of the division as the two primary victors each fostered the development of governments headed by leaders chosen because of their compatibility with the respective goals of the two superpowers already beginning the competition that would become the "cold war." Dr. Syngmann Rhee, an American educated Korean was chosen by the United States. In 1948 after an abortive UN sponsored election attempt, the US helped establish the Republic of Korea and unilaterally recognized it as the only lawful government in Korea. Kim Il Sung, a man with ties to the Soviet Union, was enabled to become the head of the Democratic People's Republic of Korea, backed by the Soviet Union.

The Korean War that began in 1950 saw the introduction of United States forces under United Nations auspices in the south, and volunteers from the People's Republic of China in the north, but none from the Soviet Union. The intense twelve months of fighting covered virtually the whole country in a see-saw struggle that left a

0064

devastation seldom seen in war. A ceasefire in 1951 was followed by 24 months of negotiations ending in an armistice in July 1953.

The situation has been frozen ever since, marked by constant tension, incidents along the demilitarized zone, heavy burdens of military expenditures on both societies, the permanent stationing of American forces in the Republic of Korea, the introduction of nuclear weapons into the arsenals of the south. The result is a flashpoint situation capable of igniting a global nuclear war between the United States and the Soviet Union.

Two sets of dynamics are at work, each complicating the other. The first set involves the two Koreas, the two immediate parties. Each in its own way has perpetuated the conflict and the division, making normal relations, even reconciliation and reunion, more difficult. Differences have developed since 1953 in their respective economic and political stuctures. Different models have been followed, different values have been stressed, creating difficult but not insurmountable barriers. In political terms, both the ROK and the DPRK have developed authoritarian patterns. The ROK is now well into its third basically military government: Syngman Rhee, 1948-1960; Park Chung Hee, 1961-1980; Chun Doo Hwan, 1980-present. All three have been staunchly supported by the United States without regard for the cost to the people of South Korea. The DPRK has had almost four decades of arbitrary rule by KimIl Sung who, now in his 70's is grooming his son, Kim Jong Il for political succession. Although North Korea is considered part of the communist world, relations with boththe People's Republic of China and the Soviet Union have not been close.

In economic terms, both North and South have sought industrial modernization. The South rebuilt from the war on a "capitalist" model

0065

with extensive help from the United States, both governmental and private. Its growth has been rapid, but erratic and uneven, with some parts of the society benefiting far more than
others. The "trickle down" has not worked for the good of all. The results have been extravagant wealth for some, the largest external debt burden in Asia, increasing economic dependency on the United States and Japan, its former occupier. In addition South Korea has shifted from a food exporting to a food importing country.

The North, perhaps even more devastated by the war, has rebuilt with only limited help from the People's Republic of of China and the Soviet Union. It has followed more of a socialist model, stressing heavy industrial development, placing a high premium, not on consumer goods but on citizen basic needs, and the developmentof its agricultural sector. It has further stressed self-reliance and hence boasts a remarkable degree of economic autonomy,with modest debt, with self-sufficiency in food production, and a consistent growth rate. It, also, is facing difficulties, needing access to new technology and energy. Furthermore it carries a heavy burden from its defense establishment for whichit gets virtually no help from its former partners.

Both countries haveinvested heavily in the military structures, having an inordinate number of persennel under arms and high percentages of GNP diverted into the military sector. Once peaceful unified Korea now boasts the 5th and 6th largest armies in the world.

The second set of dynamics that makes reconciliation and reunion difficult is the superpower context, wherein it might be argued that Korea is held hostage to the overarching conflict between the United States and the Soviet Union. The United States has since 1946 seen

0066

the Soviet Union as its chief protagonist. Even though the most damaging psychological, military, economic and political blow to the United States came with the triumph of the communist forces in China and the retreat of the government of the Republic of China and its army to Taiwan, and even though it was Chinese troops that Americans encountered in Korea, the assumption persisted that both factors were simply evidences of the expanding power of the Soviet Union. While the intervening years have seen the reestablishment of peaceful relations between the United States and the People's Republic of China, no similar effort has been made toward the Democratic People's Republic of Korea. The antagonism with the Soviet Union is probably the key. The containment policy adopted early in the cold war sees Korea as a link in that containment policy, a barrier to Soviet expansion into the Pacific. The Soviet Union undoubtedly perceives the presence of the United States in the NE Pacific, with bases in Japan and on the Asian mainland in Korea as threatening to its territory and its interests. Korea, after all, provides the United States with a military foothold on the continent, not to distant from Soviet territory and installations.

What began as a United Nations action to protect South Korea from an invasion by North Korea in 1950 has evolved from an act of collective security to a protracted conflict in which the United States, still flying a United Nations flag, has concluded an alliance with one of the two parties to the division. The fact that it wears the United Nations mandate effectively precludes the United Nations from other activity that might be designed to foster reconciliation and reunification. We are concerned that the perpetuation of the conflict in Korea has come to serve more the strategic interests of

0067

the United States than the needs of the Korean people, or the United Nations which has not only the responsibilities of the peacekeeper, but also the responsibilities of being the peacemaker.

The reasons for the church's concerns regarding Korea are manifold. Two are basic. First, there is a desire for a permanent and lasting peace in the region. As long as Korea remains in a state of unresolved conflict, as long as tensions remain high, with United States troops serving as a tripwire with nuclear weapons in place, there remains the potential for a conflict that could trigger nuclear confrontation between the superpowers. As peacemakers we need to be seeking reconciliation, opposing the continued militarization of the area and the continued friction. Second, there is a genuine desire for the well-being of the Korean people, North and South, who have suffered too long for the events of an earlier conflict. Therefore we seek conditions that will enable the reunion of families and opening of borders that will facilitate normal relations between the two parties with the hope that together they may find the way toward reunion. The passing of the years with the aging of people and the dying of family members, the victims of the fratricidal conflict, is, from a humanitarian point of view, all the more urgent, before it is too late.

The church would seek the establishment of conditions, North and South, that would also enable the democratization of both societies, and conditions wherein the skills, energies and resources of the Korean people, separately or together, can be fully applied to the building of abetter life for all, rather than being absorbed by the demands of a militarized situation.

The church takes note of the tentative efforts that have been made

0068

between the North and South over the past six years. A number of initiatives have been made by both parties, only to be silenced by some poltical event or the fanning of suspicions. Hopeful signs have developed in recent months despite the KAL incident and the Rangoon bombing. Devastating floods in South Korea brought an offer of help from North Korea for the flood victims, an offer as unusual as was South Korea's decision to receive it. Furthermore early in 1985 talks have been initiated dealing with economic relations and Red Cross negotiations have begun. The church also sees hope in initiatives taken by Christians in South Korea, specifically, the Presbyterian Church, to make reconciliation a major commitment, asking for cooperation with the Presbyterian Church (U.S.A). In addition strong evidence emerges from North Korea of the existence of small Christian communities, house churches, remnants of a long period of religious suppression. In 1983 the government allowed, for the first time since 1950, the printing of a hymn book and the New Testament. Surely the time is propitious for major efforts at reconciliation.

RESOLUTION

In light of its concerns for peace and reconciliation in Korea, the 197th General Assembly of the Presbyterian Church (U.S.A.) adopts the following resolution: WHEREAS the Confession of 1967 identifies the mission of the Church as a reconciling community in the world, explicitly saying: "God's reconciliation in Jesus Christ is the ground of the peace, justice, and freedom among nations which all powers of government are called to serve and defend. The church, in its own life, is called to practice the forgiveness of enemies and to commend to the nations as practical politics the search for cooperation and peace."

0069

WHEREAS PEACEMAKING: THE BELIEVERS' CALLING adopted by the General Assembly speaks of bearing witness to Christ by nourishing the moral life of the nation for the sake ofpeace inthe world, and indicates that by God's grace we are freed to
work with all people who strive for peace and justice and to serve signposts for God's love in our broken world;
WHEREAS the division of Korea, a people with thirteen centuries of unity and common culture,, into two protagonistic parts, the Republic of Korea and the Democratic People's Republic of Korea, continues to be a source of tension for the world, and of suffering and tragedy for the Korean people;
WHEREAS the United States, as an original participant in the division of Korea, as the principle military ally in the defense of the Republic of Korea, and as one of its major trading partners, bears a particular responsibility and obligation to help reduce the tension and facilitate reconciliation;
WHEREAS the Presbyterian church in the United States, having had over one hundred years a unique mission relation with the Korean people both as Korea was opened to western influences and during the long years of Japanese occupation and in the subsequent decades of division, has a particular concern for peace, reconciliation and justice for the Korean people; and
WHEREAS recent commitments of the World Council of Churches and the Christian Conference of Asia have made achievement of reconciliation and eventual reunion a response of Christian commitment in cooperation with the Christian community of Korea itself;
THEREFORE the 197th General Assembly of the Presbyterian Church (U.S.A.) OFFERS its prayers of INTERCESSION for the reduction

0070

of tensions in Korea and NE Asia, for the removal of the military burden upon the peoples of North and South Korea, for the achievement of reconciliation and permanent peace in Korea and NE Asiaand for the reunification of the two Koreas under peaceful, just conditions; and further offers its prayers of REPENTANCE for the complicity of the United States and even the church in helping to create and perpetuate the tragic division and conflict that has beset the people of Korea.

CALLS upon the respective parties involved to consider the following possibilities as steps leading to reconciliation and peace:

1. Establishment of direct communications links betwen North and South Korea, including a "hot-line," regular telecommunications and postal arrangements;

2. Establishment of family reunification centers with open access to both North and South for the location, verificatioon and facilitation of family contact and relations, either under Red Cross or neutral United Nations agency control;

3. Establishment of trade relations followed by a trade federation:

4. A formal treaty ending the Korean War, including a friendhip and non-aggression pact between the Republic of Korea and the Democratic People's Republic of Korea:

5. Mutual recognition of the two exiting governments by those governments that now only recognize one of the two;

6. Simultaneous full admission of thetwo governments to the United Nations, coupled with termination of the United States authorization to act as agent for the United Nations;

7. Mutual reduction of military forces and tensions alongthe Demilitarized Zone, with a drawback to be accompanied by the placement of a neutral peacekeeping force under United Nations auspices or

0071

some other appropriate body such as ASEAN;

8. Phased withdrawal of United States military forces as other actions build confidence.

CALLS upon the United States government

1. To support and facilitate where possible negotiations between North and South Korea, whether on the level of two powers, three powers, four powers or multipower;

2. To initiate its own discussions with the Democratic People's Republic of Korea on ways to reduce tension, improve and normalize relations with appropriate diplomatic and trade relations;

3. To halt military maneuvers in the NE Asia context as they are seen as tension building and threatening;

4. To negotiate with the Soviet Union a moratorium on the introduction of new missiles in the area, including the Tomahawk and the SS20's;

5. To initiate a phased withdrawal of United States forces from the Republic of Korea as other confidence building measures occur;

6. To provide economic assistance to agencies identified for family reunification work.

CALLS upon the agencies of the Presbyterian Church:

1. To encourage study and understanding of the history and circumstances leading to the division and conflict in Korea and the need for reconciliation;

2. To participate with and support the initiatives of Christians in Korea that are directed toward reconciliation and reunification;

3. To provide financial support, as appropriate, for agencies that may be involved in family reunification endeavors.

AUTHORIZES the sending of a deputation from the Presbyterian Church

0072

(U.S.A.) to visit the Democratic People's Republic of Korea and the Republic of Korea on a fact finding mission (under Advisory Council of Church and Society, or other appropriate auspices) to report to the 198th General Assembly on conditions in the two countries.

EXTENDS to Presbyterians in North Korea an invitation to attend the 198th General Assembly of the Presbyterian Church (U.S.A.) as may be possible.

DIRECTS the Stated Clerk to communicate this resolution to the governments of the Republic of Korea and the Democratic People's Republic of Korea, the President of the United States, the Secretary of State of the United States, the Senate Committee on Foreign Relations, the HouseCommittee on Foreign Affairs, the Secretary-General of the United Nations, the General Secretary of the World Council of Churches, and appropriate church leaders in Korea.

"ACCS-Korea"

"ACCS-Korea"

DRAFT - 1st

Robert F. Smylie
Decmeber 1984

0073

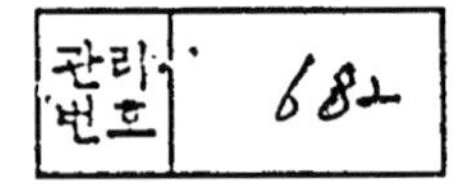

외 무 부

착신전보

종 별 : 지 급

원 본

번 호 : NYW-200　　　　일 시 : 02271800

수 신 : 장 관 (정이,기정)

발 신 : 주 뉴욕 총영사

제 목 : 미 장로교회 총회 한국문제 결의안

	과 장	국 장		차 관	장 관
결재					

대 : WUSM-12,15

1. 대호건 이승만 목사를 2.27. 접촉한바 결과를 아래 보고함.

가. 장로교단의 구성

1) 미국 장로교회를 지역별로 묶어서 관할하는 190개의 장노회 (PRESBYTERY) 가 있고 장노회를 나누어 관할하는 20개의 대회 (SYNOD) 가 있으며 이 대회를 총괄하는 총회 (GENERAL ASSEMBLY) 가 있음.

2) 총회산하에 PROGRAM AGENCY (이승만 목사가 소속), SUPPORT AGENCY, VOCATION AGENCY 등의 직속기구와 ADVISORY COUNCIL OF CHURCH AND SOCIETY, COUNCIL ON DISCIPLESHIP 등 10여개의 전문기구가 있음.

나. 한국관계 결의안 제출경위

1) 약 1개월전 대호 ROBERT SMYLIE 목사가 초안하여 교계 인사들에게 배포하면서 금번 LA SYNOD 에서 이를 통과시키고 다시 85.6월 총회에서 통과시킬 계획임을 이목사에게 협의해와 이 목사는 서면을 통해 한국문제와 관련된것을 미국 장노회 SYNOD 에서 통과시키고 또 이를 총회에 상정하는것은 곤란하므로 한국교회측과 충분히 사전 협의하여 처리하는것이 좋겠다고 의견을 피력, 85년 총회에서는 다루지 않기로 SMYLIE 목사와 합의한바 있었다고 함. (총 초안이 사전 배포 되었기 때문에 금번 LA SYNOD 에서 개인적으로 의견교환이 있었는지는 몰라도 정식 상정 계획이 없다고함)

2) SMYLIE 목사는 85.9. ADVISORY COUNCIL OF CHURCH AND SOCIETY 모임에서 이를 다시 거론하여 86년 총회에 통과시킬 계획이라고 함. 이 목사는 동 결의안에 한국의 입장을 반영시킬수는 있으나 결의안 자체를 봉쇄하기는 어려울것으로 본다고

정문국 차관실 1차보 미주국 청와대 안 기

PAGE 1　　　　85.02.28 13:23
외신 2과 통제관

0074

하였음.

다. 결의안 채택 절차

SYNOD 에서 상정된 의제라도 총회에 정식 상정되려면 의제관련 기구 및 관련 인사간의 협의 및 토론을 거쳐야하며 자동적으로 통과되는 것은 아니고 통과절차를 밟아야 된다고 함.

라. 기타 참고 사항

금번 LA SYNOD 에서는 WILLIAM CRESHY 목사가 "교파의 평화운동" EDWARD LEUI DENS 가 "아시아의 정치사회상황-미국과 한국의 관계" 그리고 이승만 목사가 "교회의 평화를 위한 사명" 등의 연설이 있었다고 함.

2. 이승만 목사는 3.19. 당지를 출발 남장로교 동남아 선교 책임자인 김인식 목사와 함께 일본,한국,대만,필리핀등을 방문 예정인바(한국 방문은 4월초가 될것이라고 함) 미 장로교단내에서 한국 선교책임을 맡고 있는 이 두 목사와 적극 접촉 협조를 요청할것을 건의함.끝.

(총영사 김태지 -국장)

예고 : 85.12.31 일반

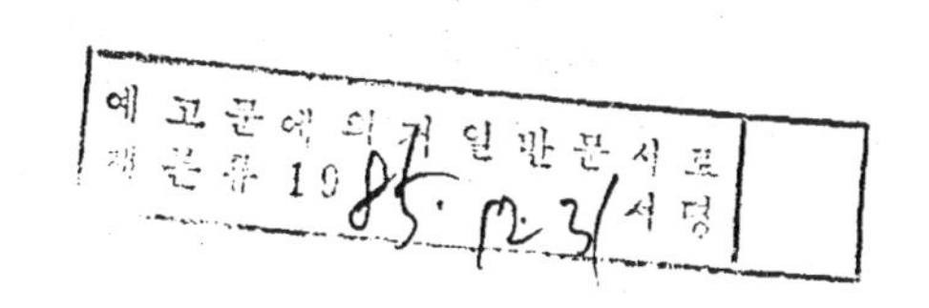

PAGE 2

0075

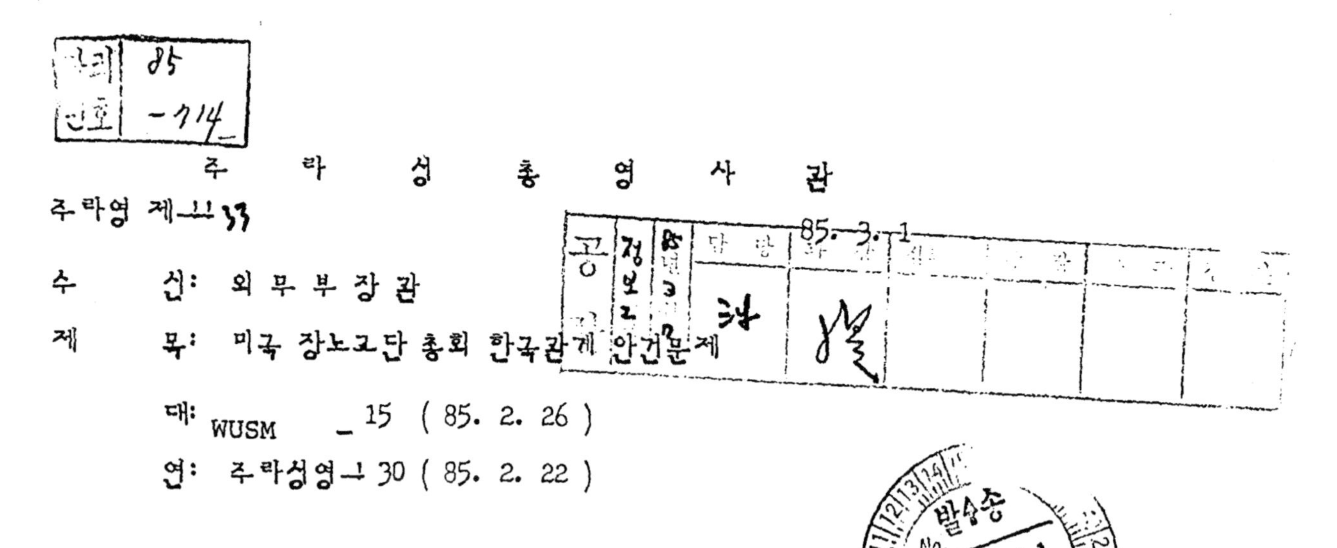

주 라 성 총 영 사 관

주라영 제-33　　　　　85. 3. 1

수　　신: 외무부장관

제　　목: 미국 장노교단 총회 한국관계 안건문제

대: WUSM -15 (85. 2. 26)

연: 주라성영-130 (85. 2. 22)

발송종 No. 1985. 3. 01 주라사

대호 지시에관하여 아래와같이 보고합니다.

1. 미국 장노교단의 행정적 조직:

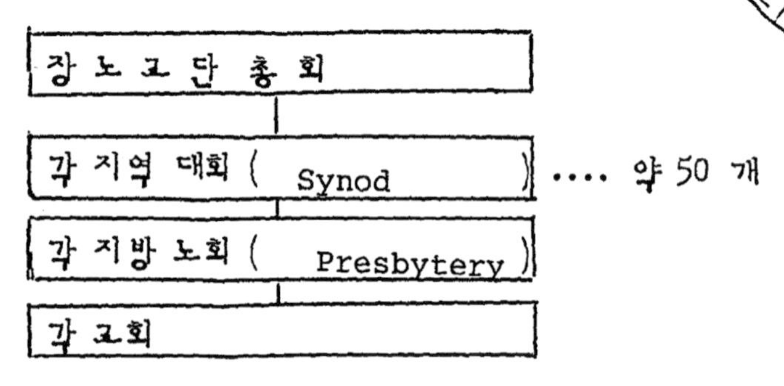

2. APC, KPC 등 제단체의 성격:

가. APC, KPC 등 제단체는 상기 행정조직과는 직접적 관계가 없으며, 각 노회 소속 목사들의 친목단체임. 예컨데 당지의 한국인 목사들의 모임이 KPC 이고, 그외에 JPC (일본), PPC (비율빈) 등이 있으며, 이들 아세아인단체의 총괄적인 연락단체가 APC (ASIA PRESBYTERIAN COUNCIL) 임.

나. 각지역의 SYNOD 는 지역 노회 라고하는데, 그구성원은 각지방 노회 대표이며, APC 나 KPC 등 에서는 동단체 대표로서는 참석할수없음.

다만 어떤 특수지역문제, 예컨데 아세아 선교에관한 토의를 할때에는 상기 APC 대표를 OBSERVER 자격으로 참석시켜, 그 의견을 청취하는일은 있으며 의결권은 부여하지않으나, 그의견은 존중하는것이 상례라고함.

0076

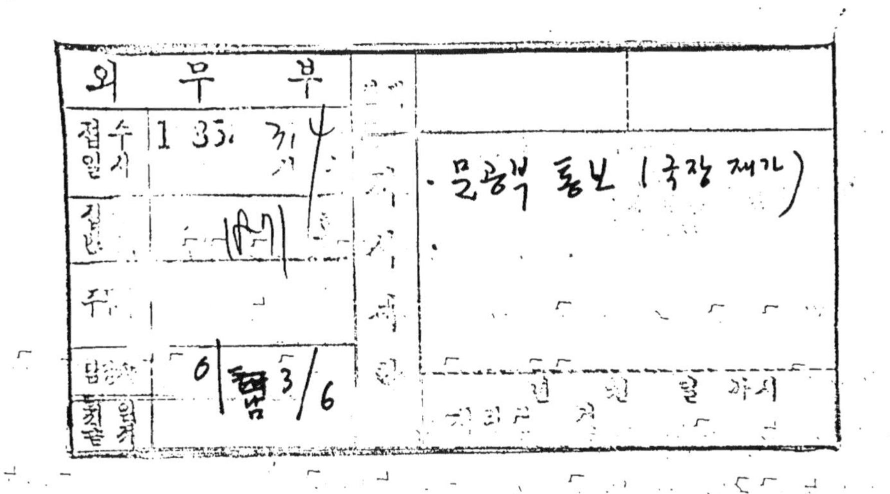

외 무 부				
접수일시	1 35. 기			
담당	이 3/6		· 문공부 통보 (국장 재가)	

0077

39

3. 금번 당지 SYNOD 대회서의 한국문제 토의:

가. 연호 공문으로 기보고한바와같이 금년 6 월에 개최예정인 미국 장노교단 총회의 의제로서 북한 선교조항이 상정될 전망이 보이자, 당지 SYNOD 에서는 APC 대표만을 초청하여 동문제에관한 의견을 청취한바, 동 대표 (일본인 목사) 는 즉석에서 그의 부당성을 지적하고, 삭제를 요청하였음. 한편, KPC 는 동 대회에 초청되지 않았으나, 별도로 총회를 열고 연호 와같은 내용의 서한을 송부하고 APC 와도 긴밀한 협력을하여 저지에 일단 성공한것임. 이와같은 일련의 교섭에있어서 대호 전문의 내용과같이 KPC 회장 천방욱 목사, 부회장 오은철 목사의 공헌이 지대하였음을 첨언함.

나.SYNOD 대회에서는 반대의견이 점차 높아지므로 교단 총회에 보고하여 85 년도 총회 의제에서 삭제해주도록 요청한바, 동 총회에서는 이를 승인하였다고함.

4. 한국 대표 파견문제:

가. 금번 대회 (6월 미네아포리스 개최 예정)에 아국 대표파견을 요청한것은 85 년도 총회 의제 채택문제를 협의한것이아니고, 86 년도 총회 의제로서 채택 여부를 위한 의견 청취가 목적이라고함.

나. 상기 대표는 의결권은 없는 OBSERVER 자격이나 미국 장노교단과 한국 장노교단은 자매결연관계이므로 영향력이 비교적 크다고함.

5. 건의사항:

가. 대표 선정: 교계의 신망이 두텁고 국가관이 투철한 인사중 특히 영어 구사능력이 있는 인사를 파견하시기바람. 통역이 필요할시는 반한 목사 이승만 이 행할 우려가있기때문임.

나. 86 년도 의제 상정 저지: 뉴욕 소재 총회에 속하는 상기 이승만 등 일부 친 북괴 인사들은 수정안 또는 다른 명목의의제로 기습적으로 제안할 가능성을 배제할수 없으므로 뉴욕소재 SYNOD와 총회 상임 이사등과 부단히 접촉함이 필요하다고 판단됨.

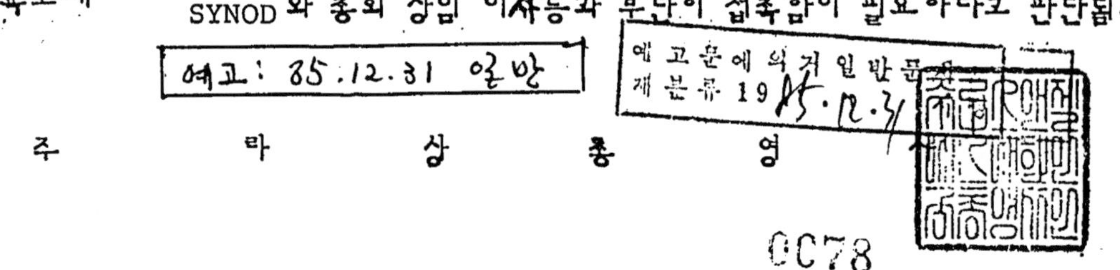

예고: 85.12.31 일반

예고문에 의거 일반문서로 재분류 1985.12.31

주 라 상 총 영

0078

관리 번호	85/2320

WLA-250
WSF-83

발 신 전 보

번 호 : WCG-90 일 시 : 0304 1650 전보종별 :

수 신 : 주 미대사, 상항, 시카고 총영사

발 신 : 장 관 (정이)

제 목 : 미장로교회 한국문제결의안

연 : WUSM - 12,15

연호 현재까지 탐문된 사항을 지급보고 바람.

예고 : '85.12.31. 일반

(정 장)

보안 통제	

앙 고 재	85년 3월 4일	정보2과	기안자		과 장		국 장		차 관	장 관
			(서명)		(서명)					(서명)

외신과	접수자	통 제
	(서명)	

0079

관리번호	706

원본

외 무 부 착신전보

번 호 : SFW-103 일 시 : 03041630 종 별 :

수 신 : 장 관 (정이)

발 신 : 주 상항 총영사

제 목 : 미 장노교의 한국문제 결의안

이난 3/6

대 : WSF-83,WUSM-15

대호사항 현재 파악중이나 관련목사 1명이 뉴욕출장중이므로 귀임하는 3.13 면담후 상세보고 위계이니 양지바람.

(총영사 문기업-국장)

예고 : 85.12.31. 일반

362

예고문에 의거 일반문서로 1985.12.31 서명

공람	담당	과장	국장		차관	장관

정문국 차관실 1차보 미주국 청와대 안기

PAGE 1

85.03.05 14:52
외신 2과 통제관

0080

전 언 통 신 문

국미 400-202 1985. 3. 7. 10:00

발신. 안기부장

수신 수신처참조

제목 미국 장로교 결의안 관련 대책회의

1. 미국 장로교의 한국문제 결의안 채택시도에 대한 관계 부처 대책회의를 아래와 같이 개최하오니 참석하여 주시기 바랍니다.

- 아 래 -

가. 일 시 : '85.3.8(금) 15:00

나. 장 소 : 문공부 종무실장실

다. 참석범위

회의주관 : 안기부 3국장

참 석 자 : 외무부 정보문화국장, 문공부 종무실장, 통일원 남북대화사무국장, 안기부 북미과장, 2,3국 실무과장, 청와대 이정빈 정무비서관, 이경문 교문비서관

2. 회의 참석자는 할당된 과제에 의한 자료를 필히 지참하여 주시기 바랍니다. 끝.

수신처 외무부, 문공부, 통일원, 청와대

수화자 정보2과, 이남수

정보2과	공람	85년 3월 7일	담당	과장	국장
			(서명)	(서명)	이

0081

메 모 란 덤

1. 대한민국 정부는 미장로교 교단이 오는 6월 미국 인디아나 폴리스에서 개최될 제197차 총회에서 한국문제에 관한 결의안을 채택하려는 움직임에 대하여 다음과 같이 아측의 입장을 밝히면서 동교단의 주의를 환기함.

A. 미장로 교단의 본래의 사명은 선교 및 복음화에 있다고 보며, 동교단이 타국의 정치문제 특히, 한반도 문제와 같이 미묘한 국제문제에 관여하는 것은 그 본래의 사명에 어긋나는 일로 간주됨.

B. 우리는 또한 결의안이 한국정세에 관해 그릇된 내용을 포함하고 있는 점에 주목함. 우리 대한민국은 독립이래 수차 어려운 고비를 경험하였지만 미국을 비롯한 자유 우방의 지원과 아국정부 및 국민들의 국가건설 노력으로 오늘날과 같은 발전을 이룩하였으며, 여타 개발도상국의 모범이 되고 있는 것은 국제적으로 널리 알려진 사실임. 사정이 이러함에도 불구하고 동 결의안 초안이 한국의 경제 상황에 관해 사실을 왜곡하고 있음을 납득하기 어려운 일임.

0082

c. 우리는 동 결의안이 한반도에서의 긴장을 완화하고 평화를 정착하는데 기여하기 위한 순수한 의도에서 제출된 것으로 보는 바임. 연이나 실제 내용에 있어서는 한반도 문제의 실상에 관하여 올바른 인식을 결한 채 그동안 북한측이 그들의 대외평화선전공세의 일환으로 제시하여온 내용들을 그대로 포함하므로써 북한의 입장을 대변하는 인상을 나타내고 있음.

2. 오늘날 유엔을 비롯한 국제기구에서도 한반도 문제에 관하여서는 남북한 직접당사자가 당사자 해결원칙에 따라 평화적인 방법으로 해결하도록 노력하는 것이 합리적이라는 견지에서 문제해결에 도움이 되지 않는 무익한 토의를 지양하고 있음. 유엔은 1976년이래 지금까지, 그리고 비동맹회의에서도 최근 이러한 입장을 견지하고 있음에 비추어 동교단이 이 문제를 토의함은 실익이 없을뿐만 아니라 자칫 동 교단이 정치선전장화할 위험을 내포하고 있음.

0083

3. 대한민국 정부는 한반도에서의 전쟁방지와 평화정착이 궁극적인 평화통일에의 첩경이라는 인식하에 그동안 긴장완화 및 민족화합을 위한 노력을 기우려 왔으며,
남북한간의 1972.7.4. 공동성명은 이러한 노력의 결실임.
아국정부는 또한 북한이 일방적으로 남북간의 대화를 정당한 이유없이 중단하였음에도 불구하고 꾸준히 대화재개를 위해 노력하여 왔으며, 전두환대통령의 남북한당국 최고당국자회담 제의와 민족화합 민주평화통일 제의는 남북간의 모든 문제를 주체적인 입장에서 조속히 해결할 수 있는 가장 진취적이며 포괄적인 제안으로서 광범위한 국제적 지지를 받고 있으나 북한측은 이를 거부하였음.

4. 한반도에서는 상기와 같은 아국정부의 주도적인 노력으로 대화가 중단된지 약 10년만에 남북경제회담 및 적십자회담이 재개되어 남북당사자간의 직접대화로서 민족화합과 궁극적인 평화통일의 길을 모색하고 있음. 비록 북한이 대화와는 아무런 관련이 없는 문제를 구실로 현재 대화가 중단되어 있기는 하지만 우리는 이러한 북한측의 태도에 실망하지 않고 인내심을 가지고 대화재개를 위해 노력하고 있으며, 조속한 시일에 북한측이 대화에 호응해 올것으로 확신함.

0084

5. 따라서 미장로 교단이 진실로 한반도의 긴장완화와
궁극적인 문제해결에 관심을 가지고 있다면 먼저
한반도에서의 전쟁재발이 방지되고 평화가 정착되며,
당사자간의 직접대화를 통하여 평화적인 방법으로
문제가 해결되도록 지원하여야 할 것으로 봄.
그렇게 하기 위해서는 한반도 문제에 관한 무익한
토의를 지양하고 아국정부의 주도로 시작된 남북대화가
순조롭게 발전할 수 있도록 가능한 노력을 기울여
줄 것을 촉구하는 바임.

6. 우리는 또한 동 결의안 채택움직임과 관련하여 동 교단
소속으로 있는 성직자중 일부가 북한측의 입장을 대변
하므로써 종교를 방자한 정치선전에 악용될 가능성이
있다는 점에 교단의 주의를 환기시키는 바임.
북한에는 실질적으로 종교의 자유가 존재하지 않으며,
교회도 존재하지 않는 바, 우리는 미장로교단이 일부
친북한인사들의 종교를 빙자한 북한선전 활동에 이용
되지 않도록 촉구하는 바임.

0085

7. 미국 장로교단은 미국뿐만 아니라 전세계 장로교회를 대표하는 지도적인 위치에 있으며, 우리 한국에 제일먼저 기독교를 전파한 교단으로서 개화기 한국에 지대한 공헌을 하였을뿐만 아니라 오늘날 한국기독교 발전에 선도적인 역할을 해온 교단임.
양국의 장로교단은 상호 협조하에 현재도 전 한국의 복음화를 위해 공동노력을 기울이고 있음. 이러한 교단이 한국정세에 관해 정확한 인식을 결여한 채, 종교적인 자유조차 없는 북한을 선전하는 내용의 결의안을 채택한다는 것은 동교단의 국제적 권위를 실추시키는 일일뿐만 아니라 한.미 양국간의 전통적인 우의를 해치는 행위로 봄.

8. 우리는 상기와 같은 아국정부의 입장을 감안하여 미장로 교단이 남북한 관계에 관해 올바른 인식을 갖기 위해서는 동교단의 대표들이 최소한 결의안 채택에 앞서 한반도 실상을 직접 눈으로 둘러보고 사실여부를 판정한 후에 동결의안 채택문제를 결정하여야 할 것으로 보며, 동교단 대표단의 조속한 방한을 환영하는 바임.
또한 본건에 관한한 당사자인 한국교회측과의 협의도 병행되어야 할 것임.

0086

미국 장로교총회 한국문제 결의안

1. 결의안 제출의 문제점

가. 교회의 정치간여

- 미 장로교는 종교활동이라는 명목하에 타국의 정치 문제에 간여함으로서 교단본래의 사명을 이탈함.

나. 한-미 우호관계저해

- 결의안 내용중 북한을 찬양하고 북한측의 입장을 옹호함으로서 한-미간의 전통적 우호관계를 저해함.

다. 미국-북한간 접촉의 가교역할 수행

- 동 결의안 시행을 위한 미장로교대표단의 북한파견 추진으로 미국-북한간 민간접촉 시도

라. 결의안 내용중 문제점

- 남북한 정세에 대한 왜곡표현
  - 결의안은 대한민국의 정치체제 및 경제상황에 대하여 왜곡표현하고 있는 반면 북한은 중-쏘로부터의 실질적인 지원없이 방위를 구축하고 있다는 등 북한편향 태도를 취함.
- 북한측 주장열거
  - 결의안은 미국-북한접촉 촉구, 주한미군철수, 미군주둔이 통일에 장해요소, 극동에서의 군사훈련 중지등 북한측의 주장을 대변하고 있음.

0087

2. 대 책

1) 결의안 자체가 총회에 성립되지 않도록 노력함.

2) 불가시는 아측에 불리한 부문수정 및 아측 입장을 밝히는 메모랜덤 배포

3. 결의안 수정안 (통일원 원안에 대한 의견)

1) 3페이지 3행 - 9행

(원안)

그후 북한측의 계속되는 정전협상 위반과 대남도발, 군사분계선상의 충돌사고와 긴장고조 그리고 북한의 꾸준한 무력증강 정책과 남북대화 거부등으로 말미암아 한반도에는 항시 전쟁재발의 가능성이 잠재하고 있다.

(수정안)

38선을 대체한 155마일 휴전선은 남북간의 모든 왕래를 차단하고 말았으며, 군사분계선상의 충돌사고와 긴장고조 그리고 쌍방간 대화의 어려움으로 말미암아 한반도에는 항시 전쟁재발의 가능성이 잠재하고 있다.

0088

2) 3페이지 17행 - 26행

(원안)

대한민국은 서구의 자유주의 이념과 제도를 받아 들였으나 북한은 공산주의 이념과 제도를 받아들였다.

대한민국은 건국이후 오늘에 이르기까지 많은 시행착오를 경험하기는 하였으나 기본적으로 3권분립, 다원적 정당정치, 자유, 경쟁선거에 의한 의회구성등 민주주의의 본질에 입각한 정치발전을 도모해 왔다.

북한에서는 프로레타리아 독재의 이름밑에 공산당이 국가권력의 핵심이며, 정점에 있다. 이에따라 조선노동당 총비서 김일성은 지난 40년간 북한을 독단적으로 통치해 왔으며, 그의 아들 김정일이 제2인자로서 정치권력을 상당부분 이양받아 북한을 통치하고 있다. 북한이 외교적으로 독자노선을 표방하고 있지만 군사 및 경제적으로 소련과 중국에 크게 의존하고 있다.

(수정안)

대한민국은 민주주의에 기본바탕을 둔 자유 개방-사회로 성장해온 반면 북한은 공산주의이념과 제도를 받아들어 외부세계로부터 고립된 폐쇄사회를 이룩하였다.

대한민국의 민주적 정치발전은 북한으로부터의 안보위협 이외에 해방과 더불어 도입된 서구식 민주주의 제도에 대한 수용태세의 미비와 전통적 가치체계와의 갈등등으로 많은 시행착오와 방황을 겪어야 했다.

0089

북한에서는 공산정권이 수립된 이래 공산당이 국가권력의 핵심이며 정점에 있다. 이에따라 조선노동당 총비서 김일성은 지난 40년간 모든 정치권력을 행사하여 왔으며, 지금은 그의아들 김정일이 제2인자로서 세습체제의 구축을 도모하고 있다.

3) 4페이지 4행 - 20행

(원안)

남한의 성장은 급속히 이루어졌으나 산만하고 고르지 않게 됨으로써 사회의 일부가 여타부분보다 훨씬 더 많은 혜택을 입게 되었다. 그러나 남한은 자원과 기술 그리고 국제경쟁 여건면에서 제반불리한 조건을 극복하고 개발도상국가들이 부러워하는 모범적인 경제성장국으로 부상되었다.
외채가 많은 나라에 속하는 것은 사실이나 최근 국제수지의 개선과 물가안정 그리고 급속한 기술개발등을 고려한다면 남한은 어느 외채국가보다도 건실하고 신뢰할 만한 경제발전국가라는 것이 국제금융시장의 일반적 평가다.

(수정안)

원래 한반도는 남에는 농업이, 북은 중공업위주의 광공업이 각기 우세한 상호 보완적 분포상태이었으나 국토의 분단과 더불어 남한은 인구의2/3를 차지하면서도 경제적으로는 북에 편재하였던 대부분의 지하자원과 공업시설을 상실하였다.

0090

그러나 남한은 자원과 기술 그리고 국제경쟁면에서 제반 불리한 여건을 극복하고 외자도입을 적극화하는 한편, 국제 협력의 확대와 함께 무역면에서도 적극적인 개방체제를 추구하였으며, 급속한 경제성장에 따라 외채증가, 부의편중현상 등이 보이고 있으나 고도성장 경제를 이룩하는데 성공하였다.

(원안)

그러나 북한은 지나친 중앙집권적 통제경제를 바탕으로 중공업 및 군비증강에 치중한 나머지 인민의 소비생활과 기술 개발의 낙후로 경제적 곤경에 직면해 있고 새로운 기술과 에너지에로의 접근을 필요로 하고 있다.

(수정안)

그러나 북한은 폐쇄된 자급 경쟁의 기조를 고수한 나머지 기술의 낙후, 국제경쟁력의 상실을 초래, 경제적 곤경에 직면하였으며, 새로운 기술과 자본의 도입을 필요로 하고 있다.

4) 5페이지 20행-6페이지 3행

(원안)

그러나 우리는 앞으로 북한과 북한의 동맹국들도 이 지역의 평화유지와 한국민족의 화해를 촉진하기 위해 보다 긍정적으로 참여함으로써 주한 유엔군의 임무가 조속히 종결될 수 있기를 희망한다.

(수정안)

그러나 우리는 앞으로 한반도 분단에 책임이 있는 강대국들이 한반도 긴장완화와 평화통일을 위하여보다 긍정적으로 참여함으로써 주한유엔군의 임무가 조속히 종결될 수 있기를 희망한다.

0091

5) 7페이지 1행 - 9행

(원안)

지난해 남북한 사이에는 70년대에는 남북 대화 중단이래 가장 활발한 접촉이 이루어진 한해로 평가된다. 이같은 새로운 긍정적인 사태발전은 작년 8월20일 전두환 대통령이 남북한 물자교역과 경제협력을 시급히 추진할 것을 호소하였고 뒤이어 9월말 북한이 남한의 수재민들에게 다량의 구호물자를 제공함으로써 비롯된 것이다. 이미 남북한 사이에는 70년대초에 이산가족의 재회문제를 해결하기 위한 적십자회담과 민족화해와 정치적 통일을 이룩하기 위한 양 정부당국간의 회담이 진행된 바 있다. 당시 대한적십자사와 대한민국 정부의 주도적 노력에 의해서 진행된 이같은 대화는 그후 북한측의 일방적 보이콧으로 모두 중단되었으며, 쌍방의 합의로 마련되었던 서울·평양간의 직통전화와 판문점내 쌍방연락사무소의 기능도 정지되었다.

그러나 중단된 남북대화를 재개하기 위한 남한측의 노력은 꾸준히 계속되었다. 특히, 대한민국의 전두환 대통령은 취임 직후 남북한 정상의 상호방문과 회담을 제의하는 적극적인 조치를 취하므로써 내외의 비상한 관심을 모았다.

대한민국 정부는 1982년초에 획기적인 '민족화합 민주통일 방안'을 제의하고 북한측의 호응을 촉구하였다. 그 주요골자는 첫째, 통일헌법을 마련하기 위한 민족통일 협의체 구성, 둘째, 통일까지 남북한 관계를 공존과 협력의 관계로 발전시키기 위한 잠정협정 체결등으로 요약할 수 있다.

이같은 제의는 북한측의 거부로 아직 실현되지 않고 있다.

0092

그러나 1983년 KAL 기 사건과 랑군 사건이후 한반도주변 국가들이 이 지역의 평화와 남북한의 화해를 강조하고, 남북대화를 적극 종용하고 나서자 북한의 태도에 다소의 유연성을 보이기 시작했다. 우리는 모처럼 시작된 남북경제 회담과 남북적십자회담등이 잘 진척되어 경제분야의 교류와 협력이 실현되고 이산가족들의 재회가 이루어지기를 기대하고 있다.

(수정안)

그동안 남북한이 여러가지 대화제의를 하였으나 상호불신과 정치적 사건들로 양방간의 대화는 부침을 거듭하였다. 지난해에는 남한측이 KAL 기 사건과 랑군사건에도 불구하고 북한측의 수재물자 제공제의를 받아 들임으로서 남북한 대화의 전기를 마련하였으며, 이에따라 남북한 경제교류 문제를 협의하는 최초의 경제회담 및 적십자회담이 시작되었다.

6) 7페이지 12행 - 16행

(원안)

1950년이후 북한당국은 기독교인들을 그들 혁명의 적대 세력으로 간주하고 모든 교회를 말살하는 정책을 펴왔다. 우리는 하루속히 북한의 기독교도들도 남한에서와 똑같은 신앙의 자유를 누리고 널리 하나님의 복음을 전파할 수 있게 되기를 바라고 있다

바야흐로 본격적인 화해의 노력을 기울일 유리한 시기가 도래하였다.

0093

(수정안)

북한은 전쟁으로 인한 종교시설의 파괴와 반종교 정책의 실시로 50년대 후반기 이후 모든 종교행사가 소멸되었으나, 70년대이후에는 종교단체의 활용을 위하여 유명무실했던 소수의 종교단체들을 부활시킨 바 있으며, 우리는 하루속히 북한의 기독교도들에게도 하나님의 복음을 널리 전파할 수 있게 되기를 바란다.

0094

관리번호	85/2908

외 무 부 착신전보

번 호 : GMW-26　　　일 시 : 03061630　　　종 별 :

수 신 : 장 관 (정이)

발 신 : 주 아가나 총영사

제 목 : 미 장로교회 한국문제 결의안 추진

대 : WUSM-12,15

대호 당지 교회로서 미 장로교단에 정식회원으로 가입된 교회는 없으나 다만,괌 제일장로교회 (목사 주선동) 가 동 교단과 PARTNERSHIP MISSIONARY 로서 연결되고 있음. 동 교회 주목사의 본건에대한 의견을 아래 보고함.

1. 한국 결의안을 움직일수 있는 주요인사

디트로이트 거주 김득렬 목사(친한)

라성 거주 김계용 목사(친한)

2. 동 결의안에대하여, 동 교단의 다수 회원이 적극 반대하고 있어 채택 가능성은 거의 없는것으로 보며 동 움직임에대한 저지대책으로서는 본국 대한 예수교 장로교회 총회(통합) 측과 협의하여 특별대책반을 현지에 파견, 영향력 있는 동 교단소속 주요인사들과 제휴, 대처함이 가장 바람직한것으로 본다함.

(총영사 정보영-국장)

예고 : 85.12.31 일반

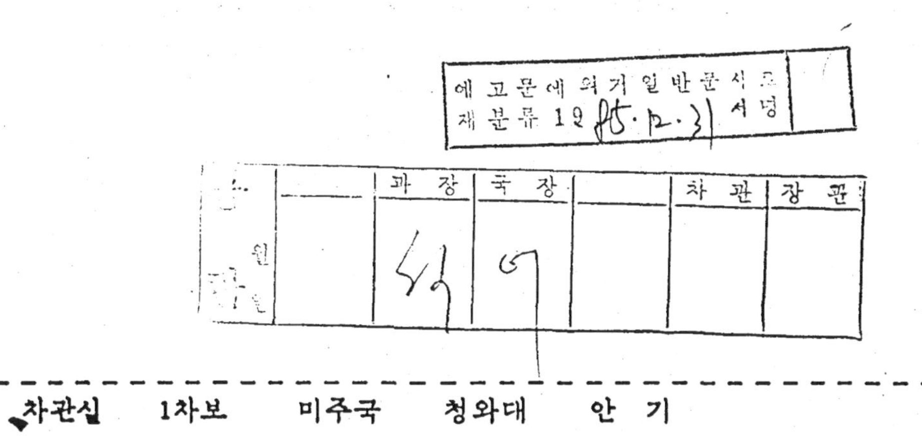
예고문에 의거 일반문서로 재분류 19 85.12.31 서명

		과 장	국 장		차 관	장 관
공람						

정문국　차관실　1차보　미주국　청와대　안 기

PAGE 1

84.03.07 16:39
외신 2과 통제관

0095

관리번호	85/2309

외 무 부 착신전보

번 호 : ANW-29　　일 시 : 03071630　　종 별 :

수 신 : 장 관(정이)

발 신 : 주 아틀란타 총영사

제 목 : 장로교 관계

공람		과 장	국 장		차 관	장 관

대 : WUSM-12,15

1. 대호관련, 당관이 파악한 하기사항을 우선 보고함.

가. 장로교 전국조직 (PRESBYTERIAN CHURCH U.S.A.)

1) 구성- THE UNITED PRESBYTERIAN CHURCH IN U.S.A.(북장로교회) 및 THE PRESBYTERIA N CHURCH IN U.S.A. (남장로교회)의 연합단체로서 남북전쟁시 분리후 1983.6 아틀란타 총회시 남.북 장로교회가 재결합 (명목상의 결합은 완료되었으나 기능적인 결합은 진행중)

2) 교세

가) 북장로교회 : 교회-8909,목사-15093

나) 남장로교회 : 교회-4250,목사-6077

3) 조직- 장로교의 대의기관으로 SESSION,PRESBYTERY,SYNOD,GENERAL ASSEMBLY 가 있으며, 총회는 각 PRESBYTERY 의 크기에따라 결정되는 ELDER 와 MINISTER 가 참석하는 최고 결정기관임.

4) 관련조직 : GENERAL ASSEMBLY (매년 개최)에는 직능별로 17개의 COMMITTEE 가 의사결정 보조기관으로 있고,총회 산하에 사무처와 총회의 결정사항을 시행하는 기관인 각종 AGENCY,COUNCIL,BOARD 등이 존재

5) PROGRAMAGENCY, ADVISORYCOUNCIL OF CHURCH AND SOCIETY 등은 상기 4항의 총회 산하기관으로 GENERAL ASSEMBLY MISSION BOARD 등과 함께 해외 선교문제를 포함한 광범위한 문제에관한 총회의 결정사항을 시행, 보고 및 결의안등을 제출하는 역할을함.

정문국 차관실 1차보 미주국 청와대 안 기

PAGE 1　　85.03.08 09:59 외신 2과 통제관

0096

6) 상기조직,역할,각기구의 상호관계등에 관한 상세 (인적사항 포함)은 금파편 송부하는 장로교 84년 총회보고서 MINUTES, 장로교 CONSTITUTION, 84 YEARBOOK 등 관계자료 참고바람.

2. 대호 결의안 제출 관련사항은, 당지 남장로교회 본부에 소재한 GENERAL ASSEMBLY MISSION BOARD 의 아-태평양담당 김인식목사 (현재출장중) 와 추후 접촉,결과 추보 위계임.

(총영사-국장)

예고 : 85.12.31 반

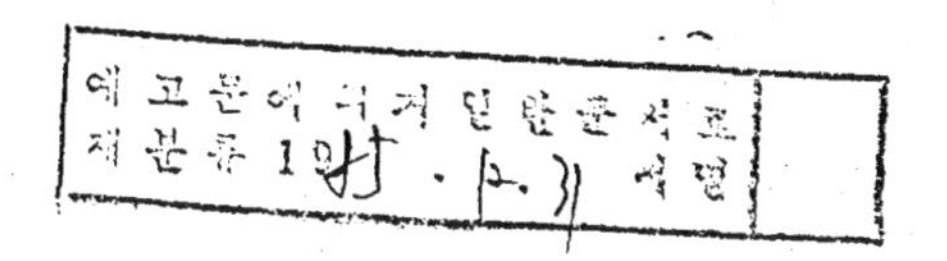

PAGE 2

0097

관리번호	85/2310

발 신 전 보

번 호 : 일 시 : 0309 1050 전보종별 :

수 신 : 주 라성, 아틀란타, 뉴욕, 시카고 총영사 상항

발 신 : 장 관 (정이)

WLA-297
WAN-41
WNY-227
WCG-101
WSF-94

제 목 : 미장로교회 한국문제결의안

연 : WUSM - 15

대 : ANW-29, UNW-200, 주 라성 제33

1. 연호 2항 에 추가하여 아래사항을 파악, 조속보고 바람.

가. 미장로교 총회 의제채택절차 및 결의과정

나. 한국문제결의안이 토의될 경우, 결의안이 회부되는 위원회명 및 동 위원회의 상설여부

다. 84년 총회의 경우 재미목사 문동환, 장윤성 2명이 평화 및 국제관계 위원회에 한국 인권 관계결의안을 기습 상정, 통과시켰는 바, 이러한 기습 상정이 절차상 가능한지 여부

라. 연호 2.23. 라성개최 Synod of Southern California and Hawaii 회의는 한국문제결의안 상정이 저지되었는 바, Synod 에서 저지된 안건이 총회의 위원회에 재상정될 수 있는지 여부.

2. 미국 장로교단의 조직도표(각위원회포함)를 파편송부 바람.

3. 연호 3항으로 지시한 총회 및 기타 회의에서 아측 입장을 대변하여줄 수 있을 교계인사를 물색, 보고 바람. 끝.

예고 : '85.12.31 일반

예고문에 의거 일반문서로 재분류 1985.12.31 서명

보안통제	

앙고재	85년 3월 8일	정보2과	기안자	과 장	국 장	차 관	장 관
			(서명)	(서명)			(서명)

외신과	접수자	통 제
	(서명)	

0098

미 장로교 한국문제 결의안에 대한 대책

'85. 3. 8.

문 화 공 보 부

0099

■ 차 례 ■

0109

미 장로교 한국문제 결의안에 대한 대책

1. 개 요

○ 일 시 : '85. 6. 2 - 8.

○ 장 소 : 미국 인디아나 폴리스

○ 참 석 : 한국 측 20여명

가. 예장 통합측

- 정 대 표 : 4명

√박종렬 목사 (총회장)

김창인 목사 (총무 대행)

√ 허입찬 목사 (문화교회 당 회장) 영어

백낙기 목사 (회의록 서기)

- 개별초청자 : 10여명 (미정)

나. 기 장 측

- 정 대 표 : 2명

√ 이영찬 목사 (총회장) — 영어

윤기석 목사 (총회서기) — [illegible]

- 개별초청자 : 2 - 3명 (미정)

0101

1

2. 문 제 점

o "동북아시아 상황하의 한국의 화해" 결의문 채택 시도

3. 결의문 (초안)의 문제 내용

= 별 첨 =

4. 현 황

- 안 기 부

o 미 장로교 산하 남가주 및 하와이 노회 (SYNOD)회의가 '85. 2. 23 타성 소재 임마뉴엘 장로교회에서 개최되었으나 한국관계 결의안은 한국 교회측과 사전 협의하여야 한다는 원칙론에 부딛쳐 상정되지 못함.

o 미 장로교 측은 동 회의에서 한국문제 결의안이 통과되지 못하자 당초 계획한 6월 총회 상정을 보류하고 한국장로교와 재미 한국인 장로교 (KPC)의 자문을 받아 결의안 초안을 수정하기로 함.

* 자문을 받아 결의안이 만족스럽게 수정되었을 경우에는 금년도 총회 상정도 가능함.

- 외 무 부

  ㅇ 이승만 목사 접촉결과 문제의 한국관계 결의안은 '85총회시 다루지 않기로 SMYSIE 목사와 합의했다고 함.

  ㅇ SMYLIE 목사는 '85. 9 미 장로교 교사자문회의에 다시 거론 '86년 총회에서 통과시킬 계획.

- 김형태 목사 (WCC 중앙위원, NCC 통일문제 연구원 운영위원장)

  ㅇ 미 장로교 6월 총회시 한국관계 결의안 상정은 한국 NCC 와 동역교단인 예장통합, 기장에 달려있음.
  현재로서는 유동적인 상태임.

  ㅇ '85. 3. 18 예정인 NCC 통일문제 협의회와 예장통합에서 4월에 계획하고 있는 북한선교 연구세미나 개최를 허용해 줄 경우 NCC 와 예장통합, 기장에서 결의안 상정을 적극 차단하겠음.

  ㅇ 동 결의안 초안이 사업국이 아닌 교회와 사회자문위원회에서 만들었기 때문에 상정여부에 따른 변수는 항상 있는 것임.

- 한국기독교 남북문제 대책 협의회

  ㅇ 기독교 현직 총회장과 증경 총회장등 지도급 인사 35 명으로

0103

3

구성된 한국기독교 남북문제 대책협의회 (대표회장 박종렬 목사)는 '85. 3. 4, 08:00 코리아나 호텔에서 17인 운영위원회를 개최 미국 장로교회의 한국관계 결의안 채택 움직임에 대하여 협의한바 6월 총회 상정이 불확실한 상태이므로 관망 하기로 함.

(예장통합 총회장 박종렬 목사가 미 장로회 정책협의회에 참석하고 '85. 2. 26귀국한 김형태 목사의 말을 인용, 관계안의 6월 총회 상정은 어려울 것 같다고 보고)

5. 미 장로교 총회 안건 상정 및 결의 과정

- 각종 안건 상정은 각 노회나 총회 사업국에서 초안이 작성된 후 헌의안으로 총회 사무국에 접수 함.

- 총회 사무국은 접수된 갖가지 헌의안중 소정의 심의를 거쳐 총회시 해당 위원회에 보내며 해당 위원회는 초안을 기초로 심의 결의후 본 회의에 상정시킴.

- 안건은 여러가지 과정을 거쳐 만들어 지지만 대부분 사업국내의 몇몇 브레인들에 의해 만들어짐.

  결의안 초안이 사업국에서 조정이 되지 않으면 해당 위원회에서 (가급적 사전 로비를 통하여) 조정되어야 함. 본 회의에서의 수정 가감은 거의 불가능 함.

- 필요시 특별위원회 및 대의원 2인이상의 발의로 상정이 가능함.

0104

4

6. 대 책

가. 방 침

° 동 결의안 채택시도 동기는 일부 불순세력의 책략이 숨어있음이 사실이나 "하나님 나라의 평화" (SHALAM)차원의 선교적 관심표명 이라는 점에서 아측의 결의안 채택 저지를 위한 적극적 개입이 표출될시 불 필요한 물의를 야기시킬 소지가 있으므로 국내 장로교 인사와 재미 한국인 장로교 목사들을 활용하여 대처.

나. 목 표

° 결의안이 총회에 상정되지 않도록 유도하고 결의안 상정이 불가피 할 때는 아측에 불리한 부분 수정 및 삭제.

다. 방 안

해 외

- '85. 2. 23 타성 엠마뉴엘 장로교회에서 있었던 "남가주 및 하와이 노회 (SYNOD)" 회의시 결의안 상정을 반대한 재미 한국인 장로교단 소속의 오은철, 천방욱, 이창식 목사등과

0105

미국 4개지역 (동, 서, 남, 중) 장로교 소속 한인교회 협의회 총무
들을 활용.

- 동부 : 신성국 목사 (기장 출신)
- 서부 : 김순용 목사 (예장 통합)
- 남부 : 최 목사 (")
- 중부 : 현순호 목사 (")

* 이들은 미국 시민권 소지자들로 미국 장로교 소속의 목사들
  이며 미국내 소수민족 교회의 관리를 위하여 만들어진
  CONSULTANT 로 미 장로교 총회와 한인교회와의 이견조정
  및 중간역할을 담당.

- 필요시 국내 예장통합 총회를 통하여 4,5월경 영향력 있는
  목사를 파견 관계위원회 위원들에게 설명회 개최 등으로 총회
  전 로비 전개.

- 미 장로교의 사업국내 친한 성향의 목사와 시카고 노회 총무
  케리스 키노 목사 그리고 관계위원회 위원을 파악하여 활용
  인사 통해 적극 접근.

0106

6

국 내

- 기 입수된 것이나 초안을 장로교회 측으로 부터 정식으로 입수, 불순내용을 공개하여 교계의 비판여론을 확산 하므로서 오도된 일부 교역자의 활동을 규난.

- 예장 통합 측 총회 요구로 북한선교문제 등을 협의하기 위하여 4월초에 내한하는 미국 장로교회 대표들에게 한반도 정세에 대한 설명회 개최 및 안보, 산업시찰 추진.

- 미 장로교 총회 참석자 및 교단 지도급 인사들에게 결의안의 문제점을 적시한 자료를 제공, 양측대표 협의시 충분한 발언과 설득에 유용하게 조치

- "한국기독교 남북문제 대책 협의회"를 통하여 결의안 채택의 부당성과 오도된 내용의 시정을 요구하는 서한을 전함과 동시에 미 장로교 총회의 영향력 있는 인사와의 교분이 있는 목사들을 찾아내어 서한등으로 문제점 지적, 한반도 현실을 설명하게 유도.

- 회의 참석자들에게 종태와 같은 관광 성향의 무성의를 지양하게 하며, 국.영문 대응자료를 제공하여 대처.

- 미국 장로교 총회에 참석하는 이영찬, 허일찬 목사등 활용 가능한 인사의 현지 활용계획은 별도 수립.

0107

7

- 일반 및 교계언론 매체 결의안 관계 보도는 적절히 조정.

7. 단계별 추진 계획

1) 6월 총회 상정이 확실 할 경우

○ 제 1단계

- 한국장로교단 내에 임원 및 관계위원회로 하여금 문제점 돌출. 여론 확산.

- 한국기독교 남북문제 대책협의회로 하여금 결의안 시정 촉구 요구 서한 발송.

담당부서 :

○ 제 2단계

- 미 장로교 총회 참석자 및 장로교단 지도부와 영향력 있는 인사에게 대응 자료 제공 및 설명회.

* 결의안 (초안) 내용 및 아측입장, 북한종교 실태 필요시 북괴예배처 비디오 및 성경책, 찬송가 공개.

담당부서 :

0108

8

o 제 3단계

- 북한선교문제 협의차 내한하는 미국 장로교 소속 목사들에게 안보·산업시찰 및 설명회

- 총회전 국내목사 미국 파견 방안 검토 및 재미 한국인 장로교 소속 목사 현지 활용.

담당부서 :

o 제 4단계

- 총회 참석자중 활용 가능한 자 특별인선, 별도 계획 수립 임무 부여.

- 대북선교문제에 대한 아측의 기본입장 확정 및 국·영문 대응 자료 제작.

담당부서 :

2) 불상정시

o 해당 위원회에서 기조연설을 하게 될 박종렬(예장통합), 이영찬(기장) 총회장에게 올림픽 개최등 한국의 고무적 현상과 남북한 관계에서의 아측의 우월성등을 강조하게 자료 제공.

담당부서 :

0109

9

ㅇ 한국대표의 인솔자 격이며 통역을 담당할 허일찬 목사에게 한국 관계 결의안 기습 상정에 대비하게 하며 '86총회 상정에 대비, 총회관계자에 자료 제공.

담당부서 :

9. 활용 대상자

- 국 내 -

박종렬 (예장 통합 총회장, 총회참석자)

이종성 (" 부회장)

김창인 (" 총무 대행, 총회참석)

허일찬 (문화교회 당회장, 총회참석)

백낙기 (총회서기, 총회참석)

김의관 (예장통합, 북한선교 대책위원장)

박창환 (장신대학장, 북한선도 전문 연구 위원)

하헤룡 (벧엘교회, ")

김형대 (연동교회, ")

한기원 (동신교회, ")

홍성현 (무학교회, ")

서정운 (한남대, ")

0110

10

황승룡 (호남신대, 북한전도 전문 연구 위원)

김윤식 (NCC 회장)

김소영 (NCC 총무)

림인식 (노량진교회, 증경 총회장)

이의호 (예장통합 전 총무)

이영찬 (기장 총회장, 총회삼석)

한상면 (기장 부회장)

박근원 (기장 선교교육원장)

한경직 (명예회장, 한국기독교남북문제대책협의회)

지원상 (실무회장, ")

최 훈 (회장단, ")

이만신 (" , ")

양준길 (" , ")

김봉록 (" , ")

- 국 외 -

신성구 (미 장로교 한인교회 협의회 동부 총무)

김준용 (" 서부 총무)

최 (" 남부 총무)

현순호 (" 중부 총무)

0111

11

오은철 (LA 한인교회 목사)

천방울 (")

이창식 (")

기타 현지 공관에서 인신된 자.

9. 별 첨

- 대응 자료 (영문)
- 봉일원 "건의" 참조
- '84년 미 장로회 총회 자료.

0112

12

ACCS Resolution - 197th General Assembly Presbyterian Church (U.S.A.) 1985

KOREAN RECONCILIATION IN THE NE ASIA CONTEXT

STATEMENT OF CONCERN

Korea has been divided since the end of World II when the Soviet Union occupied the north and the United States occupied the south following the surrender of Japan. The major powers solidified influence in their respective sectors by the creation of the Republic of Korea in the south and the Democratic People's Republic of Korea in the north. The Korean War - the fratricidal conflict that followed bestowed a legacy of bitterness, hatred and inflexibility on both parties, perpetuating a tragic division that is of concern for all who are interested in world peace and reconciliation of peoples. The perpetuation over 40 years of hostile discontinuity and confrontation between the two halves of the once ethnically and culturally unified nation is a tragic misfortune for the Korean people and a stain on world history.

The Christian community, in its concern for breaking down the dividing walls of hostility and for achieving world peace is called upon to foster reconciliation between peoples of the two Koreas, in order to create the context wherein they may work toward the reunion that befits a people whose cultural heritage stretches over thirteen centruries, undivided prior to outside influences.

BACKGROUND

A divided Korea is one of the tragic legacy's of World War II. The original division by the United States and the Soviet Union, coming after thirty-six years of imperial Japanese occupation, appears, in retrospect, more an accident of history than a calculated design. In the summer of 1945 the Soviet Union entered the war against Japan as had been previously agreed. Previous agreement had also been made that Korea would be allowed to establish a democratic government. The United States, unable to prevent a Soviet occupation of all of Korea, yet desirous of keeping the Soviet Union out of Japan, suggested to the Soviet Union a temporary division at the 38th parallel, a division the Soviet Union accepted. Unlike the division of Germany, Korea was not divided because it had been a threat to anyone or because it was the enemy, though it had been a base of supply for the Japanese military forces. This division was an act of expedienty, intended to be transitional until government could be transferred to the Koreans themselves. Circumstances, however, quickly led to a solidification of the division as the two primary victors each fostered the development of governments headed by leaders chosen because of their compatibility with the respective goals of the two superpowers already beginning the competition that would become the "cold war." Dr. Syngmann Rhee was supported by the United States, Korean national leaders and an absolute majority of the South Korean people. In 1948 after an abortive UN sponsored election attempt, the US helped establish the Republic of Korea and unilaterally recognized it as the only lawful government in Korea. Kim Il Sung, a man with ties to the Soviet Union, was enabled to become the

0114

head of the Democratic People's Republic of Korea, backed by the Soviet Union.

The Korean War, which was started at dawn on June 25, 1950 by a surprise attack on South Korea by the North Korean Armed Forces, saw the introduction of United Nations Forces, consisting of armed forces from 16 nations including the United States, into the South and volunteers from the People's Republic of China into the North. The Union of Soviet Socialist Republics supplied North Korea with various types of military weapons and firepower including tanks, artillery and airplanes. The intense 37 months of fighting covered virtually the whole country in a see-saw struggle that left a devastation seldom seen in war. A ceasefire in 1951 was followed by 24 months of negotiations ending in an armistice in July 1953.

The situation has been frozen ever since, marked by heightened tension caused by North Korea's constant violations of the Armistice Agreement, provocations against the South, incidents along the Military Demarcation Line, pursuit of a sustained military build-up and rejection of a dialogue with the South. Thus there always exists on the Korean peninsula a latent possibility that war will break out again.

Two sets of dynamics are at work, each complicating the other. The first set involves the two Koreas, the two immediate parties. Each in its own way has perpetuated the conflict and the division, making normal relations, even reconciliation and reunion, more difficult. Differences have developed since 1953 in their respective economic and political stuctures. Different models have been followed, different values have been stressed, creating difficult but not insurmountable barriers. In political terms, South and North Korea are a study in contrasts. The Republic of Korea has accepted Western European liberalism and North Korea, Communism. While it has experienced a number of trials and errors since its establishment in 1948, the Republic of Korea has endeavored to establish a political system incorporating the essence of democracy, including the separation of powers, pluralistic political party politics, the guarantee of basic freedoms and competitive elections to form the legislature. In the DPPR, the Communist Party constitutes the core of national power and its apex. General Secretary Kim Il-sung of the North Korean Workers (Communist) Party has maintained tight control over the country for 40 years and has groomed his son, Kim Chong-il, as heir apparent. Kim Chong-il, as the Number 2 man, already has considerable political power. Despite lip service to diplomatic independence, the North has been dependent, both militarily and economically, on the Soviet Union and the People's Republic of China.

In economic terms, both North and South ahve sought industrial modernization. The South rebuilt from the war on a "capitalist" model with extensive help from the United States, both governmental and private. Its growth has been reapid, but erratic and uneven, with some parts of the society benefiting far more than others. Overcoming a host of disadvantageous conditions including limited natural resources, a lack of advanced technology and fierce international competition, South Korea has emerged as a model of economic development, envied by many other developing countries. Although a debtor nation, Korea has, in recent years, improved its international balance of payments, achieved price stability and developed technologically, so that today the international financial community rates Korea as more reliable and healthy than any other developing economy with a comparable external debt.

The North, also devastated by the war, has rebuilt with aid from the People's Republic of China and the Soviet Union. It has followed a socialist model, stressing heavy industrial development and agriculture. Seeking to establish self-sufficiency and isolation, it achieved a degree of economic growth during the 1950s and 1960s. The excessive central control of the economy with its emphasis on heavy industry and constant military build-up, however, has led to a lack of consumer goods and technological backwardness making it necessary to explore new sources of energy and technology.

Both countries have invested heavily in the military structures, having an inordinate number of persennel under arms and high percentages of GNP diverted into the military sector. Once peacefully unified Korea now boasts the 5th and 6th largest armies in the world.

The second set of dynamics that makes reconciliation and reunion difficult is the superpower context, wherein it might be argued that Korea is held hostage to the overarching conflict between the United States and the Soviet Union. The United States has since 1946 seen the Soviet Union as its chief protagonist. Even though the most damaging psychological military, economic and political blow to the united states came with the triumph of the communist forces in China and the retreat of the government of the Republic of China and its army to Taiwan, and even though it was Chinese troops that Americans encountered in Korea, the assumption persisted that both factors were simply evidences of the expanding power of the Soviet Union. While the intervening years have seen the reestablishment of peaceful relations between the United States and the People's Pepublic of China, no similar effort has been made toward the Democratic People's Republic of Korea. The antagonism with the Soviet Union is probably the key. The containment policy adopted early in the cold war sees Korea as a link in that containment policy, a barrier to Soviet expansion into the Pacific. The Soviet Union undoubtedly perceives the presence of the United States in the NE Pacific, with bases in Japan and on the Asian mainland in Korea as threatening to its territory and its interests. Korea, after all, provides the United States with a military foothold on the continent, not too, distant from Soviet territory and installations.

Those powers directly or indirectly responsible for the division of Korea and the Korean War should make a positive contribution to Korean efforts to achieve permanent peace and reunification of the peninsula by establishing friendly relations with both South and North Korea and by joining forces to create conditions conducive to reconciliation and reunification.

It is our hope that the mission of the United Nations Forces in Korea will soon come to an end as North Korea and its allies begin to participate positively in efforts to maintain peace and achieve the reconciliation of the Korean people. It should be remembered, however, that the United Nations forces were originally sent to Korea in accordance with a U.K. resolution to protect the Republic of Korea from aggression by North Korea. These forces, largely consisting of U.S. forces, have made and are continuing to make a substantial contribution to the peace of the area by preventing a renewed outbreak of war.

The reasons for the church's concerns regarding Korea are manifold. Two are basic. First, there is a desire for a permanent and lasting peace in the region. As long as Korea remains in a state of unresolved conflict, as long as tension remain high, there is a potential that any one of the periodic clashes between the South and the North could escalate into an all-out war and could trigger a nuclear confrontation between the superpowers. As peacemakers we need to be seeking reconciliation, opposing the continued militarization of the area and the continued friction. Second, there is a genuine desire for the well-being of the Korean people, North and South, who have suffered too long for the events of an earlier conflict. Therfore we seek conditions that will enable the reunion of families and opening of borders that will facilitate normal relations between the two parties with the hope that together they may find the way toward reunion. The passing of the years with the aging of people and the dying of family members, the victims of the fratricidal conflict, is, from a humaninarian point of view, all the more urgent, before it is too late.

The church would seek the establishment of conditions, North and South, that would also enable the democratization of both societies, and conditions wherein the skills, energies and resources of the Korean people, separately or together, can be fully applied to the building of abetter life for all, rather than being absorbed by the demands of a militarized situation.

0119

The church takes note of the tentative efforts that have been made between the North and South over the past six years. Especially 1984 saw the most active contacts between South and North Korea since the suspension of dialogue in the 1970s. This activity was initiated by President Chun Doo Hwan of the Republic of Korea, who on August 20, proposed barter trade and economic cooperation. This was followed by a North Korean offer of relief goods for flood victims in the South which was accepted by the Republic.

Already in the early 1970s, Red Cross talks between South and North Korea were held to resolve the problem of reuniting relatives separated in the two halves of the peninsula. At the same time, the two governments held meetings to discuss national reconciliation and unification. These meetings were suspended, however, when North Korea unilaterally announced a boycott. The direct telephone line between Seoul and P'yŏngyang was also disconnected and the liaison offices in P'anmunjŏm closed. The Republic of Korea, however, continued vigorous efforts to reopen the dialogue. Especially, President Chun Doo Hwan took the initiative by proposing an exchange of visits by the top leaders of the South and the North and a summit meetings.

Following these proposals, the Republic of Korea government proposed to North Korea the Formula for National Reconciliation and Democratic Reunification calling, among other things, for a Consultative Conference for National Reunification to draft a constitution for a unified country and a Provisional Agreement on Basic Relations to reduce tension and achieve reconciliation pending unification.

All these efforts have been rejected by North Korea. However, following the shooting down of a Korean Air Lines plane and the Rangoon bombing in 1983, the countries surrounding the peninsula began to pressure North Korea to act peacefully and to open a dialogue with the South to achieve reconciliation. These pressures have resulted in some flexibility in the North Korean attitude. We hope that the economic and Red Cross talks, begun after such a long interval, will result in economic exchanges and cooperation and in reunions of relatives separated in the two halves of the peninsula. The church also sees hope in initiatives taken by Christians in South Korea, specifically, the Presbyterian Church, to make reconciliation a major commitment, asking for cooperation with the Presbyterian Church(U.S.A.). In contrast, however, North Korea has, since 1950, regarded Christians as hostile to their revolution and have instituted a series of policies to eradicate the church. We ardently hope that the North Koreans will soon be able to enjoy religious freedom equal to that in the South and that it will be possible to preach the gospel there. Surely the time is propitious for major efforts at reconciliation.

RESOLUTION

In light of its concerns for peace and reconciliation in Korea, the 197th General Assembly of the Presbyterian Church (U.S.A.) adopts the following resolution:
WHEREAS the Confession of 1967 identifies the mission of the Church as a reconciling community in the world, explicitly saying: "God's reconciliation in Jesus Christ is the ground of the peace, justice, and freedom among nations which all powers of government are called to serve and defend. The Church, in its own life, is called to practice the forgiveness of enemies and to commend to the nations as practical politics the search for cooperation and peace."

WHEREAS PEACEMAKING: THE BELIEVERS' CALLING adopted by the General Assembly speaks of bearing witness to Christ by nourishing the moral life of the nation for the sake of peace in the world, and indicates that by God's grace we are freed to work with all people who strive for peace and justice and to serve signposts for God's love in our broken world;

WHEREAS the division of Korea, a people with thirteen centuries of unity and common culture, into two protagonistic parts, the Republic of Korea and the Democratic People's Republic of Korea, continues to be a source of tension for the world, and of suffering and tragedy for the Korean people;

WHEREAS the United States, as an original participant in the division of Korea, as the principle military ally in the defense of the Republic of Korea, and as one of its major trading partner, bears a particular responsibility and obligation to help reduce the tension and facilitate reconciliation;

WHEREAS the Presbyterian church in the United States, having had over one hundred years a unique mission relation with the Korean people both as Korea was opened to western influences and during the long years of Japanese occupation and in the subsequent decades of division, has a particular concern for peace, reconciliation and justice for the Korean people; and

WHEREAS recent commitments of the World Council of Churches and the Christian Conference of Asia have made achievement of reconciliation and eventual reunion a response of Christian commitment in cooperation with the Christian community of Korea; itself;

THEREFORE the 197th General Assembly of the Presbyterian Church U.S.A.). OFFERS its prayers of INTERCESSION for the reduction of tensions in Korea and NE Asia, for the removal of the pain and suffering the division has inflicted on the peoples of South and North Korea, for the achievement of reconciliation and permanent peace in Korea and NE Asia and for the reunification of the two Koreas under peaceful, just conditions; and

10

0122

further offers its prayers of REPENTANCE for its indifference over the past 40 years of the Korean people's suffering as a result of the territorial division and war and for its failure to show love to the Korean people.

CALLS upon the respective parties involved to consider the following possibilities as steps leading to reconciliation and peace;

1. Establishment of direct communications links between North and South Korea, including a "hot-line," regular telecommunications and postal arrangements;

2. Establishment of family reunification centers under Red Cross control with open access to both South and North Korea for the location, verification and facilitation of family reunions;

3. Establishment of trade relations followed by a trade federation;

4. Formation of a single Korean team representing both South and North Korea to take part in the 1988 Seoul Olympics or separate participation by North Korean teams to promote reconciliation between the South and the North;

5. A formal treaty ending the Korean War, including a friendship and non-aggression pact between the Republic of Korea and the Democratic People's Republic of Korea;

6. Mutual recognition of the two exiting governments by those governments that now only recognize one of the two;

7. Simultaneous full admission of the two governments to the United Nations, coupled with termination of the United States authorization to act as agent for the United Nations;

8. Phased removal of military facilities from the Demilitarized Zone, use of the Zone for peaceful purposes, prior notification of military maneuvers, mutual observation of such maneuvers, control of the military build-up and mutual reduction of forces;

by an appreprlate body such as ASEAN:

9. The holding of a summit meeting of the top leaders in the South and the North at an early date to effectively consult with each other and work out ways to implement the above measures.

CALLS upon the United States government

1. To support and facilitate direct dialogue between South and North Korea and a meeting of their top leaders;

2. To discuss with other countries concerned the holding of a meeting to be attended by South and North Korea and those nations directly or indrectly responsible for the division of Korea and the Korean War to complement the South-North dialogue and, in this way, to help ensure the peace of the Korean peninsula;

3. To discuss with countries in Northeast Asia the possibility of opening their doors to both South and North Korea on the basis of reciprocity and equality, of effecting exchanges and other forms of cooperation with both South and North Korea and of recognizing both South and North Korea to create an international climate conducive to the improvement of relations between the South and the North and the peaceful reunification of the peninsula;

4. To regotiate with the Soviet Union a moratorium on the introduction of new missiles in the area, including the Tomahawk and the SS20's;

0124

12

5. To consider a phased withdrawal of United States forces from the Republic of Korea only after a genuine and lasting trust has been established as a result of the conclusion of a non-aggression pact between South and North Korea and the arrangement of an international guarantee of the peace of Korea.

6. To provide economic assistance to agencies indentified for family reunification work.

CALLS upon the agencies of the Presbyterian Church;

1. To encourage study and understanding of the history and circumstances leading to the division and conflict in Korea and the need for reconciliation;

2. To participate with and support the initiatives of Christians in Korea that are directed toward reconciliation and reunification;

3. To encourage the Republic of Korea Red Cross which is endeavoring to reunite relatives separated in the two halves of the peninsula;

AUTHORIZES the sending of a deputation from the Presbyterian Church(U.S.A.) to visit the Democratic People's Republic of Korea and the Republic of Korea on a fact finding mission (under Advisory Council of Church and Society or other appropriate auspices) to report to the 198th General Assembly on conditions in the two countries.

AUTHORIZES the Advisory Council of Church and Society to negotiate to dispatch to North Korea a joint delegation under the auspices of the World Council of Churches consisting of

0125

13

delegates from the World Council of Churches, the Korean Protestant churches, and the Presbyterian Church (U.S.A.) to discover if there is religious freedom in North Korea, if so, to find out how many Christians there are and to seek out the possibility for missionary work.

EXTENDS to Presbyterians in North Korea an invitation as attend to 198th General Assembly of the Presbyterian Church U.S.A.) as may be possible.

DIRECTS the Stated Clerk to communicate this resolution to the governments of the Republic of Korea and the Democratic People's Republic of Korea, the President of the United States, the Secretary of State of the United States, the Senate Committee on Foreign Relations, the House Committee on Foreign Affairs, the Secretary-General of the United Nations, the General Secretary of the World Council of Churches, and appropriate church leaders in Korea.

"ACCS-Korea"

"ACCS-Korea"

DRAFT -1st

Robert F. Smylie
December 1984

0126

관리번호	85/2319

발 신 전 보

번 호: WSH-95 일 시: 03091050 전보종별:

수 신: 주 상항 대사/ 총영사

발 신: 장 관 (정이) 정보문화국장

제 목: 미국 장로교 한국문제결의안

연 : WUSM - 15, WSH-94

연호 사항에 관하여는 귀지 거주 김용준 목사와 (가능하다면 적절히) 접촉하여 보고 바랍니다.

예고 : '85.12.31 일반

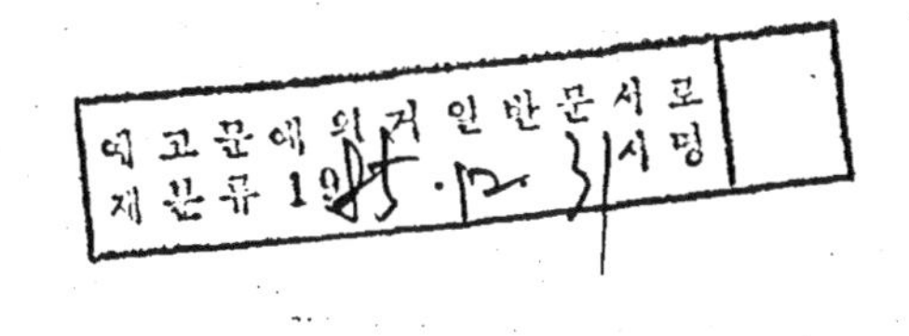
예고문에 의거 일반문서로 재분류 1985.12.31 서명

보안 통제	

앙고재	85년 8월 일	정보2과	기안자		과장		국장		차관	장관

외신과	접수자	통제

0127

관리번호	163

이부 3/10

외 무 부 착신전보

번 호 : CGW-150 일 시 : 13181620 종 별 :

원 본

수 신 : 장 관 (정이)

발 신 : 주 시카고 총영사

제 목 : 미장로교회 한국문제 결의안

대 : WCG-90

대호 관련보고서는 3.8. 당지 발송 파편 송부함(총영사 정경일)

예 고 : 85.12.31. 일반

362

예고문에 의거 일반문서로 재분류 1985.12.31 서명

공람		과장	국장		차관	장관

정문국

PAGE 1

85.03.09 10:46
외신 2과 통제관

0128

정보2과

주 시 카 고 총 영 사 관

주시카고(정) 700-24　　　　　　　　　　1985. 3. 8.

수신 장관 (사본 : 주미대사)

참조 정보문화국장

제목 미장로교 한국문제 결의안

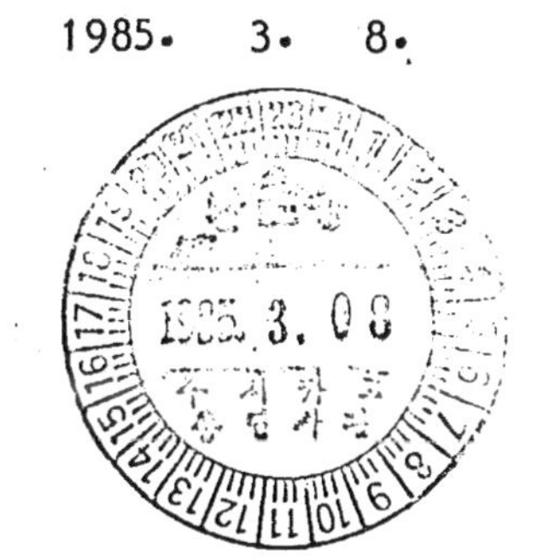

대 : WUSM-15, 12, WCG-90

대호 관련, 당관이 그간 파악한 내용을 별첨과 같이 보고합니다.

첨부 : 동 보고서 1부. 끝.

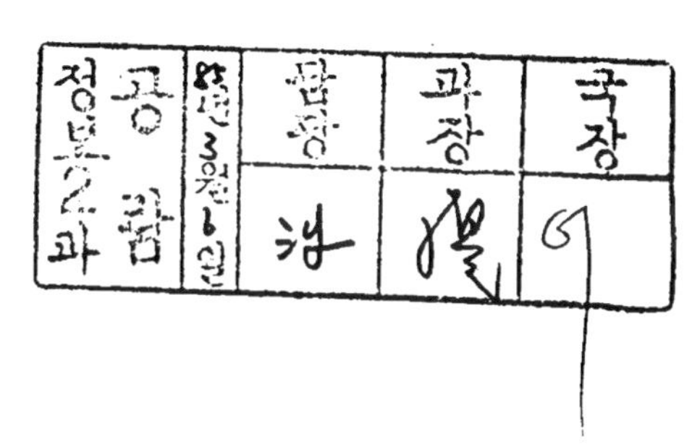

주 시 카 고 총 영

예고문에 의거 일반문서로 재분류 1985.12.31 서명

1985. 12. 31. 일반문서로 재분류

0129

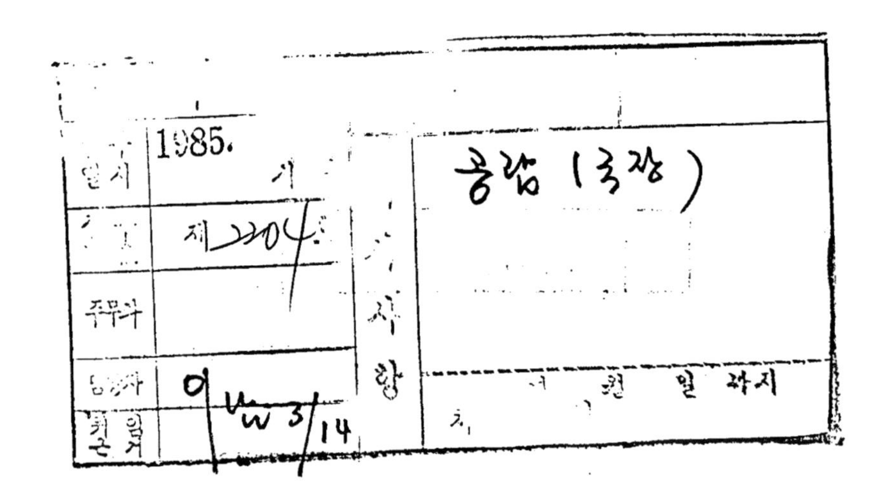

0130

/130

미장로교단의 결의안 처리절차 관련사항 보고

1. 미장로교단의 조직구성 및 각 조직의 직능

가. 총 회

(1) 미장로교의 최고기구는 총회 (General Assembly) 이며 총회에서 투표권을 가지는 대표를 Commissioner 라고 지칭하며 Commissioner 의 숫자는 700명 정도가 될것임.

(2) Commissioner 는 각 노회 (Presbytery) 단위로 신도숫자에 비례하여 대표를 선정, 파견하며 Commissioner 는 대략 목사와 장로가 절반씩 선임되는바 총 7만명의 신도를 보유한 시카고 노회의 경우 목사 5, 장로 5명 계 10명의 Commissioner 를 금년총회에 파견하게 됨.

(3) Commissioner 는 매년 2월에 선출하게 되며 매년 다른사람을 Commissioner 로 선출하는 것이 관례임.

(4) 총회는 매년 약 10일간 개최되며 의결은 극히 중요 의안일 경우 투표권자의 2/3 이상 찬성으로 하나 대부분의 의안은 과반수이상의 찬성이 있으면 의결되며 특히 결의안등은 대부분 상정되는 대로 통과하는 것이 관례임.

0131

나. 대회 (Synod) 및 노회 (Presbytery)

(1) 총회 밑에는 전국에 20개의 대회 (Synod) 가 있으며 각대회에는 10여개의 노회가 소속되어 있으나 장로교에서 대회는 중요단위가 아니며 노회의 결의안은 경우에 따라서는 대회를 거치지 않고 총회로 상정되는 경우도 있음.

(2) 미국 전국에 191개의 노회 (Presbytery) 가 있으며 노회는 매월 12월경 노회장을 선출함.

다. 사무국 및 각위원회

(1) 총회 산하에 사무국 및 위원회가 있으며 장로교 주요실무를 대부분 이들이 담당

(2) 각위원회에는 대개 50여명의 위원들이 소속되어 있으며 각 대회나 노회에서 적합한 인물이 위원으로 선정됨

* 각기구 구성 및 기능에 대해서는 미장로교 본부에 자료를 요청하였으므로 차기 파편 제출 가능시 됨.

2. 미장로교 산하 각종단체와의 관계

가. Advisary council of Church and Society 는 미장로교 주요 사업방침의 결정기구로서 동기구에서 연구, 검토, 제출한 내용이 장로교 총회에 상정되어 정책으로 결정되게 됨.

나. Program Agency 는 Church and Society 가 결정한 방침에 따라 세부적인 시행계획을 작성, 집행하는 기구임.

다. Asian Presbyterian Council (APC) 은 미장로교 내 아세아계열의 교회들의 협의기구로서 장로교의 편제표에 포함되어 있는 공식기구는 아니나 아세아 관련문제에 대해서는 대부분 APC와 협의하며, APC 는 대개 각지역 대회(Synod) 단위로도 구성되어 있음.

라. Korean Presbyterian Church (KPC) 는 미장로교 내 한국계 교회들의 협의 기구로서 현재 미국내에는 200여개의 장로교회와 230여명의 한인 목사가 있으며 이들이 National Korean Presbyterian Church (NKPC) 를 구성하며 각지역 노회단위로도 KPC 가 구성되어 있음. 그러나 KPC 는 아직 APC 만큼은 영향력이 없으며 KPC 독자적으로 어떤 문제를 총회에 상정하기는 어려우며 대개 APC 를 거쳐 상정하고 있음.

3. 결의안 채택에 관한 절차 및 방식

가. 대부분의 결의안 초안은 총회산하에 있는 각종 위원회 및 사무국등에서 작성되고 있으며 또 다른 방법은 각 노회 (Presbytery) 에서 작성되어 노회의 결의를 거친후 총회에 제출됨 (노회에서 총회에 제출되는 안건을 overture 라고 지칭).

- 3 -

0133

나. 총회 산하 기구나 위원회에서 어떤 결의안 초안이 작성될 경우 총회내 관련부서나 관련노회, 필요시 APC 등과 충분한 협의를 거친후 어느 지역 노회를 거쳐 상정되게 되는 것임. 따라서 이러한 협의를 거쳐서 총회에 상정되는 안건은 그대로 총회에서 통과되는 것이 관례이며 만약 어떤 위원회나 사무국 산하 부서에서 충분한 협의없이 총회에 상정 하였다가 말썽이 생길 경우에는 문책을 받게 되므로 반드시 사전에 관련기관과 충분히 협의를 갖는 것이 관례임.

다. 각지역 노회에서 총회에 결의안을 제출할 경우 지역노회의 결의를 거친후 총회에 이송되면 총회 산하 전문기구나 위원회에서 충분한 협의를 거친후 전문기구나 위원회에서 의견을 붙여 총회 회의에 상정하게 되며, 이 경우 전문기구나 위원회의 의견이 가장 강력한 영향을 미치게 됨.

라. 어떤 결의안이 총회에 상정될 경우는 토론보다는 표결만 행하는 것이 관례이며, 특별한 이유가 없이 어떤 Commissioner 가 자신의 의견을 고집, 총회의 표결을 지연시킨다든지 하는 경우는 거의 없으며 일단 사무국이나 전문기구에서 관련기관과 충분히 사전 검토, 협의된 사항이라는 것이 인정되면 몇사람의 반대가 있더라도 총회에서 대부분 그대로 통과되는것이 관례임.

* 1983년 총회의시에 제출되었던 "대북한 선교지침"의 문맥이 아국에 유리하게 대폭 수정된 것도, 아국 대표단이 총회개최 이전에 Program Agency에 강력히 항의하고 교섭하므로서 총회상정 이전에 모든 문안이 재작성되어 제출되었으며 1984년 총회시 문동환 목사가 제출한 아국에 불리한 결의안내용은 총회 상정시 거의 토론없이 채택된바 있음.

- 4 -

0134

4. 금년총회시 처리될 안건과 한국관계 결의안의 비중

가. 금년총회에도 미국 장로교의 통합에 따른 후속문제가 주로 의제가 될 것으로 예상되나 아직까지 어떤 안건이 가장 비중있는 안건으로 취급될른지 여부는 불분명함.

나. 미장로교에서 아국관계 결의안은 대개의 경우 중요안건이 되지 못하기 때문에 전문기구나 위원회에서 토의를 거친후 상정되면 거의 그대로 통과될 것으로 예상하여야함. 따라서 아국에 불리한 결의안이 제출될 경우에는 총회 회의안건으로 채택되기 이전에 각 전문기구등의 검토과정에서 이를 기각 혹은 수정시키도록 해야함.

다. 한국인으로서 Commissioner 로 선출되어 미장로교 총회에 참석하는 인사는 매년 2-3명에 불과하며 (1984년의 경우는 한국선교 100주년을 기념, 각노회에서 한국인을 대표로 많이 선출하여주었기 때문에 10여명이 Commissioner 로 참석) 따라서 일단 총회에 상정된 안건이 이들의 노력으로 취소내지 변경된다는 것은 매우 어려울것임.

5. 아국 관련 결의안에 영향을 미칠수 있는 주요인사명

가. 반한 성향 인사

(1) 이승만 (미장로교 아세아선교 담당)

(2) 김인식 (" ")

(3) Oscar McCloud (Program Agency 책임자)

(4) Robert Smylie 목사 (친북결의안 기안 명의자) ;

0135

나. 친한 인사

(1) 한국장로교단

(2) 천방욱 목사 (NKPC 회장)

(3) APC 회장

(4) 한미노회 (Hanmi Presbytery : 남가주 한국장로교회 20여개의 협의체)

* 추후 계속 파악 보고 예정

6. 기타 참고 사항

가. 당 총영사관 관할구역내에서는 김윤국 목사 (시카고한미장로교회)가 시카고 노회장겸 Commissioner 로 선정되어 있어 활용가능시됨.

나. 아측에 관련된 결의안이 상정될 경우에는 이를 미리 포착하여 각공관 단위로 직접 혹은 한인목사들을 이용하여 각노회 대표나 주요간부들에게 아국의 입장을 이해시키고 협조를 요청하는 방법이 가장 좋을 것임.

* 총회에 참석하는 Commissioner 는 매년 교체되므로 내년도의 대책을 위해 전년도부터 접촉을 개시할 필요는 없음.

다. 차후에도 아국에 극히 불리한 여사한 결의안이 제출될 것에 대비, 아국 장로교단 및 NKPC 를 활용하여 여사한 결의안이 검토된것 자체를 반대하는 강력한 대응 결의를 하므로서 지금까지 북괴에 유리한 대북한 선교 지침 작성을 주관해온 인물 (이승만 목사등)들의 입장을 약화시킬 필요도 있을 것임.

- 6 -

0186

라. 금번 한국관련 결의안 초안이 뉴욕소재 미연합장로교에서 작성되었는데도 불구하고 동결의안이 미서부지역에서 거론된 것은 program Agency 등 총회 산하기구에서 어떤 결의안을 제출할 경우, 관련부서나 노회등과 협의하여야 할뿐 아니라 어느 대회나 노회의 결의를 거쳐 총회에 상정되어야 하므로 이승만 목사등은 자신과 친근한 인사가 많은 남가주 대회를 통해 이를 상정코져 하였기 때문임.

마. 본건과 관련된 사항은 아국 장로교단과도 긴밀히 협의하는 것이 필요할 것으로 생각됨. 끝.

0137

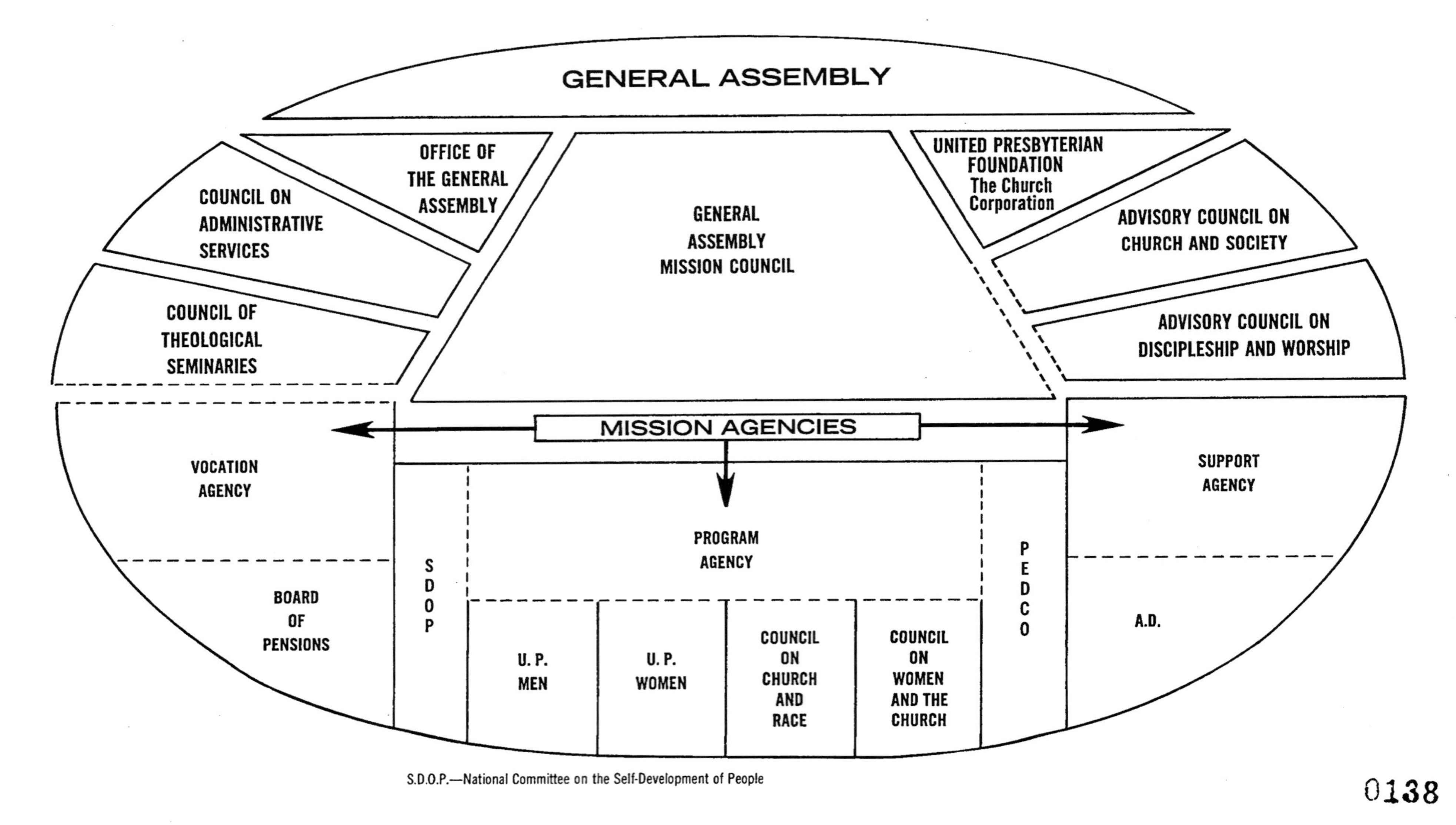

S.D.O.P.—National Committee on the Self-Development of People

0138

For additional information, see General Assembly Agencies directory on page 36.

The Council of Theological Seminaries
1060 Interchurch Center • 475 Riverside Drive
New York, NY 10115 • (212) 870-2825

Theological Seminaries
of The United Presbyterian Church in the U.S.A.

Dubuque Theological Seminary
2570 Asbury Road
Dubuque, IA 52001 (319) 589-3112
Dr. Walter F. Peterson, President

Louisville Presbyterian Seminary
1044 Alta Vista Road
Louisville, KY 40205 (502) 895-3411
Dr. C. Ellis Nelson, President

McCormick Theological Seminary
5555 South Woodlawn Avenue
Chicago, IL 60637 (312) 241-7800
Dr. Jack L. Stotts, President

Pittsburgh Theological Seminary
616 North Highland Avenue
Pittsburgh, PA 15206 (412) 362-5610
Dr. C. Samuel Calian, President

Princeton Theological Seminary
CN821
Princeton, NJ 08540 (609) 921-8300
Dr. James I. McCord, President

San Francisco Theological Seminary
San Anselmo, CA 94960 (415) 453-2280
Dr. Arnold B. Come, President

Johnson C. Smith Theological Seminary
at Interdenominational Theological Center
671 Beckwith Street, S.W.
Atlanta, GA 30314 (404) 524-1933
Dr. James H. Costen, Dean

Educational Institutions
Recognized by the General Assembly
Related to The United Presbyterian Church in the U.S.A.

INSTITUTIONS OF HIGHER EDUCATION	Zip Code
Alma College, Alma MI	48801
Barber-Scotia College, Concord, NC	28025
Beaver College, Glenside, PA	19038
Blackburn College, Carlinville, IL	62626
Bloomfield College, Bloomfield, NJ	07003
Buena Vista College, Storm Lake, IA	50588
Centre College, Danville, KY	40422
Carroll College, Waukesha, WI	53186
Coe College, Cedar Rapids, IA	52402
Davis & Elkins College, Elkins, WV	26241
Dubuque, The University of, Dubuque, IA	52001
Eckerd College, St. Petersburg, FL	33733
Ganado, The College of, Ganado, AZ	86505
Grove City College, Grove City, PA	16127
Hanover College, Hanover, IN	47243
Hastings College, Hastings, NE	68901
Hawaii Loa, Kaneohe, Oahu, HI	96744
Huron College, Huron, SD	57350
Idaho, The College of, Caldwell, ID	83605
Illinois College, Jacksonville, IL	62650
Jamestown College, Jamestown, ND	58401
Johnson C. Smith University, Charlotte, NC	28208
Knoxville College, Knoxville, TN	37921
Lafayette College, Easton, PA	18042
Lake Forest College, Lake Forest, IL	60045
Lees Junior College, Jackson, KY	41339
Lewis & Clark College, Portland, OR	97219
The Lindenwood Colleges, St. Charles, MO	63301
Macalester College, St. Paul, MN	55105
Mary Holmes College, West Point, MS	39773
Maryville College, Maryville, TN	37801
Millikin University, Decatur, IL	62522
Missouri Valley College, Marshall, MO	65340
Monmouth College, Monmouth, IL	61462
Muskingum College, New Concord, OH	43762
Occidental College,Los Angeles, CA	90041
Ozarks, College of the, Clarksville, AR	72830
Ozarks, School of the, Point Lookout, MO	65726
Pikeville College, Pikeville, KY	41501
Rocky Mountain College, Billings, MT	59102
Sheldon Jackson College, Sitka, AK	99835
Sterling College, Sterling, KS	67579
Tarkio College, Tarkio, MO	64491
Trinity University, San Antonio, TX	78284
Tulsa, The University of, Tulsa, OK	74104
Tusculum College, Greeneville, TN	37743
Warren Wilson College, Swannanoa, NC	28778
Waynesburg College, Waynesburg, PA	15370
Westminster College, Fulton, MO	65251
Westminster College, New Wilmington, PA	16142
Westminster College, Salt Lake City, UT	84105
Whitworth College, Spokane, WA	99251
Wilson College, Chambersburg, PA	17201
Wooster, The College of, Wooster, OH	44691

SECONDARY EDUCATION	Zip Code
Boggs Academy, Keysville, GA	30816
Menaul School, Albuquerque, NM	87107
Wasatch Academy, Mount Pleasant, UT	84647

THEOLOGICAL EXTENSION CENTER	Zip Code
Cook Christian Training School, Tempe, AZ	85281

General Assembly Mission Board Staff Directory

Presbyterian Church in the U.S.
341 Ponce de Leon Avenue, N.E., Atlanta, GA 30365
Telephone (404) 873-1531

The following is a listing of the names and titles of persons employed in staff positions at the General Assembly level by the Presbyterian Church in the U.S. at the above address unless otherwise indicated.

FUNCTIONS	MISSION BOARD STAFF
Administrative Committee	Patricia McClurg, *Administrative Director*
Budget Development	John Coffin
Coordination of Interdivisional Functions	Patricia McClurg
Planning/Coordination/Research Evaluation	John Coffin
Mission Board Personnel	Linda Thomas
Administrative Services Department	
Communications	Bill Huie
Media	Bill Huie Paul Shuman
Presbyterian News Service	Marj Carpenter
Print Services	Jim Stewart
Treasurer	John Bramer
Accounting	Paul Case Marta Machado Bill Partenheimer
Data Processing	Leah Newell
Division of Corporate and Social Mission	*Director,* Vacant
Ecumenical Coordination	David Taylor Lewis Lancaster
Washington Communicator	George Chauncey Washington Communication Office — PCUS 110 Maryland Avenue, N.E. Washington, D.C. 20002 (202) 543-1126
Racial Justice and Reconciliation	Lydia Hernandez Trickey
Corporate Witness in Public Affairs	Belle Miller McMaster
Education/Action for Justice	Jane S. Glassbrook
Higher & Public Education	Clyde O. Robinson Jr.
United Ministries in Education	Clyde O. Robinson Jr.
Special Higher Education Emphasis	Patsy Stephens
Student Loan Fund	Janet P. Fifer
World Service and World Hunger	James A. Cogswell Colleen Shannon-Thornberry
Refugee Aid and Settlement	Margaret Montgomery
White Cross	Margaret Montgomery
Division of Court Partnership Services	*Director,* Vacant
Professional Development:	
Ministerial and Lay Professional Relocation and Data Exchange Services	Mary V. Atkinson Margaret Willis
Candidates for Ministry	Vacant
Women in Church Professions	Diane Tennis
Stewardship Education	Robert P. Richardson
Stewardship Promotion	Byron Knight
Financial Development	Bruce Berry
Court Partnership Systems (Relations with Presbyteries/Synods)	Vacant

FUNCTIONS	MISSION BOARD STAFF
Office of Interpretation	Fred Glassbrook, *Interim*
Resourcing System	Jo Bales Gallagher
Program and Resourcing Coordinating Council	
Regional Communicators:	
Florida	Andrea Ahlers
Mid-America	Vacant
Mid-South	Robert G. Grisby
North Carolina	William Claude Godwin
Red River	Vacant
Southeast	Vacant
Virginias	William Pauley
(Addresses listed on page 68)	
Division of International Mission	Clifton Kirkpatrick, *Director*
Africa/Europe/Middle East	John Pritchard
Asia/Pacific	Insik Kim
Latin America/Caribbean	Edla Gabriel de Oliveira
Overseas Program Coordinator	William E. Rice
Overseas Mission Interpretation, Resources and Communication	James T. Magruder
Missionary Support and Itineration	Ann Broom
Christmas International House	Elizabeth Dunlap McAliley
International Personnel: (Missionaries)	
Personnel Services and Enlistment	Miriam Dunson
Pastoral Care	Harry H. Phillips
Missionary Communicators:	
Latin America/Caribbean	Robert Armistead
Africa/Middle East/Europe	David Miller
Asia/Pacific	Lyle Peterson
International Leadership Development	Elizabeth Dunlap McAliley
Overseas Planning	David P. Young
Racial/Ethnic Recruitment	Rebecca Reyes
Division of National Mission	Robert D. Miller, *Director*
Office of Christian Education	Mary Jean McFadyen, *Director*
Editor of Adult & Young Adult Curriculum Resources	Marvin Simmers
Educational Strategies	Byron Jackson
Editor of Children's Curriculum	Frances Johns
Curriculum Resources and Interpretation	Vacant
Leader Developmnent/Church Officer Developemnt	Mary Jean McFadyen
Youth Ministries	Dee Koza-Woodward Jay Hudson
Office of Evangelism and Church Development	James Vande Berg, *Director*
Evangelism	Kong Han
Racial/Ethnic Church Development	Elias Hardge, Jr.
Racial/Ethnic Educational Ministries	Rita Dixon
Korean Ministries	C. W. Choi
Congregational Development	James Vande Berg
Office of Women	Lois Stover, *Director* Betsy Lunz

0140

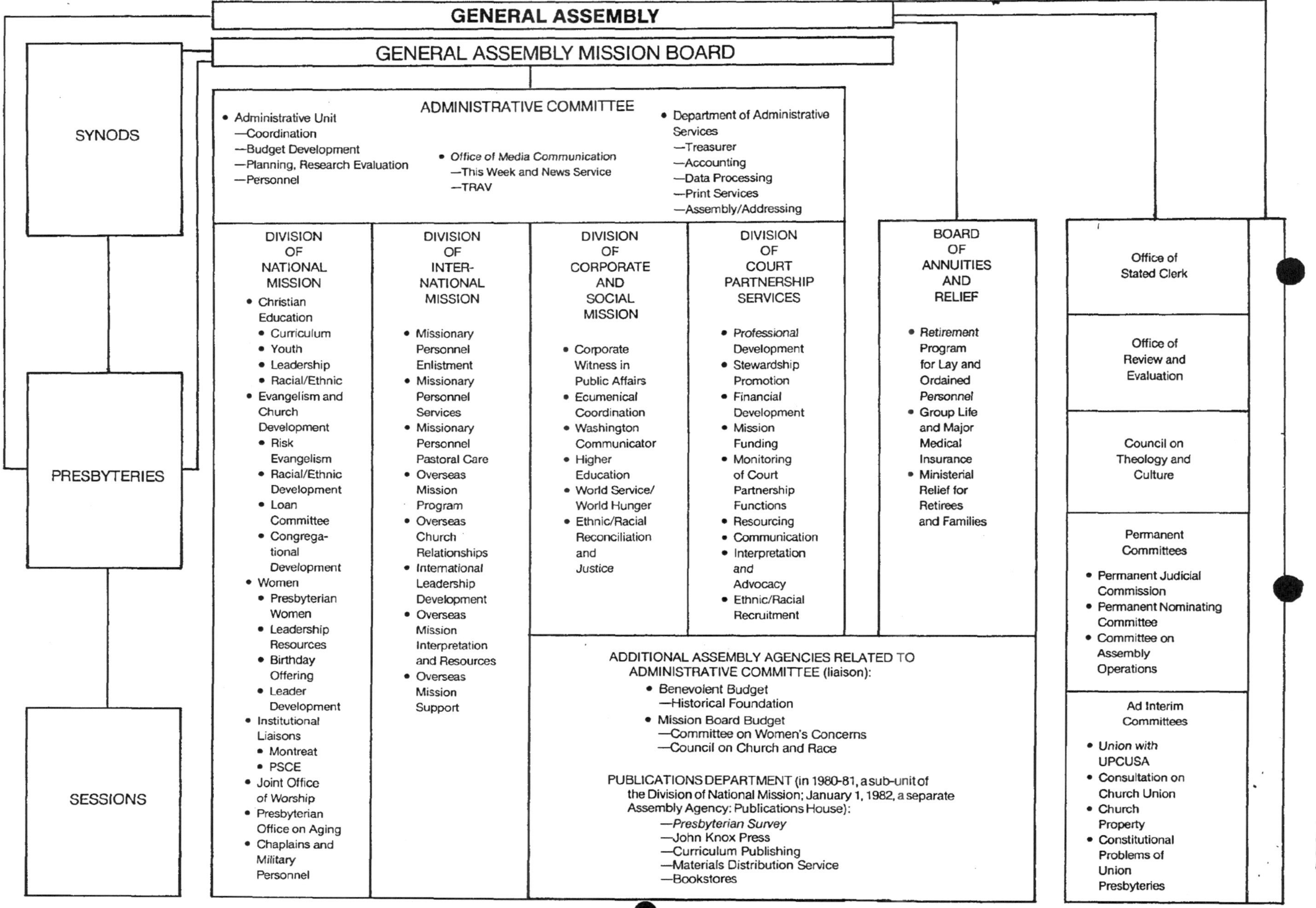
GENERAL ASSEMBLY
GENERAL ASSEMBLY MISSION BOARD
SYNODS
PRESBYTERIES
SESSIONS
ADMINISTRATIVE COMMITTEE
• Administrative Unit
—Coordination
—Budget Development
—Planning, Research Evaluation
—Personnel
• Office of Media Communication
—This Week and News Service
—TRAV
• Department of Administrative Services
—Treasurer
—Accounting
—Data Processing
—Print Services
—Assembly/Addressing
DIVISION OF NATIONAL MISSION
• Christian Education
• Curriculum
• Youth
• Leadership
• Racial/Ethnic
• Evangelism and Church Development
• Risk Evangelism
• Racial/Ethnic Development
• Loan Committee
• Congregational Development
• Women
• Presbyterian Women
• Leadership Resources
• Birthday Offering
• Leader Development
• Institutional Liaisons
• Montreat
• PSCE
• Joint Office of Worship
• Presbyterian Office on Aging
• Chaplains and Military Personnel
DIVISION OF INTER-NATIONAL MISSION
• Missionary Personnel Enlistment
• Missionary Personnel Services
• Missionary Personnel Pastoral Care
• Overseas Mission Program
• Overseas Church Relationships
• International Leadership Development
• Overseas Mission Interpretation and Resources
• Overseas Mission Support
DIVISION OF CORPORATE AND SOCIAL MISSION
• Corporate Witness in Public Affairs
• Ecumenical Coordination
• Washington Communicator
• Higher Education
• World Service/World Hunger
• Ethnic/Racial Reconciliation and Justice
DIVISION OF COURT PARTNERSHIP SERVICES
• Professional Development
• Stewardship Promotion
• Financial Development
• Mission Funding
• Monitoring of Court Partnership Functions
• Resourcing
• Communication
• Interpretation and Advocacy
• Ethnic/Racial Recruitment
BOARD OF ANNUITIES AND RELIEF
• Retirement Program for Lay and Ordained Personnel
• Group Life and Major Medical Insurance
• Ministerial Relief for Retirees and Families
ADDITIONAL ASSEMBLY AGENCIES RELATED TO ADMINISTRATIVE COMMITTEE (liaison):
• Benevolent Budget
—Historical Foundation
• Mission Board Budget
—Committee on Women's Concerns
—Council on Church and Race
PUBLICATIONS DEPARTMENT (in 1980-81, a sub-unit of the Division of National Mission; January 1, 1982, a separate Assembly Agency: Publications House):
—Presbyterian Survey
—John Knox Press
—Curriculum Publishing
—Materials Distribution Service
—Bookstores
Office of Stated Clerk
Office of Review and Evaluation
Council on Theology and Culture
Permanent Committees
• Permanent Judicial Commission
• Permanent Nominating Committee
• Committee on Assembly Operations
Ad Interim Committees
• Union with UPCUSA
• Consultation on Church Union
• Church Property
• Constitutional Problems of Union Presbyteries

0141

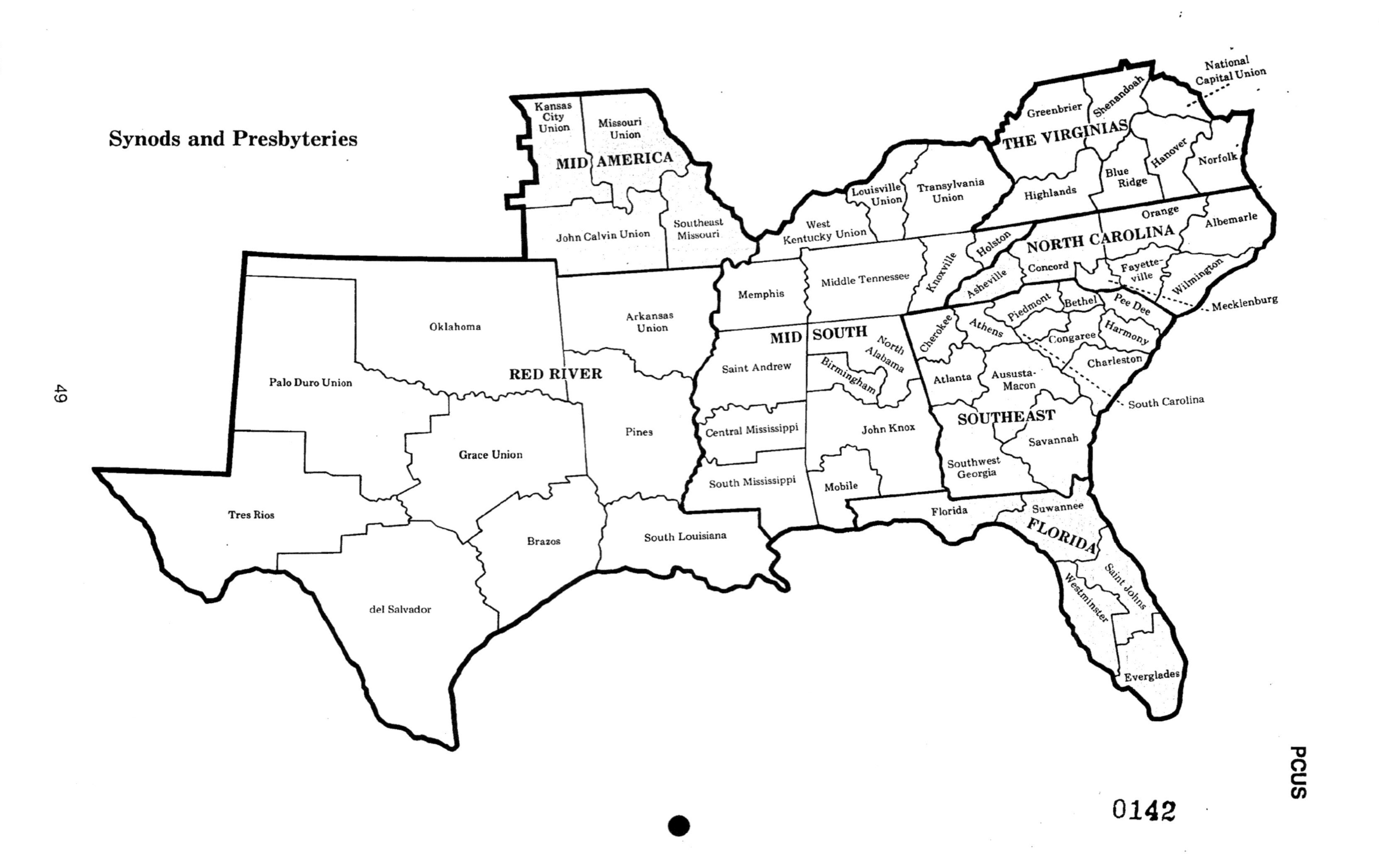

Synods and Presbyteries
Kansas City Union
Missouri Union
MID AMERICA
John Calvin Union
Southeast Missouri
Oklahoma
Palo Duro Union
RED RIVER
Arkansas Union
Pines
Grace Union
Tres Rios
Brazos
South Louisiana
del Salvador
Memphis
Middle Tennessee
MID SOUTH
Saint Andrew
North Alabama
Birmingham
Central Mississippi
John Knox
South Mississippi
Mobile
West Kentucky Union
Louisville Union
Transylvania Union
Greenbrier
Shenandoah
THE VIRGINIAS
Highlands
Blue Ridge
Hanover
Norfolk
National Capital Union
Knoxville
Holston
Asheville
NORTH CAROLINA
Concord
Orange
Albemarle
Fayette-ville
Wilmington
Mecklenburg
Piedmont
Bethel
Pee Dee
Cherokee
Athens
Congaree
Harmony
Charleston
Atlanta
Aususta-Macon
South Carolina
SOUTHEAST
Savannah
Southwest Georgia
Florida
Suwannee
FLORIDA
Saint Johns
Westminster
Everglades

49

0142

PCUS

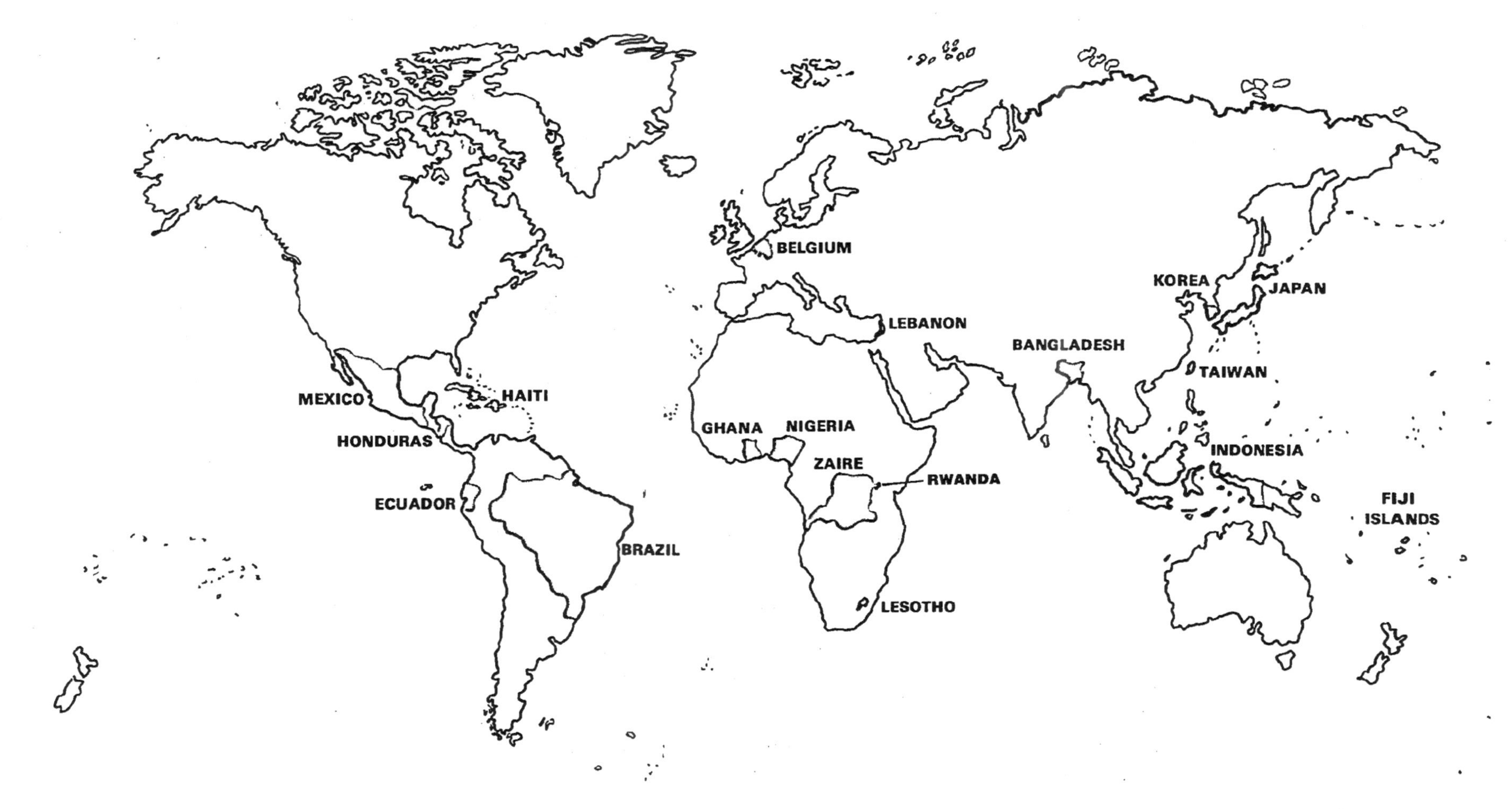

014?

International Mission

- 전 언 통 신 문 -

정보2과	공람	85년 3월 13일	담당	과장	국장

분류기호 : 북미 400

발 신 : 안기부장

수 신 : 외무부장관

제 목 : 미장로교 결의안관련 대책회의

1. 미장로교의 한국문제결의안 채택시도에 대한 관계부처 대책회의를 아래와 같이 개최하오니 참석하여 주시기 바랍니다.

가. 일 시 : 85. 3. 14(목) 15:00

나. 장 소 : 문공부종무실장실

다. 참석범위 :

회의주관 : 안기부 3국장

참 석 자 : 외무부정보문화국장, 문공부종무실장, 통일원남북 대화사무국장, 청와대 교문비서관

2. 참석자는 할당된 과제에의한 자료를 필히 지참하여 주시기 바랍니다.
(3.8 문공부회의자료도 지참바람)

수화자 : 강완길 (수화시간 :3.13, 10:25)

0144

관리번호	89

외 무 부　　착신전

번 호 : SFW-124　　일 시 : 03141500　　종 별 :

수 신 : 장 관 (정이,주미,주뉴욕,주라성,주아트란타총영사 직송필)

발 신 : 주 상항 총영사

제 목 : 미 장노교회 한국문제 결의안

공람	담 당	과 장	국 장		차 관	장 관

대 : WUSM-12,15

연 : SFW-103

당관은 3.13 연호관련 김용준 목사와 접촉하였는바, 대호사항 아래보고함.

1. 미 장노교단의 조직

동 조직은 크게 총회,대회(SYNOD), 노회로 구성되어 있으며 대회는 2-4개주에 1개씩 전국에 20개가 있고 대회밑에있는 노회는 12개이상의 교회로 구성되어 전국에 207개가 있다함. (총회와 산하단체와의 관계는 총회를 미국 연방정부에 비유하면 대회는 주정부, 노회는 지방 COUNTY 에 해당된다함)

2. 총회의안 상정절차 및 의결방식

가. 총회,대회,노회에는 각각 소관사항을 처리하는 각종위원회가 있고(이들중 대외문제는 주로 CHURCH AND SOCIETY COMMITTEE 와 PEACE-MAKING COMMITTEE 에서 다룬다함)

각위원회에서 특정의안을 의결하면 이것을 총회 또는 대회, 노회의안으로 총회에 상정할수 있음. (노회도 대회를 거치지않고 총회에 의안을 상정할수 있음)

나. 총회개최후 3일이내에 총회대표 (각 노회에서 파견하는 대표로 총대 라고 부름) 2인이상이 서명 제출하면 의안으로 성립, 이를 총회에서 다루게된다함. (예 : 84년도 총회의 한국양심범 석방에관한 결의안)

다. 장로교단내 CONSULTING COMMITTEE FOR KOREAN AMERICAN MINISTRY 가 있어 동 위원회에서도 한국문제를 별도로 총회에 상정할수 있음

라. 장노교단내에는 각 소수민족협의 기구 성격을 띠는 COUNCIL 이 있는바, 그중 KOREAN PRESBYTERIAN COUNCIL(KPC) 에서 특정의안을 결정 ASIAN PRESBYTERIAN COUNCIL

정문국　차관실　1차보　미주국　청와대　안 기

PAGE 1　　85.03.15 14:12 외신 2과 통제관

0145

(APC) 에 제의, 이것을 APC 에서 의결하면 동의안도 총회에 상정할수 있다함

마. 총회참석 대표는 약 700명으로 의결은 다수결에 의한다고함

3. 총회에서의 한국문제 결의안의 중요도

가. 금번 총회에서는 남북한 문제와 중남미문제 (니카라과 및 엘살바도르사태) 가 HOT ISSUE 가 될 것이라함

나. 한국문제 결의안 내용은

1) 남북대화를 통한 한반도의 긴장완화

2) 이산가족 재회

3) 남북한의 군비 축소 후 북한 동시 유엔가입, 미군철수, 유엔경찰군의 한반도 주둔

4) 이의 실현을 위하여 미국 장노교회는 미국의 북괴승인등을 촉구하는것이며, 백악관 및 상,하 양원 외교분과위와 긴밀히 연락 하는것이라함

4. 한국문제 결의안을 움직일수 있는 인사

가. 미국 장노교단은 현재 남북 2개로 분리되어있는바 (86년 통합 예정), 북장노교단의 한국 선교책임자는 뉴욕의 이승만 목사이고 남장노교단의 한국 선교책임자는 아트란타의 김인식 목사이며, 한국문제 결의안 상정여부는 전적으로 상기 양목사에게 달려있다고함

나. 한국결의안 상정 저지를 위해서는 상기 양목사를 움직여야하나 김용준목사의 견해로는 이는 매우 어려울것이라함

5. 한국문제 상정 저지방안

가. 김용준목사에 의하면 현시점에서 의안 상정 (궁극적으로는 결의) 을 저지하기는 매우 어렵고 차라리 의안내용을 한국정부 취지에 가깝게 수정하는 접근방법이 좋을것이라함

나. 이승만, 김인식목사는 확고한 신념을 갖고있는 인사들로서 한국문제를 현 정부와는 상관없이 민족사적인 긴안목에서 다루어야한다고 주장하고 있어 동인들의 의사를 굽히기는 어렵다고함

다. 김용준목사는 금번총회에는 참석치 않는다고하며 따라서 당지에서의 본건관련 협조가능 인사는 구하기 어려운 실정임

6. 기타 참고사항 (김목사 발언내용)

PAGE 2

0146

가. 한국문제는 총회와 남가주 SYNOD 에서 준비한 결의안의 2가지가 있으며 남가주대회 결의안(김목사에 의하면 이는 보류된것이 아니고 동 SYNOD 소속 상임위원회에서 심의, 총회에 제주키로 결의하였을 것이라고함) 은 금번 6월의 인디아나 프리스(뉴욕이 아님) 총회에 상정된것이나 총회에서 준비한 안건 (총회의 CHURCH AND SOCIETY COMMITTEE 에서 입안) 은 한국기독교 장노교(통합)의 의견을 묻기위해 보류되었다함

나. 남가주 SYNOD 의 PEACE-MAKING COMMITTEE 의 CHARIRMAN 은 한국인 2세 LESTER KIM 목사이며 금번 동 SYNOD 의 한국문제는 동 목사가 주선한것이라함.

다. KPC 에는 회장 1명과 실행위원 11명 (김응준 목사도 실행위원) 이 있는바, 회장(임기1년) 은 남가주 DOWNY 거주 천방옥 목사이며 차기 KPC 회의가 5.7-8간 사카고에서 열릴 예정이라함.

라. 지난 3.6-8간 뉴욕에서 CONSULTING COMMITTEE FOR KOREAN AMERICAN MINISTRY 회의가 있었는바 동 회의에서 장노교단의 한국의 남북접근 노력을 지지한다는 결의를 하였다함.

마. 한국계 목사들중에는 정부차원의 남북대화는 추진하면서 교회의 남북문제 거론을 반대하는것은 비합리적이라고 믿는 사람들이 많이 있다함.

(총영사 문기열-차관)

예고 : 85.12.31. 일반

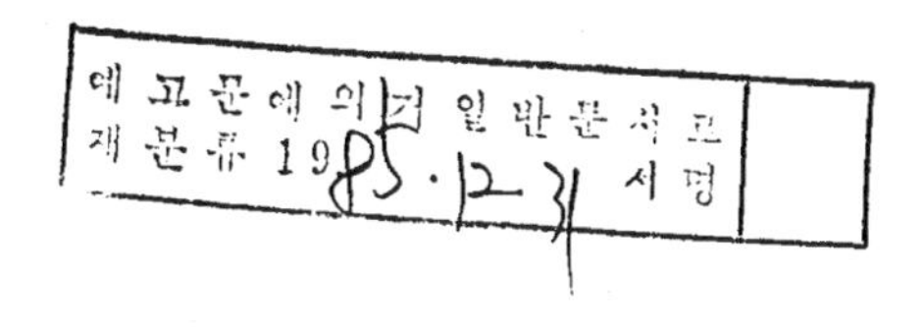

PAGE 3

0147

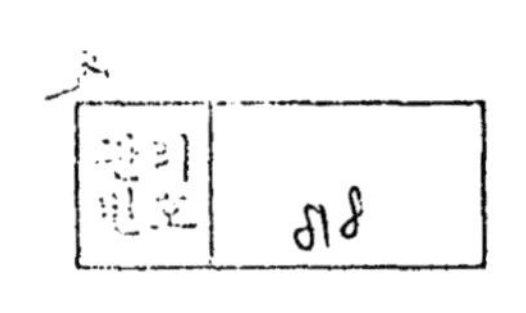

외 무 부 착 전 보

원 본

번 호 : CGW-164 일 시 : 03141650 종 별 : 지 급

수 신 : 장 관 (정이, 미북, 기정, 사본-주미대사 직송필)

발 신 : 주 시카고 총영사

제 목 : 미 장로교 한국문제 결의안

공람	담당	과장	국장		차관	장관

대 : WCG-101

연 : 주시카고(정) 700-24 (85.3.8.)

1. 대호관련, 당관이 파악한 내용을 아래와같이 보고함.

- 아래 -

가. 결의 과정등은 연호로 기보고함

나. 한국문제 결의안이 제출될경우 상설위원회중 PEACEMAKING AND INT L AFFAIRS 위원회가 취급하게 될것임

다. 통상적으로 총회개최 이전에 총회에 제출되는것이 원칙이나 총회기간중에도 대의원 2명 이상이 총회에 의안을 제출하면 총회가 그타당성을 인정할경우 해당위원회를 통한 토의를 거친후 총회에서 결의할 가능성도 있음

라. LA, SYNOD 에서 저지된 결의안이 동일한 안건으로 총회에 제기될 전망은 없으나 매년 총회에서 한국인권문제 (84년) 와 북한선교문제 (83년) 가 각종 방법으로 (STATEMENT 또는 RECOMME NDATION 형식) 으로 취급되고 있으므로 일부 대의원들에 의해 유사한 내용이 거론될 가능성은 있음

2. 당관 관할 지역내에는 금년총회 (85.6.4.-11. 인디아나폴리스) 에 김윤국목사 (시카고 노회회장), 박응기 (시카고 아세아 장로교 여성회장) 및 유진우 장로 (디트로이트) 등이 대의원으로 참석할 예정이며 당관은 필요시 동인들과 사전접촉, 협조를 요청할 계획임.

3. 미 장로교단의 조직 및 관련규정등을 수록한 195차 (83년) 및 196차 (84년) 총회보고서는 파편 송부예정임.

정문국 차관실 1차보 미주국 청와대 안 기
대사

PAGE 1 85.03.15 14:54
외신 2과 통제관

0148

(중앙사 정경인)

예고 : 85.12.31. 일반

예고문에 의거 일반문서로 재분류 1985.12.31 서명	

PAGE 2

0149

관리번호	239

주 뉴 욕 총 영 사 관

주뉴욕 (정) 700-　　　　1985. 3. 14.

수신 장 관　　684

참조 정보문화국장

제목 미국 장로교단의 조직 도표 송부

정보2과	공람	85년 3월 18일	담당	과장	국장

대 : WNY -227 (정이)

대호 2항에 따라 당관에서 입수한 미국 장로교단의 조직 도표를 별첨 송부하니 참고 하시기 바랍니다.

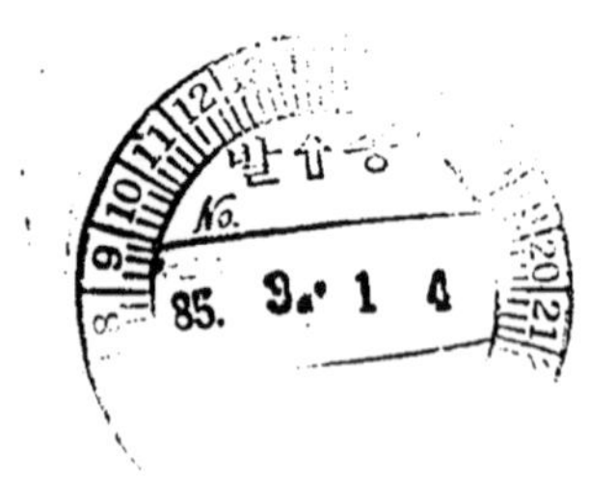

첨부: 조직도표. 끝.

주 뉴 욕 총 영 사

0150

외 무 부		결재		
접수일시	1985. 3. 18			
접수번호	제 12117 호	지시사항	• 국장 공람 • 문공부(및 안기부)에 사본 송부.	
주무과				
담당자	이 3/18			
관계			년 월 일까지 처리할 것	

0151

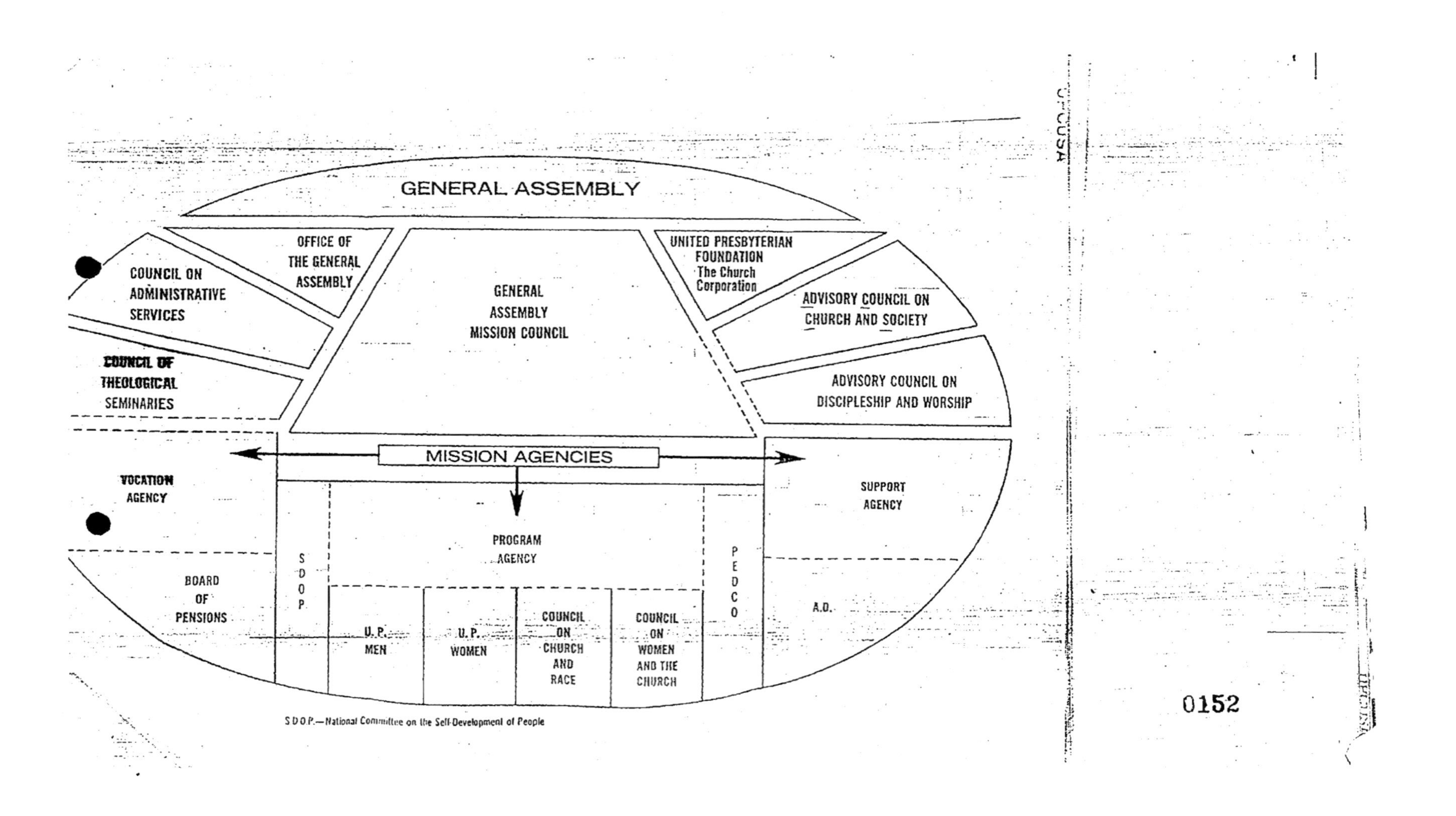
UPCUSA
GENERAL ASSEMBLY
COUNCIL ON ADMINISTRATIVE SERVICES
OFFICE OF THE GENERAL ASSEMBLY
GENERAL ASSEMBLY MISSION COUNCIL
UNITED PRESBYTERIAN FOUNDATION The Church Corporation
ADVISORY COUNCIL ON CHURCH AND SOCIETY
COUNCIL OF THEOLOGICAL SEMINARIES
ADVISORY COUNCIL ON DISCIPLESHIP AND WORSHIP
MISSION AGENCIES
VOCATION AGENCY
SUPPORT AGENCY
PROGRAM AGENCY
BOARD OF PENSIONS
SDOP
PEDCO
A.D.
U.P. MEN
U.P. WOMEN
COUNCIL ON CHURCH AND RACE
COUNCIL ON WOMEN AND THE CHURCH
S D O P.—National Committee on the Self-Development of People
0152

General Assembly Agencies Staff Directory

The United Presbyterian Church in the U.S.A.

The Interchurch Center, 475 Riverside Drive, New York, NY 10115

The following is a listing of the names and titles of persons employed in staff positions of agencies and related councils at the General Assembly level. The staff members are located at the above address unless otherwise indicated. See page 51 for a listing of UPCUSA synod and presbytery office addresses.

NOTE: To call The Interchurch Center use Area Code 212 and the Prefix 870 for all telephone extensions.

OFFICE OF THE GENERAL ASSEMBLY

	Room	Ext.
Stated Clerk—*William P. Thompson*	1201	2005
Associate Stated Clerks—		
Otto K. Finkbeiner	1201	2005
Robert F. Stevenson (Rev.)	1201	2005
Robert T. Newbold Jr. (Rev.)	1201	2005
Treasurer—*Otto K. Finkbeiner*	1201	2005
Assistant Editor—*Mildred L. Wager*	1201	2005
Assistant Managers, Department of Operations—		
G. Daniel Clark Jr.	1201	2005
Neal D. Sword	1201	2005
Staff Secretary, Presbyteries' Cooperative Committee on Examinations for Candidates—*George E. Hulac (Rev.)*	1201	2005
Executive Assistant to the Stated Clerk—*Juanita H. Granady*	1201	2005
Assistant to the Treasurer—*Carmen L. Lopez*	1201	2005

Department of History
425 Lombard St., Philadelphia, PA 19147
(215) 627-1852
Manager—*William B. Miller*
Research Historian—*Gerald W. Gillette (Rev.)*
Records Researcher—*Jane M. Ramsay*

GENERAL ASSEMBLY MISSION COUNCIL

	Room	Ext.
Executive Director—*G. Daniel Little (Rev.)*	1020	2822
Deputy Executive Officer—*Margaret J. Thomas (Rev)*	1020	2822
Administrative Associate for the Office of the Executive Director—*Mary E. McNamara (Rev.)*	1020	2999
Administrative Associate for Equal Employment Opportunity—*Mary E. Isaac*	1020	2904
Director of Budgeting—*Edna McCarthy*	1020	2910
Associate Executive Director (Mission Policy Coordination)—*Kyoji Buma (Rev.)*	1020	2903
Associate Executive Director (Coordination with Judicatories)—*David B. Lowry (Rev.)*	1020	2752
Administrative Associate for Coordination with Judicatories —*Gloria B. Miller*	1020	2952
Associate Executive Director (Social Witness Policy)—*Dean H. Lewis (Rev.)*	1020	3028
Director, Advisory Council on Discipleship and Worship—*James G. Kirk (Rev.)*	1020	2907
Administrative Associate for the Advisory Council on Discipleship and Worship—*Elizabeth Villegas*	1020	2907
Office Manager—*Helen S. Malik*	1020	2751

PROGRAM AGENCY

	Room	Ext.
Office of the General Director		
General Director—*J. Oscar McCloud (Rev.)*	1108	2687
Associate General Director for Program Coordination—*Donald Black (Rev.)*	1108	2684
Associate General Director for Ecumenical and Interchurch Relations—*Frederick R. Wilson (Rev.)*	1115	2691
Director of Budget Administration—*Hope M. Bezold*	1120	3021
Director for Personnel and Judicatory Relations—*Max E. Browning* (on leave of absence)	1116	2806
Executive Assistant to the General Director—*Roberta L. London*	1[illegible]08	268[illegible]
Executive Assistant to the Associate General Director for Program Coordination—*Blanche Allen*	1108	26[illegible]
Recording Secretary for the Program Agency, Administrative Cabinet Secretary—*Constance Lobody*	111[illegible]	28[illegible]

Area Liaisons

	Room	Ext.
Liaison with Africa—*Yenwith K. Whitney*	[illegible]	[illegible]
Liaison with East Asia and Pacific—*Syngman Rhee (Rev.)*	[illegible]	[illegible]
Liaison with Europe—*Robert C. Lodwick (Rev.)* 150 route de Ferney, 1121 Geneva 20, Switzerland		
Liaison with Latin America and the Caribbean—*Benjamin F. Gutierrez (Rev.)*	[illegible]	28[illegible]
Liaison with Middle East—*Paul A. Hopkins*	[illegible]	258[illegible]
Liaison with South Asia and China/Hong Kong/Taiwan—*L. Newton Thurber (Rev.)*	1144	3135

Program Agency United Presbyterian Representative Overseas

Egypt—*(Rev.) and Mrs. John G. (Mary Lou) Lorimer*
Europe (Joint with UCC/BWM)—*Robert C. Lodwick (Rev.)*
India and Nepal—*Ernest Y. Campbell (Rev.)*
Korea—*Horace G. Underwood (Rev.)*, Acting Representative
Pakistan—*Durwood A. Busse (Rev.)*
Syria, Lebanon and Iran—*Benjamin M. Weir (Rev.)*

Studies and Planning Services

	Room	Ext.
Coordinator—Frederick C. Maier (Rev.)	1260	29[illegible]
Associate for Planning and Theological Studies—*Edward M. Huenemann (Rev.)*	1260	29[illegible]
Associate for Review and Evaluation—*David L. Zuverink (Rev.)*	[illegible]	[illegible]

Stony Point Center
Crickettown Road
Stony Point, NY 10980
Rev. James E. Palm, Director
(914) 786-5674/(914) 786-3734

Readers' Service
Crickettown Road
Stony Point, NY 10980
(914) 786-5491

0153

	Room	Ext.
Jarvie Commonweal Service		
Director—*Ellsworth Stanton III*	1738	2965
Associate Director—*Alice W. Stutz*	1738	2966
Social Caseworkers—		
Jule M. Creed	1738	2964
Adele Malhotra	1738	2960
Florence M. Wolin	1738	2963
Vacant	1738	2982
Administrative Coordinator— *Josephine H. Breedlove*	1738	2879

UNIT I—MINISTRIES WITH THE LAITY

	Room	Ext.
Coordinator—*Lois Montgomery*	1151	2761
Men's Program		
Program Director— *Arthur J. Kamitsuka (Rev.)*	1149	2018
Women's Program		
Program Director—*M. Virginia Stieb-Hales*	1151	2763
Associate for United Presbyterian Women, Administrative Secretary of the National Executive Committee— *Ruth W. Zimmerman*	1151	2768
Associate for Council on Women and the Church—*Elizabeth H. Verdesi*	1151	2025
Associate for Mission Participation— *Marilyn M. Clark*	1151	2675
Associate for Global Community— *Aurelia T. Fule (Rev.)*	1151	2764
Associate for Development— *M. Virginia Stieb-Hales*	1151	2763
Associate for Ministries with Racial/Ethnic Women—*Mildred Brown*	1164	2885

Associates for Women's Program (Area Staff)

Eastern Area
475 Riverside Drive
New York, NY 10115

	Room	Ext.
Yolanda Hernandez	439	2109
Linda L. Pierce	439	2108
Gladys Strachan	439	2110

East Central Area
Fort Pitt Federal Building
Room 806
524 Penn Avenue
Pittsburgh, PA 15222
(412) 261-3441
Margaret Hall
Glendora Paul

West Central Area
7850 Holmes Rd.
Kansas City, MO 64131
(816) 363-4226/4227
Barbara Tilton
Judy Mead (Rev.)

Western Area
330 Ellis St., Room 414
San Francisco, CA 94102
(415) 775-1454/1455
Mary Freedlund
Joan Richardson
Lorna Shoemaker (Rev.)

	Room	Ext.
Related Staff of United Presbyterian Women Concern Magazine		
Editor—Jane Jarrard	454	2661
Associate Editor—Ann Yeargin	454	2661
Business/Promotion Manager— *Betty Parkinson*	454	2661
Youth Program		
Program Co-Directors—		
Bernie C. Dunphy-Linnartz (Rev.)	1164	2631
Mary Lee Talbot (Rev.)	1164	2236
Staff for Models for Young Adult Ministries Project—*Allen Kratz*	1164	2236

UNIT II—MINISTRIES OF HEALTH, EDUCATION AND SOCIAL JUSTICE

	Room	Ext.
Coordinator—*Donald J. Wilson (Rev.)*	1244	[illegible]
Associate Coordinator— *Antonio R. Welty (Rev.)*	1244	2214
Corporate Social Justice		
Associate for Economic Justice— *Philip R. Newell (Rev.)*	1244	2918
Associate for Justice System Issues— *Kathy Young (Rev.)*	1244	[illegible]
Associate for Peace and International Affairs—*Robert F. Smylie (Rev.)*	1244	[illegible]

Director, United Presbyterian Washington Office—*Mary Jane Patterson*
110 Maryland Avenue, N.E.
Washington, DC 20002
(202) 543-1126

Associate Director, United Presbyterian Washington Office—*Robert Barrie*
110 Maryland Avenue, N.E.
Washington, DC 20002
(202) 543-1126

	Room	Ext.
Racial Justice and Mission Development		
*Associate for Asian Mission Development— *Frank Y. Ichishita (Rev.)*	1244	[illegible]
*Associate for Black Mission Development— *Clarence L. Cave (Rev.)*	1244	[illegible]
*Associate for Hispanic Mission Development —*Cecilio Arrastia (Rev.)*	1244	[illegible]

*Associate for Native American Mission Development—*Sidney Byrd (Rev.)*
Central Presbyterian Church
1660 Sherman Street
Denver, CO 80203
(303) 837-9514

	Room	Ext.
Council on Church and Race — *Phil Park (Rev.)*	1244	[illegible]
Associate Coordinator— Charles W. Watt (Rev.)	1254	[illegible]
Health, Welfare & Community Development		
Associate for Community Development— *S. Douglas Brian*	1244	2019
Associate for Health Ministries— *Ronald W. McNeur (Rev.)*	1258	2806
Associate for Social Welfare/Program Relations—*Roxanna Coop*	1268	2043
Associate for Social Welfare/Institutional Relations—*Rodney T. Martin*	1268	2436

**Associate for Office on Aging—
Thomas B. Robb
341 Ponce de Leon Avenue, N.E.
Atlanta, GA 30365
(404) 873-1531

	Room	Ext.
Related Organization: Presbyterian Health, Education and Welfare Association (PHEWA)— *Rodney T. Martin*	1268	[illegible]
Development Assistance		
Director, World Relief, Emergency and Resettlement Services and Jinishian Memorial Program— *William K. DuVal (Rev.)*	1268	[illegible]
Field Director, Jinishian Memorial Program —*Haig Tilbian*		
Assistant for Refugee and Resettlement Services—*Shirley G. Nichols*	1268	[illegible]
**Co-Director, Presbyterian Hunger Program —*Ann Nesmith Beardslee*	1268	[illegible]
**Associate Presbyterian Hunger Program— *Joseph D. Keesecker (Rev.)*	1268	[illegible]

*Serves jointly with Congregational Development (Unit III)
**Serves jointly with Presbyterian Church in the United States.

37

0154

	Room	Ext.
Related Organizations:		
Director, National Committee on the Self-Development of People—*Fredric T. Walls*	1260	2564
Associate Director, National Committee on the Self-Development of People—*Christina Bellamy*	1260	2564
Executive Director, Presbyterian Economic Development Corporation (PEDCO)—*Milton Page*	1057	2125
Associate Executive Director, PEDCO—*David Liston*	1057	2125
Associate Coordinator—Earl K. Larson Jr.	1244	2138

Education & Leadership Development

Associate for Ministries in Higher Education—*A. Myrvin DeLapp (Rev.)*
925 Chestnut Street, 6th floor
Philadelphia, PA 19107
(215) 928-2792

	Room	Ext.
Associate for Specialized Education—*Mary Ida Gardner*	1252	2310
Associate for Leadership Development—*Esther C. Stine*	1252	2321

Associate for Regional Services, United Ministries in Higher Education (Northwest)—*William E. Hallman (Rev.)*
848 Pittock Block
Portland, OR 97205
(503) 224-7799

	Room	Ext.
Associate for Global Education—*Haydn O. White (Rev.)*	1258	2030

UNIT III—MINISTRIES WITH CONGREGATIONS

	Room	Ext.
Coordinator—*Robert H. Kempes (Rev.)*	1101	2681
Assistant Coordinator—Sarah E. Roberts	1101	2682
Church Education Services		
Program Director—*(Vacant)*	1101	2683
Director of Educational Resources—*John C. Purdy (Rev.)*	1101	2744
Educational Media Consultant—*W. Ben Lane (Rev.)*	1101	2757
Associate for Adult Resources—Social Education—*Dieter T. Hessel (Rev.)*	1101	2877
Associate for Adult Resource Development—*Frank T. Hainer (Rev.)*	1101	2720
Associate for Children's Resources and Program—*Mary Duckert*	1101	2781
Associate for Early Childhood Education—*Donna J. Blackstock*	1101	2781
Associate for Youth Education—*Barbara A. Withers*	1101	2171
Associate for Adult Planning and Program—*(Vacant)*	1101	2171
Associate for Adult Leader Education and Program—*Lindell L. Sawyers (Rev.)*	1101	2172
Associate for Communication and Support—*Jack M. MacLeod (Rev.)*	1101	2721
Associate for Educational Planning and Support—*Edna May Mosley (Rev.)*	1101	2968
Associate for Teacher Education—*David B. McDowell (Rev.)*	1101	3125
*Project Director—Black Education Resource Development—*Gladys M. Williams*	1101	3270
Congregational Development Program		
Program Director—*Harold H. Byers (Rev.)*	1101	2408
Associate for Resource Development and Congregational Renewal—*(Vacant)*	1101	2408
**Associate for Asian Church Development—*Frank Y. Ichishita (Rev.)*	1244	[illegible]
**Associate for Black Church Development—*Clarence L. Cave (Rev.)*	1244	[illegible]
**Associate for Hispanic Church Development—*Cecilio Arrastia (Rev.)*	1244	[illegible]

**Associate for Native American Church Development—*Sidney H. Byrd (Rev.)*
(Based in Denver, Colorado—See Unit II)

	Room	Ext.
Discipleship and Worship Program		
***Program Director—*James G. Kirk (Rev.)*	1020	[illegible]

Joint Office of Worship—UPCUSA/PCUS
Louisville Theological Seminary
1044 Alta Vista Road
Louisville, KY 40205 (502) 895-2441
Director—*Harold M. Daniels (Rev.)*

Presbyterian Association of Musicians (PAM)
1000 E. Morehead St.
Charlotte, NC 28204
(704) 333-9071
President, Joseph Schreiber

	Room	Ext.
Evangelism Program		
Program Director—*Grady N. Allison (Rev.)*	1101	2795
Associate for Implementing Strategy—*Morton S. Taylor (Rev.)*	1101	2795
Associate for Developing Resources and Services—*Jeffrey C. Wood (Rev.)*	1101	2795
Office of Capital Resources		
Program Director—*S. Charles Shangler (Rev.)*	1148	2777
Associate Program Director—*Diana A. Stephen*	1148	2777
Peacemaking		
Project Director—*Richard L. Killmer (Rev.)*	1101	3326

Ghost Ranch Conference Center
Director—*James W. Hall (Rev.)*
Abiquiu, NM 87510 (505) 685-4333

UNIT IV—MINISTRIES THROUGH PEOPLE IN MISSION

	Room	Ext.
Coordinator—*William H. Miller (Rev.)*	1126	[illegible]
Assistant to the Coordinator—*Martha E. Havens*	1126	[illegible]
Program Director, Patterns of Ecumenical Sharing—*(Vacant)*	1126	[illegible]
Fraternal Worker Concerns Section		
Associate for Fraternal Worker Concerns—*Hazel J. McGeary*	1126	[illegible]
Program Specialist for Medical and Retirement Concerns—*Marjorye A. Keyser*	1133	2890
Volunteers in Missio Section		
Program Director—*J. Wilbur Patterson (Rev.)*	1126	2801
Associate for Volunteers in Mission/Overseas—*John B. Lindner (Rev.)*	1126	2803
Associate for Volunteers in Mission/U.S.A.—*Jean Anne Swope (Rev.)*	1126	2884

*Part time proj. direct.
**Serves jointly with Unit II (Racial Justice and Mission Development)
***Serves jointly as Director of Advisory Council on Discipleship and Worship, General Assembly Mission Council

0155

	Room	Ext.

UNIT V—PUBLICATIONS

925 Chesnut Street
Philadelphia, PA 19107

Coordinator—*Robert D. McIntyre* ....(215) 928-2710
Business Manager—
Philip A. McLaughlin ....(215) 928-2711
Assistant to the Coordinator—
Jane W. Tyas ....(215) 928-2755
Religious Book Editor—
Paul L. Meacham (Rev.) ....(215) 928-2725
Associate Editor, Religious Books—
James J. Heaney ....(215) 928-2754
Associate Editor, Religious Books—
Cynthia L. Thompson ....(215) 928-2771
Children's Book Editor—
Barbara S. Bates ....(215) 928-2723
Production Manager—
Micheal Bergamo ....(215) 928-2712
Assistant Production Manager—
Joseph M. Grosso ....(215) 928-2714
Art Director—Educational Resource
Materials—*Dorothy E. Jones* ....(215) 928-2719
Art Director—Books—
Dorothy A. Smith ....(215) 928-2717
Supervisor—Copy Editing and Proofreading—
Books—*Marian S. Noecker* ....(215) 928-2721
Supervisor—Copy Editing and Proofreading—
Educational Materials—*Esther Kolb* .....(215) 928-2720
Director of Advertising—
William G. Hendrick ....(215) 928-2727
Assistant to the Director of Advertising—
Walter I. Roberts ....(215) 928-2729
Assistant to the Director of Advertising—
Thomasina A. Larson ....(215) 928-2728
Public Relations Director—
Elizabeth H. House ....(215) 928-2733
Director of Curriculum Services—
*Arthur A. Wahmann (Rev.)** ....(212) 870-2374
Supervisor—Curriculum Order and These Days—
Curriculum Sections—
Catherine A. Stratton ....(215) 928-2766
Sales Manager—The Westminster Press—
Robert S. House (Rev.) ....(215) 928-2740
Special Sales Representative—
Cornelius V. R. Bogert III ....(215) 928-2742
Sales Representative—
Jerry R. Freed ....(215) 928-2740
Sales Representative—
Elizabeth L. Morris ....(215) 928-2740
Sales Representative—
Robert G. Wilson ....(215) 928-2740
Supervisor—Sales Department—
Order Section—*Catherine A. Stratton* ...(215) 928-2743

SUPPORT AGENCY

Office of the General Director

	Room	Ext.
General Director—*Robert J. Rodisch (Rev.)*	918	2001
Associate for Administration—*Rosa C. Marsala*	918	2002
Associate for Planning and Personnel—*Barbara L. Smith*	918	2105
Controller—*Edgar B.B. Matthews*	912	2214
Associate Controller—*Robert J. Collins*	915	2311
Assistant Controller—*Gerard van Amstel*	911	2312
Legal Counsel—*Kenneth W. Linsley*	940	2323
Associate Legal Counsel—*(Vacant)*	940	2325
Managing Director for Research—*Mary C. Mattis*	1740	2420
Executive Assistant—*Annie Bright*	1740	2704
Director for Research—*Gay H. Tennis*	1740	2704
Associate for Information Resources—*(Vacant)*	1740	2459

*Room 1745, 475 Riverside Drive, New York, NY 10115

	Room	
Research Associate—*Arthur L. Benjamin (Rev.)*	1740	2
Research Assistant—*(Vacant)*	1740	24
Communications Unit		
Associate General Director—*Frank H. Heinze (Rev.)*	1940	25
Executive Assistant—*Rebecca A. Gatho*	1940	25
Electronic Media Division		
Managing Director—*(Vacant)*	1940	25
Media Production		
Director—*Joseph M. Elkins*	1948	20
Production Coordinator—*Carlos Alvarez*	1948	20
Electronics Engineer—*James Harris*	1920	30
Media Programming		
Director—*Robert J. Thomson (Rev.)*	1940	28
Creative Director—*Philip R. Steer*	1901	26
Associate Director for Media Development—*M. Russell Jolly*	1901	286
Assistant Director, Media Programming—*Neil Sullivan*	1901	270
Information Division		
Managing Director—*Vic Jameson*	1935	280
Interpretation		
Director—*Nancy B. Heinze*	1908	240
Assistant Director, Operations—*Doris Watterson*	1908	240
Associate Director, Materials—*Ray A. Yeager*	1908	[illegible]
Associate Director, Information Services—*David M. Eddy*	1908	[illegible]
Assistant Director, Resources—*Ted Yaple*	1908	[illegible]
Publications		
Director—*Ann Anderson*	1935	2607
Mission Funding Unit		
Associate General Director—*William S. Rowling (Rev.)*	922	2315
Executive Assistant—*Dolores Burrell*	922	2318

Coordinator of Training—
Janet M. DeVries (Rev.)
8012 Cedar Avenue South
Bloomington, MN 55420
(612) 854-0144

Associate Director for Special Gifts—
Kenneth H. Hollenbaugh (Rev.)
168 Spruce Avenue
Nazareth, PA 18064
(215) 837-8250

Fund Raising Department		
Director—*Donald E. MacFalls (Rev.)*	919	3237
Coordinator, Church Building Campaign Service—*Donald R. Killian (Rev.)*	924	2431

Field Representatives, Church Building
Campaign Service—
J. Wallace Carlson (Rev.)
3008 N.E. 49th Street
Kansas City, MO 64119
(816) 452-2434

Donald R. Killian (Rev.)
132 Mohawk Trail
Medford Lakes, NJ 08055
(609) 654-4078

Franklin B. Lane (Rev.)
R.R. #2
Waddy, KY 40076
(502) 227-9716

Donald S. Myer (Rev.)
950 Fenwick Place
Wooster, OH 44691
(216) 264-6297

39

0156

Coordinator, Special Gifts—
Eileene Johnson 929 2517

Major Mission Fund
Director—*James O. Nesbitt* 925 2501
Regional Counselors—
Martha Sterrett Kreiling (Ms.)
1079 Barkston Drive
Highland Heights, OH 44143
(216) 461-3832
Richard E. Nelson (Rev.)
7865 E. Mississippi Ave. #606W
Denver, CO 80231
(303) 377-4584
Vernetta Nelson-Ragins (Ms.)
5520 G West Market Street
Greensboro, NC 27409
(919) 855-5517

Mission Promotion Department
Director—*Alan J. Sorem (Rev.)* 921 2881
Associate Director—
William R. Stackhouse (Rev.) 927 3101
Associate Director, Designations—
Julianne Singh 923 2652
Associate Director, Special Offerings—
Vivian Johnson 926 2441
Personalized Relations in Mission—
Eleanor Kerr 921 3102

Stewardship Training Department
Director—*Mark H. Landfried (Rev.)* 920 2403
Associate Director—
Wiliam R. Stackhouse (Rev.) 927 3101

Services Unit
Associate General Director—
Delmar R. Byler 910 2212
Executive Assistant—*Jean C. Jones* 910 2212

Financial Services Division
Managing Director—*Arthur R. Clark* 941 2503
Executive Assistant—*Clara Eckerson* 941 2313

Accounting Department
Manager—*Kurt A. Zimmermann* 944 2994
Associate Manager—*Nagy L. Tawfik* 942 2997
Associate Manager, Disbursements—
Gladys E. Sumersille 943 2972
Payroll Supervisor—*Helen W. Durr* 945 2076

Treasury Department
Manager—*(Vacant)*
Associate Manager, Mission Treasury
Service—*Chester Kusterbeck* 905 2302
Supervisor, Mission Treasury Service—
Royal M. Denny 905 3269
Associate Manager, Foreign Accounts—
Judson W. Allen 909 2726
Assistant, Foreign Accounts—
Ester A. Amago 909 2520
Assistant, Missionary Accounts—
L. Vernelle Blair 906 2114

Management Services Division
Managing Director—*Robert T. Mehrhoff* 935 2773
Executive Assistant—*Ruth Kelly* 935 2862
Travel Liaison—*Eva Marshall* 935 3029

Data Processing Department
Director—*Robert C. Tomlinson (Rev.)* 935 2927
Manager, Computer Operations—*(Vacant)*

Distribution Services Department
Manager—*Charles Frisby* 935 2934
Associate Manager, Distribution—
Paul Rochester 1049 2557
Associate Manager, Order Entry—
Brenda Reid 935 2774

Purchasing and Inventory Systems Department
Manager—*Harvey Smith (Rev.)* 935 2924
Assistant to the Manager—*Eric Thorne* 935 2930

Print Services Department
Manager—*Joseph Berding* 935 2547
Associate Manager, Print Operations—
Leon Payne 1050 2266

Property/Risk Management Division
Managing Director—
Charles L. Marshall Jr. 936 2405

Property Services Department
Manager—*Emeterio L. Rueda* 936 2405

Risk Management Department
Manager—*Dorothy P. Romaine* 938 2122

VOCATION AGENCY

Office of the General Director
General Director—*Donald P. Smith (Rev.)* 420 2411
Coordinator of Planning and Administration
—*Sheila T. Etheridge* 420 2411
Associate General Director for Compensation and
Benefits—*Arthur M. Ryan,*
1834 Arch St.
Philadelphia, PA 19103
(215) 963-1141
Associate General Director for Personnel
Development—*James L. Mechem (Rev.)* 420 2411
Associate General Director for Personnel
Services—*Edgar W. Ward (Rev.)* 404 2628
Coordinator of Personnel Planning, and
Administration; and Compensation
Coordinator for General Assembly
Agencies—*Donald L. Leonard (Rev.)* 420 2411

Personnel Development Unit
Associate General Director—
James L. Mechem (Rev.) 420 2411
Coordinator of Counseling Resources—
Jerome J. Leksa (Rev.) 430 2616
Coordinator of Professional Development—
James Foster Reese (Rev.) 430 2617
Manager of Financial Aid for Studies—
Susan E. Ellison 430 2618
Associate for Introduction to Ministry—
(Vacant) 420 2411
Associate for Racial/Ethnic Enlistment—
Carlos Santin (Rev.) 404 2577

Personnel Services Unit
Associate General Director—
Edgar W. Ward (Rev.) 404 2628
Coordinator for Ministerial Relations—
Alan G. Gripe (Rev.) 404 2698
Manager of Information Services for
Personnel—*Margaret C. Pols* 404 2627
Associate Manager of Information Services
for Personnel—*Evelyn Hwang* 404 2627
Coordinator of Employment Opportunites—
Ann DuBois (Rev.) 404 2897

40

0157

General Assembly Agencies Subject Directory

The United Presbyterian Church in the U.S.A.
The Interchurch Center, 475 Riverside Drive, New York, NY 10115.

The following is an alphabetical list of subjects and corresponding staff contacts among the General Assembly agencies and councils. The staff members are located at the above address unless otherwise indicated. Please remember that information about United Presbyterian mission programs and resources may be obtained through your synod or presbytery office. See page 51 for a listing of UPCUSA synod and presbytery office addresses.

NOTE: To call The Interchurch Center use Area Code 212 and the Prefix 870 for all telephone extensions.

Subject	Contact	Room	Ext.
Abortion			
Choice	Elizabeth Verdesi	1151	2025
General Assembly position	Elizabeth Verdesi	1151	2025
Accounting Department	Kurt Zimmermann	944	2994
A.D. magazine			
Publisher	Roy A. Lord	1840	3198
Editor	J. Martin Bailey	1840	3026
Fulfillment Manager	George Olthoff	1640	2111
Promotion Manager	Alan Thomas	1640	2985
Adoption			
Policies and programs	Rodney T. Martin	1268	2436
Adult study resources			
Bible study:			
Cooperative Uniform Series	Frank T. Hainer	1101	2720
CE:SA	John C. Purdy	1101	2744
Leadership Development:			
Teacher/Leader, Pre-School	Donna Blackstock	1101	2781
Teacher/Leader, Grades 1-12	David B. McDowell	1101	3125
Teacher/Leader, Youth	Barbara Withers	1101	2171
Teacher/Leader, Adult	Lindell Sawyers	1101	2172
Church Officers	W. Ben Lane	1101	2757
Church Membership Resources	James G. Kirk	1020	2907
	W. Ben Lane	1101	2757
Men's Program	Arthur J. Kamitsuka	1149	2018
Social-ethical	Dieter T. Hessel	1101	2877
Women's Program	M. Virginia Stieb-Hales	1151	2763
Advisory Council on Church and Society	Dean H. Lewis	1020	3028
Advisory Council on Discipleship and Worship	James G. Kirk	1020	2907
Aging, Office on	Thomas B. Robb, 341 Ponce de Leon Avenue, N.E., Atlanta, GA 30365, (404) 873-1531		
Aged and Aging			
Ministries to, program	Thomas B. Robb		
Aging			
Public policies on	Thomas B. Robb		
Alcohol			
Issues	Roxanna Coop	1268	2043
Programs, ministries	Roxanna Coop	1268	2043
Alert	W. Ben Lane	1101	2757
	Arthur A. Wahmann	1745	2374
Alive, magazine for junior high	Barbara Withers	1101	2171
Amnesty education	Robert F. Smylie	1244	2137
Archives: Information Services	William B. Miller, 425 Lombard St., Philadelphia, PA 19147, (215) 627-1852		
Audiovisual			
Equipment: advice on purchase for churches and [illegible]	Joseph M. Elkins	1949	2037

Subject	Contact	Room	Ext.
Battered Women	Elizabeth Verdesi	1151	2025
Bequests in a Will (to individual church, to judicatory, to church-related agency)	Donn Jann	1031	2013
Bible study resources for adults: See "Adult study resources"			
Biennial Conference (PHEWA)	Rodney T. Martin	1268	2436
Bi-National Servants	William H. Miller	1126	2291
	India Thybulle	1126	2291
Board of Pensions	Arthur M. Ryan*		
Assistance Program			
Diagnostic psychiatric examinations	Marion R. Jones*		
Emergency or special financial needs; shared grants	Robert L. Moreland*		
Gifts, bequests and legacies	Wm. Irwin Arbuckle II*		
Pension, Major Medical and other benefits	Harold A. Clark*		
Pension benefit checks	Robert J. Dobilas*		
Pension Plan dues	Joan Lukas*		
Retirement housing	Robert L. Moreland*		
Field Representatives			
Central Area	Alex N. Nemeth, 176 W. Adams St., Room 2114, Chicago, IL 60603, (312) 641-1220		
Eastern Area	W. Eugene Houston, 475 Riverside Drive, Room 439, New York, NY 10115, (212) 870-2660		
Southern Area	J. Austin Lininger, 7850 Holmes Road, Kansas City, MO 64131, (816) 363-4229		
Western Area	Donald E. Leavitt, One Hallidie Plaza, San Francisco, CA 94102, (415) 433-3664		
Broadcasting services	Robert J. Thomson	1940	2863
Cable TV	Robert J. Thomson	1940	2863
Camps and Conferences	Jack M. MacLeod	1101	2721
Campus ministry (UME)	A. Myrvin DeLapp	1262	2138
Candidates for church professions	Jerome J. Leksa	430	2616
Capital punishment	Kathy Young	1244	3143
Career assessment and counseling services	Jerome J. Leksa	430	2616
Central Receiving Agency: Now "Mission Treasury Service" (see)			
Chaplaincies, institutional	Rodney T. Martin	1268	2436
Chaplaincies, military	S. David Chambers, 4125 Nebraska Avenue, N.W., Washington, DC 20016, (202) 244-4177		
Chaplaincies, prison	Kathy Young	1244	3143
Children's Advocacy— Child & Family Justice	Roxanna Coop	1268	2043

0158

	Room	Ext.
Coordinator of Professional Recruitment— *Dorothy Gist*	404	2656
Associate for Minority Placement— *JoRene Willis*	404	2624
Associate for Women in Ministry— *Penelope Morgan Colman*	404	2897

Personnel Office for General Assembly Agencies

	Room	Ext.
Manager, Personnel Office for General Assembly Agencies—*Helen E. Irvine*	432	2356
Benefits Administrator and Office Manager—*Dolores Hill*	432	2356
Employment Manager—*Naomi Diaz*	432	2356
Compensation Associate— *Elizabeth J. Tesseyman*	432	2356

BOARD OF PENSIONS

1834 Arch Street, Philadelphia, PA 19103

President—*Arthur M. Ryan* ....(215) 963-1141
Treasurer; Manager of Finance— *William Irwin Arbuckle II* ....(215) 963-1111
Assistant Treasurer— *Francis E. Maloney* ....(215) 963-1118
Accounting Section— *Robert J. Dobilas* ....(215) 963-1159
Dues Receivable Section— *Joan Lukas* ....(215) 963-1125
Secretary; Manager of Assistance and Homes Programs— *Robert L. Moreland (Rev.)* ....(215) 963-1143
Manager, Pensions and Benefits— *Harold A. Clark* ....(215) 963-1133
Major Medical Benefits— *Jane Hemphill* ....(215) 963-1130
Personnel Manager—*Esther Grady* ....(215) 963-1132

Area Representatives:

Central Area—*Alex N. Nemeth (Rev.)*
176 W. Adams St., Room 2114
Chicago, IL 60603 (312) 641-1220

Eastern Area—*W. Eugene Houston (Rev.)*
475 Riverside Drive, Room 439
New York, NY 10115 (212) 870-2660

Southern Area—*J. Austin Lininger (Rev.)*
7850 Holmes Road, Kansas City, MO 64131
(816) 363-4229

Western Area—*Donald E. Leavitt (Rev.)*
1 Hallidie Plaza, Suite 405
San Francisco, CA 94102
(415) 433-3664

COUNCIL ON ADMINISTRATIVE SERVICES

	Room	Ext.
Interim Director—*Max E. Browning*	425	2223
Associate Director for Synod Operations— *Howard A. Bryant Sr. (Rev.)*	425	2223
Associate Director for Churchwide Operations—*Richard Pacini (Rev.)*	425	2223
Assistant Director for Professional Development—*Lesly Jones*	425	2223

COUNCIL OF THEOLOGICAL SEMINARIES

	Room	Ext.
Director—*John H. Galbreath (Rev.)*	1060	2825

UNITED PRESBYTERIAN FOUNDATION

	Room	Ext.
President—*Aaron E. Gast (Rev.)*	1031	2013
Vice President for Finance—*Earl Kelz*	1031	2013
Vice President for Development— *Donn Jann (Rev.)*	1031	2013
Assistant Vice President— *Marvin C. Wilbur (Rev.)*	1031	2013
Assistant Vice President—*James B. Potter*	1031	2013
Gifts Administrator—*Anne Cook*	1031	2013
Gifts Administrator—*Raymond D. Sambolin*	1031	2013

Regional Representatives

Synod of Alaska/Northwest—
W. Wilson Rasco (Rev.)
1351 - 100th Ave., N.E.
Bellevue, WA 98004
(206) 454-9163

Synod of the Covenant—
Charles H. McCracken
4805 Oak Glen Drive
Toledo, OH 43613
(419) 475-3256

Synod of Lincoln Trails—
Robert B. Turner (Rev.)
1100 W. 42nd Street
Indianapolis, IN 46208
(317) 923-3681

Synod of the Northeast (except Upstate New York)—
Alfred V. Danielson
22 Round Hill Road
Scarsdale, NY 10583
(914) 725-2670

Synod of the Pacific—
Richard B. Cole (Rev.)
802 Clearfield Drive
Millbrae, CA 94030
(415) 697-2451

Synod of the South—
Harold J. King (Rev.)
609 Ivanhoe Lane, Key Royal
Holmes Beach, FL 33510
(813) 778-5545

Synod of Southern California—
Paul M. Kroesen
1501 Wilshire Blvd.
Los Angeles, CA 90017
(213) 483-3840

Synods of the Southwest and Rocky Mountains—
Roscoe M. Wolvington (Rev.)
16151 E. Wesley Avenue
Aurora, CO 80013
(303) 750-0798

Synod of the Sun—
James E. Spivey (Rev.)
920 Stemmons Freeway
Denton, TX 76201
(817) 382-9656

Synod of the Trinity and Upstate New York in Synod of the Northeast—
Richard W. Firth (Rev.)
203 Oakbourne Road
West Chester, PA 19380
(215) 692-8039

A.D. PUBLICATIONS INCORPORATED

	Room	Ext.
Publisher—*Roy A. Lord*	1840	31
Editor—*J. Martin Bailey (Rev.)*	1840	30
Editor-at-Large—*James A. Gittings*	1840	30
Associate Editor—*James E. Solheim*	1840	30
Associate Editor—*Sarah Cunningham*	1840	30
Production Director—*Gail Rodney*	1840	30
General Manager—*Arthur M. Lupfer*	1840	30
Subscription Manager—*George Olthoff*	1640	21
Promotion Manager—*Alan Thomas*	1640	29
Customer Service	1640	20

National Advertising Sales Office:
441 Lexington Avenue
New York, NY 10017
(212) 697-1075
National Advertising Sales Director—
Arthur W. Van Dyke

0159

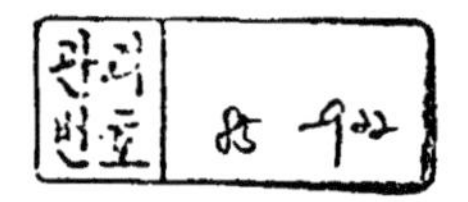

주 아 틀 란 타 총 영 사 관

아틀란타 700 - 96　　　　1985. 3. 19.
수 신 : 장 관
참 조 : 정보문화국장
제 목 : 장로교 관계

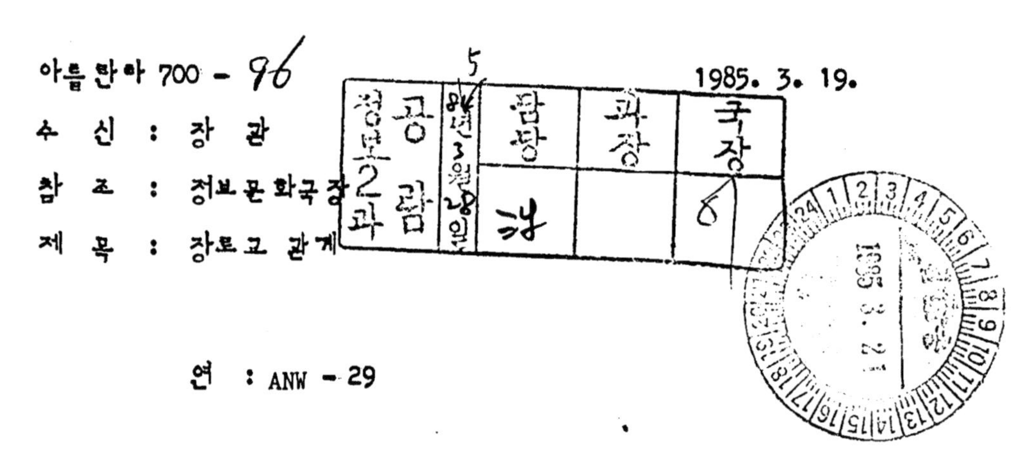

연 : ANW - 29

연호와 관련, 당지 김인식 목사와 접촉, 당관이 파악한 사항 및 김인식 목사의 견해를 다음과 같이 보고합니다.

1. 장로교 조직 : 연호 보고와 같이 미 장로교는 남, 북으로 나누어진 기구를 갖고 있는바 남북 장로교에는 총회 산하의 상설 기관 (북장로교 3개, 남장로교 11개) 으로 각각 General Assembly Mission Board (International Mission, National Mission, Court Partnership Services, Corporate and Social Mission 및 Administrative Commission 의 5개 기관으로 구성) 와 Program Agency, Vocation Agency 및 Support Agency 가 있고, 기타 기관 (Council 및 각종 기관) 은 남, 북 장로교에 비상설 기관으로 총회와 연결되어 있음.
총회의 비 상설 기관으로는 연호 기송부한 84 Minutes 에서 보듯이 다수의 기관이 있는바 (비 상설 기관이라 하면 기관은 상설되어

0160

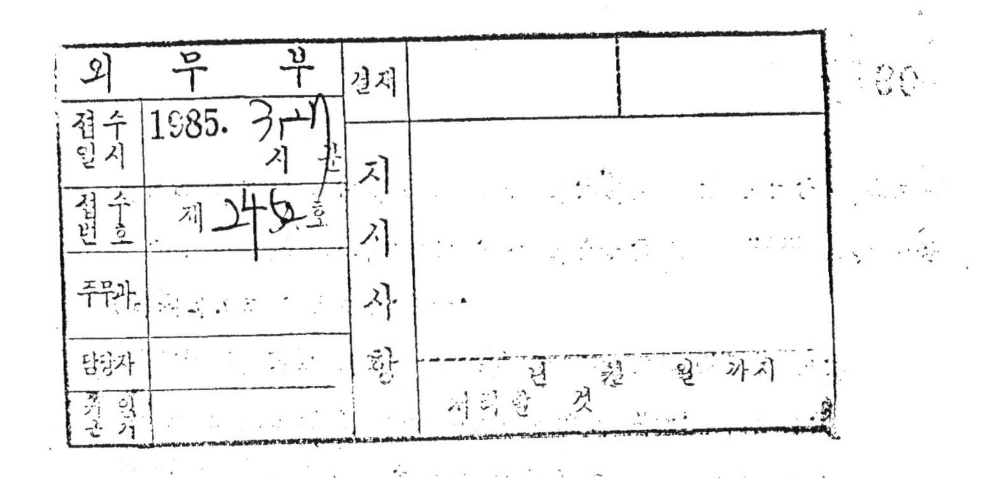

외 무 부		결재		
접수일시	1985. 3. 21 시 분	지시사항		
접수번호	제 246 호			
주무과				
담당자			년 월 일까지 처리할 것	
처리근거				

0161

있으나 그 조직 및 해체가 총회의 결정에 따라 가변적이라는 뜻임) 현재 관심의 대상이 되고 있는 Advisory Council for Church and Society 도 북장로교 산하의 비상설 기관의 하나임.

2. 결의안 회부 및 관계 위원회 : 장로교 총회의 결의안 상정은 각 Synod, Presbytery 그리고 일정수의 Commissioner (총회대표) 및 기타 총회 산하 각종 기관등 여러가지 채널로 가능한바, 따라서 총회전에 어떤 의안이 구체적으로 상정될 것인지를 예상하기는 극히 힘들고 또 결의안을 총회에 상정하느냐, 위원회에 상정하느냐 (구체적으로 어떤 위원회에 회부)도 그 결의안 제출시 (제출을 의결할때)에 결정됨으로 특정 사안의 검토 위원회를 사전 파악하기도 사실상 힘듬. (총회 산하의 임무가 중복되는 각종 위원회가 존재함을 주지요).

3. 결의안 의결 : 장로교의 의사 결정 정족수는 남,북 장로교에 따라 차이가 있으나 총회에서의 의결은 특정 경우를 제외하고는 일반 사항은 다수결에 의함이 원칙임.

4. 85년도 총회 : 6.4 - 10 인디애나폴리스

5. 금번 결의안의 제출 배경 및 그간의 경위 :

금번 결의안은 83년 장로교 총회의 북한 선교사업 추진 결정후 교회내의 큰 이슈로 되어있는 북한 선교 문제를 등에 업고

- 2 -

0162

Advisory Council of Society and Church 소속의 1명에 의해 기초되어 지난 1월 아틀란타에서 개최된 Meeting 에서 이를 총회에 회부키로 결정코저 하였으나 Program Agency 소속 이승만 목사 및 당지 김인식 목사의 로의 연기주장과 Program Agency 소속 Dr. Fred Wilson 의 메모등으로 북한 선교 문제는 우선 한국교회와 협의해본 후, 결정한다는 전제하에 일단 결정이 보류된 상태에 있음.

(Advisory Council for Church and Society(ACCS)는 다수의 위원으로 구성되어 있으며, 남장로교 측에서는 전기한 Mission Board 산하의 CSM 에서 2명의 대표가 참여함)

* 총회산하의 각종 비 상설기구가 선교문제등에 관하여 어떠한 결정이나 결의안을 제출할때는 남장로교에서 Mission Board, (Asia/pacific 책임자 김인식), 북장로교에서는 Program Agency (Asia/pacific 책임자 이승만)와 사전협의 하는 것이 관례 (동 기구가 총회 산하에 선교문제를 전담하고 있기 때문에 전문가의 조언을 얻는다는 관점에서)나 동 기구의 경쟁적인 성격과 사전협의가 의무적인 것이 아님으로 단독으로 결정을 내리는 경우도 많다고 함.

6. <u>금번 결의안과 관련한 가능한 대책 (김인식 목사 견해) :</u>

금번 결의안에 대한 우리가 취할수 있는 방향으로는 다섯가지 정도를 생각할수 있으며 그것은 다음과 같음.

가. <u>한국측이 아무런 조치를 취하지 않을 경우 :</u>

ACCS 안대로 총회에 상정 결의안이 통과될 것임.

나. 한국교회측이 일방적으로 북한 선교문제에 대한 우리의 입장을 밝히는 경우 : 미 장로교측과의 상호 협의가 없는 일방적인 아측 입장의 선언임으로 상기와 같이 ACCS 안이 그대로 통과될 것임.

다. 한국교회와 미국교회가 대화를 통해 북한 선교문제에 합일점을 찾는 경우 : 현재 ACCS 에서 보류되어 있는 것도 한국 교회와 협의하기 위한 것인바, 북한 선교문제에 대한 우리의 입장을 세우고 이를 미측과 협의, consensus 를 구해, 앞으로의 북한 선교 문제를 한국 교회가 주도해 나가는 방향으로 유도 하는 동시에 이런 입장에서 결의안 통과 모색.

라. 한국측이 노회 대표를 통하여 개인적으로 상기 결의안에 대응(대안)하는 결의안을 제출코, 관련 위원회에서 2개안을 토론 하게 하는 경우 : 노회 대표안을 검토는 하게 될것이나 ACCS 안은 북한 선교 문제 전문가의 안임으로 이에대한 debate 에서 승산이 없다고 봄.

마. 한국측 지지안을 총회에제출하는 경우 : 총회 대표의 성향도 여러가지임으로 총회 대표중에서 아측 지지 대표 (아측 지지 세력을 찾는것은 어렵지않을것임)를 통하여 아측에 유리한 안을 제출하는 방법도 있으나 ACCS 안의 통과를 저지하기는 힘들것이며 다만 총회의 소수의견으로 기록해 둘수는 있을것임. (Minority Report)

0164

7. 미국교회와의 사전협의

김목사는 상기 5개 방법중에서 현재 상황에서 취할 수 있는 가장 최선의 방법은 "다"항의 미국교회와의 사전 협의로 북한 선교 문제에서 아국 교회가 주도권을 잡는 방향에서 이 문제를 해결하는 것이라고 하고 이러한 경우에 과연 어떻게 미국교회와 협의할것이냐는 한국교회 지도자들이 결정해야 하고 이러한 양국 교회 지도자간의 대화 (5월중에 가능)에는 미국 교회 사정을 잘 파악하고 있는 한국 교회지도자가 나서야 할것이라고 하였음. 특히 북한 선교 문제는 앞으로도 계속될 issue 임으로 차제에 아국 교회가 주도권을 잡아 나가야 이 문제가 미국 장로교에서 더 이상 거론이 되지 않지 그렇지 않으면 계속 대두될 것이라고 함. 따라서 한국 교회측이 이 문제에 대해 어떻게 대응하느냐가 해결의 관건임.

8. 북한 선교 문제에 대한 아측의 접근 방향; 김목사는 미 장로교에 대한 북한 선교 문제협의는 issue 의 차원에서가 아니라 mission 의 차원에서 해야됨을 강조하고 한국측이 issue 자체를 들고 나올 경우에는 미 장로교측과의 대화가 불가능 하다는 점을 강조하였음. 즉 선교의 필요성은 인정하되 한국 기독교가 이를 주도해 나가겠으며 이에 대해 미 장로교측은 측면 지원만 하면 된다는 입장인바, 이를 위해서는 한국교회도 북한 선교문제 기본 입장을 세워야 하기 때문에 어려움이 많을 것이라고 함.

9. 기타 사항

-김목사는 총회 산하기관의 staff 인 자신이나 이승만 목사는 이러한

결의안 결정과정에 큰 역할을 할수가 없으며 다만 총회나 위원회가 전문가의 의견을 필요로 할 경우, 개진할수 있을뿐 이라는 점을 강조하였음.

- 특히 이승만 목사와 관련, 동인 79년 북한 방문을 하고 그후 북한 Slide 상영등을 한일이 있으나 기본적으로 자신이 알고 있는한 이목사는 목사의 활동 범주를 벗어나고 있지는 않으며 (정치적이나 사상적인 역할은 없음) 그러한 방북 사실 및 그 후의 활동을 들어 재미 여타 목회자들이 이목사를 부당하게 친북 인사로 비난하고 있는 점을 주시해야 할것임을 지적하였음. (이목사의 부친이 공산당에 피살된 점을 들었음)

- 김목사는 선교 관계 업무차 4. 1 - 4. 7간 방한할 것인바, 동 기간중 한국 교회 지도자들과 만나 상기 결의안 관계를 논의하고, 한국 교회측의 노력을 촉구할 것이나 큰 기대를 걸지는 않고 있으며, 미국측과 대화를 할 경우에는, 한국측 교회 대표가 미국 교회측과 대화를 나눌수 있는 대표 (미국 교회 분위기등을 파악하고 한국의 입장을 개진 가능함) 가 필요함을 강조 (85년 총회에서의 아측 대표단도 동일한 범주에서 선정) 하였음.   끝.

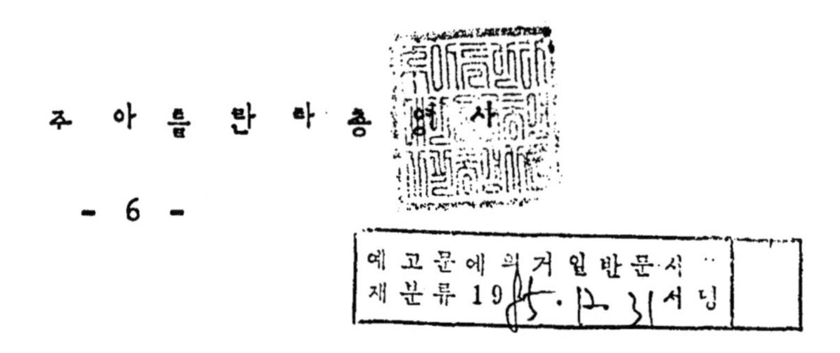

주 아 틀 란 타 총 영 사

- 6 -

예고문에 의거 일반문서
재분류 1985. 12. 31 서명

일반문서로 재분류(1985 . 12 . 31 .)

0166

관리번호 860

원본

외 무 부 착신전보

번 호 : ANW-41 일 시 : 03201600 종 별 :

수 신 : 장 관 (정이)

발 신 : 주 아틀란타 총영사

제 목 : 장로교 관계

연 : ANW-29

연호 김인식 목사와의 접촉결과,금파편 보고함.

(총영사-국장)

예고 : 85.12.31 일반

예고문에 의거 일반문서로 재분류 1985.12.31 서명

공람 월 일		과 장	국 장		차 관	장 관

정문국

PAGE 1

85.03.21 14:46
외신 2과 통제관

0167

관리번호	85-89

외 무 부 착신전보

번 호 : NYW-299 일 시 : 03221600 종 별 :

수 신 : 장 관 (정문,기정)

발 신 : 주 뉴욕 총영사

제 목 : 미 장로교회 총회 한국문제 결의안

대 : WNY-227

연 : NYW-200,SFW-124

1. 대호 3항 미장로교 총회에서 아측 입장을 반영해 줄수 있는 위치에 있는 이승만 목사와 김인식 목사가 미국인목사 한명과 함께 3.19.당지를 출발 일본을 경유 4.1-4.8간 방한 예정임. 방한 목적은 장로교 극동지역 선교담당 총무로서 연 2회 전례적인 방문의 일환이라고 함.

2. 이승만 목사는 한국문제 결의안 처리에 관하여 최대한 협조를 하겠다고 당지에서 말한바 있으므로 동 목사의 방한중 연락처인 한국장로교 통합사무실에 연락하여 관계 인사와의 면담을 주선,필요한 사전 협조를 얻도록 해주시기 바람. 동 목사들은 방한중 한국 교계지도자들과의 광범위한 접촉을 할 계획이라고 함.끝.

(총영사 김태지-국장)

예고 : 85.12.31 일반

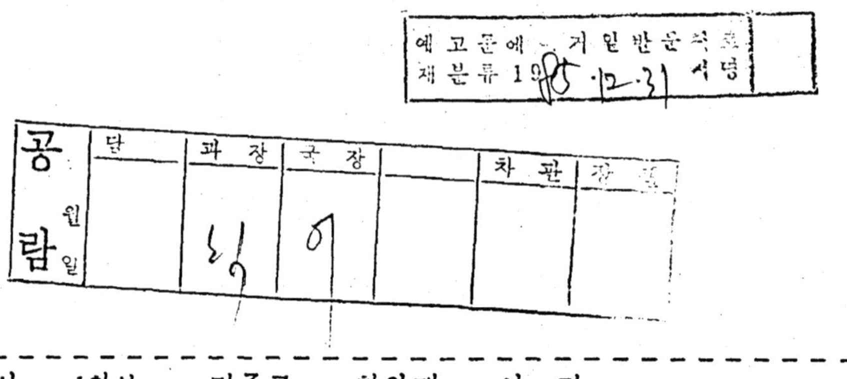

정문국 차관실 1차보 미주국 청와대 안기

PAGE 1

85.03.23 09:32
외신 2과 통제관

0168

관리번호 85/2226

발 신 전 보

번 호: WUSM-22 (UH, AK, GM 제외) HL 일 시: 04021700 전보종별:

수 신: 주 수신처 참조 대사·총영사

발 신: 장 관 (정이)

제 목: 미장로교 총회 한국문제 결의안

연 : WUSM - 12,15

연호, 미장로교단의 한국문제 결의안 추진과 관련, 본부는 관계부처협의 및 각공관 보고를 참조, 아래와 같이 대책을 수립하였는 바, 시행하고 진전 상황 수시 보고 바람.

1. 대 책

1) 한국문제 결의안은 현재로서는 래년도 총회에 상정될 전망이나, 금년도 총회에서의 기습상정 가능성에 대비하며 대책활동은 금년도 총회부터 시작함.

2) 총회에 결의안이 상정되지 않도록 유도하며, 불가시에는 최소한 아측에 불리한 부문의 수정 또는 삭제 추진.

3) 동 대책수행은 국내 장로교계 지도자를 앞세워 추진하며, 정부의 직접적인 개입 인상은 불식함.

보안통제

비주국장:

앙고재	85년 4월 1일	정보2과	기안자		과 장		국 장	제1차관보	차 관	장 관

외신과	접수자	통 제

0169

2. 현지공관 대책반 운영

1) 주미, 뉴욕, 라성, 시카고, 상항, 시애틀, 아틀란타 공관에 대책반을 구성함. (주미대사가 총괄함)

2) 구성 및 임무

구성 : 공관장, 공보관, 파견관(공보관, 파견관부재 공관은 담당영사)

임무 : - 공관장 : 지휘 총괄

- 공보관 : 역내 목사활동 순화, 총회동향 수집보고, 기습상정 대비동향파악

- 파견관 : 상기 공보관 임무 지원 및 친북목사 동향파악

기간 : 4.1. -6.10간(제197차 총회 : '85.6.2 - 8. 인디아나폴리스)

3. 활용대상 목사 (참고사항)

- 뉴 욕 : 신성국(한국교회협의회 동부지역총무)
- 라 성 : 현순호(한인교회협의회 서부지역총무)
  오은철, 천방욱, 김계용 (라성 한인교회)
- 시카고 : 김윤국(한미장로교회)
  김득렬(디트로이트 중앙교회)
- 상 항 : 김용준(미연합장로교 서부지역 한인총무). 끝.

(차관)

예고 : '85.12.31 일반

수신처 : 주미대사, 주뉴욕, 라성, 시카고, 상항, 시애틀, 아틀란타, 휴스톤총영사

0170

美長老敎의 韓國問題決議案對策

1985. 3.

國家安全企劃部

0171

目 次

0172

1. 美国 長老教 一角에서는 "東北亜에서의 韓半島和解" 題下로 政治的 性向이 包含된 決議案을 準備, 同 長老教団의 議決機構인 年次 総会에 上程시키려는 움직임이 있는 바 背景과 関聯動向은 다음과 같읍니다.

가. 背 景

(1) 美 長老教는 政治的 性向이 強한 教団이며 僑胞 牧師들이 多数 活動하고 있음.

(2) 이들 僑胞 牧師들은 対北宣教問題에 깊은 関心을 갖고 83.6 第195次 総会時 이를 挙論한 바 있음.

(3) 以後 美 長老教内에서는 韓国問題에 대한 関心이 増大되어 왔음.

나. 関聯動向

(1) 同 決議案은 스마일리牧師(Robert D. Smylie, 56, 美 長老教 総会 傘下 平和 및 国際問題委員会 幹事)가 85.1에 作成, 美 長老教 人士들에게 配布 協議하였는 바, 在美僑胞인 李昇万 牧師 (54, 美 北長老教 宣教部 東北亜担当 総務)와 金仁植 牧師(47, 美 南長老教 東北亜担当 総務) 가 関聯되어 있음.

(2) 스마일리牧師는 当初 同 決議案을 美 長老教 南加州 大会 (Synod)를 거쳐 85.6 開催予定인 第197次 総会에 上程하려 하였으나 同計劃을 変更하여

(가) 85.9 長老教 総会 傘下 諮問機構인 「教会·社会問題 協議会」에 回附하여

(나) 86.6 第198次 総会에 上程할 計劃으로 있음.

2. 同 決議案은 南北韓을 対等한 位置에 놓고 離散家族 再会 促求, 南北韓 交叉承認 및 UN 同時加入 等 我国에 有利한 内容도 反映되어 있는 反面, 다음과 같은 問題内容도 包含되어 있읍니다.

가. 美·北傀 接触 促求

나. 駐韓 美軍撤收 主張

다. 韓国의 外債問題 및 富의 偏在 非難

라. 同 決議案의 施行을 위한 美 長老教 代表団의 南北韓 派遣 및 実態 把握 主張

-2-

0174

마. 次期 年次総会에 北傀 長老教 代表도 招請할것을

提起

3. 対 策

当部는 그간 3局長 主管으로 3回에 걸쳐

関係部処 実務局長 対策会議 (青瓦台, 外務部, 文公部,

統一院)를 開催하고 다음과 같이 綜合対策을

樹立하였읍니다.

가. 方 針

(1) 今般 韓国問題 決議案은 来年度 総会에 上程될

展望이나 対策活動은 今年度 総会時부터 着手

(2) 来年度 総会에서도 韓国問題 決議案이 上程되지

않도록 誘導하되, 決議案 上程 沮止가 不可能

할때에는 最少限 我側에 不利한 部分을 修正

또는 削除토록 推進

(3) 同 対策 遂行은 国内長老教界 指導者를 앞세워

推進하되 政府의 直接的인 介入 印象은 払拭

토록함. 国内 長老教界 接触窓口는 文公部 宗務室로 함(青瓦台, 外務部, 統一院, 安企部는 背後 支援)

(4) 今年度 総会에서 奇襲 上程될 可能性에 対備한 沮止策도 講究

나. 細部計劃

(1) 現地公舘 対策班 運営(外務部, 文公部, 安企部)

(가) 関聯牧師 動向把握 및 醇化를 為해 在美公舘에 対策班을 4.1부터 構成 運営

(나) 構成 및 任務

構成	任務	地域
公舘長	○ 指揮総括	駐美大使가 総括하고 뉴욕, 羅城, 시카고, 桑港, 시애틀, 아틀란타, 휴스턴 公舘에서 運営
公報官 (公報官不在公舘에서는 領事)	○ 域内 僑胞牧師 醇化 ○ 総会 動向蒐集 報告 ○ 総会 奇襲上程에 対備한 動向把握	
派遣官 (派遣官不在公舘에서는 領事)	○ 上記 公報官 任務外에 親北牧師 動向把握	

0176

(다) 活用対象 牧師

地 域	活 用 対 象 者
뉴 욕 公 館	○ 申成国 (59 . 韓人教会協議会 東部地域 総務)
羅 城 公 館	○ 玄順鎬 (50 . 韓人教会協議会 西部地域 総務) ○ 呉銀澈 (61 . 羅城 韓人教会) ○ 千邦旭 (50 . 〃) ○ 金啓榕 (66 . 〃)
시카고公館	○ 金允国 (시카고 韓美長老教会) ○ 金得烈 (58 . 디트로이트 中央教会)
桑 港 公 館	○ 金竜駿 (57 . 美聯合長老教 西部地域 韓人 総務)

(2) 美 長老教界 醇化活動 推進 (4.1 ~ 6.10 , 外務部, 文公部, 統一院, 安企部)

(가) 스마일리牧師와 連繫가 있는 在美僑胞牧師 訪韓時 国内 教界人士 活用 및 個別 接触을 通해 国内 操縦 (4.1 ~ 4.8 , 文公部)

○ 訪韓 在美僑胞牧師

- 李昇万牧師 (54 , 美 長老教 亜・太担当 総務)

- 金仁植牧師 (47 , 美 南長老教 亜・太担当 総務)

○ 韓半島情勢 및 我国 統一政策 説明

○ 同 決議案 総会 上程 沮止 및 内容 修正을 為한 스마일리牧師 醇化 促求

(나) 美 長老教界에 影響力 있는 在美団体 活用 (4.25 , 安企部)

○ "在美教授・聖職者協議会" (뉴욕 所在, 会長 : 南병현, 幹事 : 유호근)를 同 決議案 総会 上程 沮止에 活用

※ 同 協議会는 워싱톤州 및 알라바마州 長老教에 影響力이 있음.

○ 我側 作成 決議案 修正内容 等 関聯 資料를 上記 協議会에 提供

(다) 6.4 開催 予定인 総会 参席 我側 代表団에 事前 教育 実施 (5.20, 文公部)

○ 代表団 名単

예수教 長老会側	基督教 長老会側
- 朴鍾烈牧師 (63, 総会長) - 金昌仁牧師 (68, 忠峴教会) - 許日燦牧師 (50, 文化教会) - 白樂基牧師 (59, 総会書記)	- 李英燦牧師 (61, 総会長) - 尹起錫牧師 (54, 光州새빛 教会)

○ 決議案 内容의 不当性 指摘, 我側의 修正案 提示 및 政府의 統一政策 教育 (統一院 支援)

○ 北傀의 偽装 宗教実態 紹介 (安企部 支援)

- 北傀 礼拝処 필름, 聖経 및 讃頌歌 冊子 等 北傀 資料 活用

※ 5.25 総会 代表団 派遣

(라) 我側 代表団의 総会 基調演説 活用 (5.10, 文公部)

○ 総会 開会式에서 行하는 各国 教団 代表의 基調 演説은 表決時 影響을 미침.

○ 基調演説 内容에 政府 立場이 反映되도록 調整

○ 基調演說者

ㅡ 예수教 長老会 : 朴鍾烈牧師 (63, 総会長)

ㅡ 基督教 長老会 : 李英燦牧師 (61, 総会長)

(마) 美側 人士에 対한 幕後交涉 活動 (5.25 ~6.10, 文公部)

○ 代表団中 英語 能通者를 別途 選定, 総会 및 決議案 作成에 関聯 있는 美側 人士를 醇化토록 個別任務 賦与

○ 活 用 者

我 側 代 表	醇 化 対 象
o李 英 燦 牧 師 (61, 基長 総会長)	o오스카 맥크라우드 (総会 傘下 企劃委 責任者)
o許 日 燦 牧 師 (50, 文 化 教 会)	o로버트 스마일리 (韓国決議案 作成者)
	o제임스 앤드류 (総会 総務)
	o해리어드 넬슨 (総会 会長)

-8-

0180

(3) 対策推進日程

推 進 内 容	主 管	期 間	備 考
1. 現地 公舘対策班 構成 運営	外務部 文公部 安企部	4.1~6.10	
2. 決議案 作成者인 스마일리牧師 醇化를 위한 在美牧師 国内 操縦	文公部	4.1 ~ 4.8	李承万牧師 金仁植牧師
3. 美 長老教界에 影響力 있는 在美团体 活用	安企部	4.25	
4. 基調演説内容 調整	文公部	5.10	
5. 総会参席 我側代表団 事前教育	文公部 (統一院 安企部 支援)	5.20	
6. 英語能通者에 대한 個別任務 賦与	文公部	5.23	
7. 我側代表団 派遣	文公部	5.25	

관리번호	85/2313

외 무 부

착신전보

번 호 : STW-75　　　　일 시 : 04021620　　　　종 별 :

수 신 : 장 관 (정이) 사본:주미대사 직송필

발 신 : 주 시애틀 총영사

제 목 : 미장로교 총회

공람	담 당	과 장	국 장		차 관	장 관
월 일						

대 : WUSM-22, 정이 120.2-569

당지 주재 미연방정부 주택도시계획성 근무 김형길 박사가 3.29-30간 NEW JERSEY HOLIDAY INN 에서 개최된 제 197차 미장로교 총회 준비위원회에 미장로교 총회 선교부 (PROGRAM AGENCY) 대표위원 으로 참석후 당관에 보고한 내용을 다음과같이 보고함.

1. 상기 총회 준비위원회에는 선교부 대표위원과 행정요원 도합 17명이 참석하였다함

(BOB WHITEBORD (CHAIRMAN OF PLANNANG BUDGET COMMITTEE OF PROGRAM AGENCY)

FRED WILSON (ASSOCIATE DIRECTOR OF PROGRAM AGENCY)

REV.PHIL TOM (전 CHAIRMAN OF PLANNING BUDGET COMMITTEE)

OSCAR MCCLOUD (GENERAL DIRECTOR KF PROGRAM AGENCY)

HENNEMANN (ASSOCIATE DIRECTOR FOR PLANNING DEPT.OF PROGRAM AGENCY)

VIRGINIA WOLFE (대표위원), LINDA PEARSON (대표위원)등)

2. 금번 회의에서는 전기 김박사의 동의와 FRED WILSON 의 찬의 및 추가설명으로 문제의 한국관계 결의안이 오는 85.6.4-12간 개최예정인 정기총회에서 상정논의 되는것을 철회하기로 결정 (CONCENSUS) 을 보았다하며 또한 북괴대표단의 총회 초청문제도 거부하기로 결정을 보았다고함

3. 이와같은 결정에 따라 동 위원회에서는 그대신 평양에 종교활동과 관련한 사실조사단을 조직, 파견키로 결정을 보았다고하며, 200만불 상당의 선교사업비를 이북에 직접 접촉 수교하지않고 중공 재류 한인계 종교단체를 통해 기부하자는 의견과 앞으로 대북괴관계는 비공식적이고 간접적이며 우회적인 방법으로 접촉, 선교사업을 추진해야 할것이라는 의견등이 논의되었다고함.

정문국　차관실　1차보　미주국　청와대　안 기

PAGE 1　　　　85.04.03 13:35　외신 2과 통제관

0182

4. 현재 이승만 목사는 서울에 체류하고 있다하며 한국에서의 대북 선교사업 추진문제는 사찰기관등의 내사로 활동이 어렵다는 급전을 보내왔으므로 한국에서의 교섭을 포기하고 대신 한국장로교 총회의 북한 장로교 선교위원회 대표들을 금번 9월 미국에 초청, 미국에서 협의를 가져야 되겠다고 거론되었다함. 또한 이와관련 5.7-10간 시카고에서 개최될 한인 장로교 소위원회에서 대북 선교문제를 협의할 것으로 보고있다함.

5. 당관은 김박사의 회의참가 이전에 몇차례 접촉, 회의대책을 숙의하였으며 동인의 활동 일부를 지원한바도 있음을 참고로 보고함.

6. 본건 진전상황은 추후 보고할것임.끝.

(총영사 안세훈)

예고 : 일반 85.12.31

예고문에 의거 일반문서로 재분류 1985.12.31 서명	

관리번호	1010

원본

외 무 부

착신전보

번 호 : CGW-204　　　일 시 : 04041015　　　종 별 : 지 급

수 신 : 장 관 (정이,기정)

발 신 : 주 시카고 총영사

제 목 : 미장로교 총회대책

대 : WUSM-22

1. 대호관련, 당관은 오는 4.22(월) 시카고 거주 김윤국,현순호 목사부부 및 박은기 장로부부를 관저 만찬에 초청 (본인들 수락), 금번총회에 대비한 아국입장을 설명하고 동 회의 참가시 이들의 가능한 지원협조를 요청할 예정이며, 5월중순경 디트로이트에 출장, 김득렬 목사 및 유진우 장로와 접촉, 유사한 활동을 할 계획임

2. 당관은 이미 3월중순부터 이들과의 개별접촉을 통하여 과거의 총회참석 과정 및 미장로교 관계 자료를 수집한바 있음.

3. 대호 3항의 현순호 목사는 당지에 거주하며 한인교회 협의회의 미 중서부지역 총무이므로 당관에서 담당하는것이 좋을것임.

(총영사 정경일)

예고 : 85.12.31 일반

예고문에 의거 일반문서로 재분류 1985.12.31.

	과 장	국 장		차 관	장 관

정문국 차관실 1차보 미주국 청와대 안 기

PAGE 1

85.04.05 09:18
외신 2과 통제관

0184

관리번호 85-1600

원본

외 무 부 착신전문

번 호 : CGW-240　　　일 시 : 04231720　　　종 별 : 지 급

수 신 : 장 관 (정이,기정)(사본 주미대사)CGUS-45직송필

발 신 : 주 시카고 총영사

제 목 : 미장로교 총회 대책

공람	담 당	과 장	국 장		차 관	장 관
년 월 일						

연 : CGW-204

1. 당관은 예정대로 4.22(월) 김윤국,현순호,박은기등 부부를 만찬에 초청하였으며, 이들은 금년 총회를 앞둔 교회측의 움직임과 관련,다음과같은 반응을 보였음.

- 미장로교가 특별히 타국의 인권문제등에 관심이 많고 한국계 목사보다 오히려 미국인 목사들이 한국의 소위 인권문제를 적극적으로 거론하는 경향이 있음

- 85.2.12. 시카고노회 STATED MEETING 에서 GARY SKINNER 목사가 제의한 김대중 귀국시 한국정부의 동인에 대한 부당한 취급을 비난하는 별첨 성명서 (STATEMENT OF CONCERN) 을 채택하고 이를 레이건 대통령등에게 발송하였다함.(동 내용이 6월 총회에 제출되는것은 아니라함)

- 상기 대의원들은 금차총회에 대비하여 한국에서 참석하는 교계대표들과 협의, 가능한 북한이나 반정부 세력들의 일방적인 이용당하는 일은 없도록하겠다고 다짐하고 남북한 교회간의 접촉을 촉구하는 결의안등이 제출될 경우 북한의 기독교대표들은 사실상 북한 당국의 하수인이라는점을 지적하여 이러한 접촉이 정치적으로 이용된다는 점을 강조하겠다고함

2. 당관은 6월 총회전 상기 대의원들과의 긴밀한 협조를 위해 5월말경 재회합 예정임.

3. 참고로 4.20 당관직원의 디트로이트 출장시 김득렬목사와도 접촉, 총회에 대비한 당관과의 협조를 당부하였음.

(총영사 정경임)

예고 : 85.12.31.일반

(첨부 성명서는 CGW-241,CGUS-46 으로 타전함)

예고문에 의거 일반문서로 재분류 1985.12.31 서명

정관국　차관실　1차보　미주국　청와대　안 기

PAGE 1

85.04.24 11:21
외신 2과 통제관

0185

미국 장로교 총회 한국문제 결의안 추진과 관련한 최근 조치

'85. 4. 6. 정보2과

1. 배 경

o 미 장로교는 정치적 성향이 강한 교단으로 대북선교 문제에 관심을 갖고 있음.

o 교포 목사들도 다수 활동.

o 이와관련 동 교단 일각에서 "동북아에서의 한반도 화해" 제하의 결의안(미북괴 접촉문제, 주한미군 철수, 한국외채 문제등 언급)을 작성, '86.6. 제198차 총회에 상정할 움직임.

2. 정부조치 및 관련동향

o '85. 2.15. 청와대주관 회의

o '85. 2.25. 관계부처 회의 (정보문화국장 참석)

o '85. 3. 8. 관계부처 회의 (정보문화국장 참석)

o '85. 3. 8. 주 타성, 아틀란타, 뉴욕, 시카고등 4개 공관에 지시, 상기관련 상세동향 파악을 지시

0186

ㅇ '85. 4. 1 동건 관련된 종합대책(안기부 주관)을 수립, 주미대사 및 관계 총영사관에 타전, 시행을 지시

- 주미대사관등 7개 공관(뉴욕, 라성, 시카고, 상항, 시애틀, 아틀란타)에 대책반 구성

- 금년 총회('85.6) 기습상정 가능성에도 대비

- 결의안 불상정을 최대한 유도

- 활용대상 목사의 중점접촉 지시

0187

관리번호	81-1215

외 무 부 착신전문

원본

번 호 : CGW-241　　일 시 : 04231730　　종 별 : 지 급

수 신 : 장 관 (정이,기정)(사본-주미대사) 직송필

발 신 : 주 시카고 총영사

제 목 : 법첨 성명서

공람	담 당	과 장	국 장		차 관	장 관
			8			

THE REV.GARY SKINNER PRESENTED THE FOLLOWING STATEMENT OF CONCERN. PRESBYTERY VOTED TO ADOPT THE STATEMENT AS FOLLOWS

STATEMENT OF CONCERN

AS PRESBYTERIANS IN THE USA, WE HAVE JUST CELEBRATED 100 YEARS OF DEEP AND MEANINGFUL RELATIONSHIPS WITH PRESBYTERIANS IN KOREA. OUR PARTNERSHIP WITH THE FLOURISHING PRESBYTERIAN CHURCH IN KOREA HAS BEEN NOT ONLY IN THE AREAS OF CONGREGAT IONAL WORK, MEDICAL SERVICES, AND UNIVERSITY DEVELOPMENT, BUT ALSO IN THE AREAS OF SOCIAL WORK, SOCIAL JUSTICE, AND HUMAN RIGHTS. THE HUMAN TIES FROM ALL OF THESE RELATIONSHIPS ARE DEEP.

WE PRESBYTERIANS IN CHICAGK ACKNOWLEDGE AS US TAX PAYERS THAT WE ARE DEEPLY INVOLVED IN OUR GOVERNMENT S MASSIVE ZCKNKMIC AND MILITARY SUPPORT OF THE AUTHORITAR-IAN GOVERMENT WHICH PRESENTLY EXUSTS IN SOUTH KOREA. IN PARTICULAR, WE REGRET THE SOUTH KOREAN GOVERMENT S SHAMEFUL TREATMENT OF MR.KIM, DAE-JUNG, WHO IS A DEVOUT CHRISTIAN AND THELEADING POLITICAL PROPONENT FOR DEMOCRATIC VALUES IN SOUTH KOREA.MR.KIM WENT BACK TO HIS HOMELAND THIS FEBRUARY WITH THE HOPE OF ENTERING INTO DIALOGUE WITH THE CHUN, DOO-WHAN GOVERMENT IN AN ATTEMPT TO BRING SOLUTIONS TO THE GROWING POPULAR DISSENT AGAINST THE CHUN REGIME. WE CONSIDER THE TREATMENT HE RECIEVED UPON ENTERING HIS COUNTRY TO BE UNJUST AND SHAMEFUL. HAVING BEEN FORCEFU-LLY PUT UNDER HOUSE ARREST, WITHOUT THE PRESENCE OF US EMBASSY PERSONNEL, AS HAD BEEN PROMISED, MR.KIM IS AGAIN A PRISONER OF THE STATE. THIS IS HARDLY THE KIND

√ 정문국 차관실 1차보 미주국 청와대 안 기

PAGE 1

85.04.24 14:11
외신 2과 통제관

0188

OF TROUBLE-FREE REENTRY THAT THE US STATE DEPARTMENT AND THE KOREAN GOVERNMENT HAD WORKED OUT.

WE AS A PRESBYTERY, WANTING TO MAINTAIN OUR STRONG TIES WITH THE PEOPLE OF SOUTH KOREA, AND EMBARRASSED BY OUR GOVERNMENT S SUPPORT OF THE DICTATORIAL GOVERNMENT WHICH OPPOSE THEM, CALL FOR

1. PRAYERS FOR THE PERSONAL WELFARE OF MR.KIM AND LEE, HEE-HO, HIS WIFE

2. INDIVIDUALS CONCERNED TO CONTACT THEIR SENATORS AND CONGRESS PERSONS CALLING FOR APPROPRIATE STEPS BY THE US GOVERNMENT TO ENSURE TRANSITION TOWARD A LIBERALIZED POLITICAL ENVIRONMENT, WHICH WILL ALLOW FREEDOM TO CHRISTIAN ADVOCATES FO R HUMAN RIGHTS LIKE MR.KIM

3. THE GENERAL ASSEMBLY OF THE PRESBYTERIAN CHURCH(USA) TO GO ON RECORD AGAIN IN SUPPORT OF FREEDOM AND HUMAN DIGNITY FOR THOSE IN SOUTH KOREA WHO STAND UP FOR HUMAN AND DEMOCRATIC VALUES.

4. THE US STATE DEPARTMENT TO TAKE ALL APPROPRIATE STEPS TO GUARANTEE MR.KIM's SAFETY AND TO HELP CLEAR THE WAY FOR THE RETURN OF HIS CIVIL RIGHTS SO THAT HE MAY BE ABOUT THE WORK OF POLITICAL AND SOCIAL RECONCILIATION.

5. THE PRESIDENT OF THE UNITED STATES TO POSTPONE PRESIDENT CHUN S OFFICIAL VISIT TO THE USA UNTIL KIM,DAE-JUNG S RIGHTS AS A SOUTH KOREAN CITIZEN ARE RESTORED AND LIBERALIZED PROCEDURES TOWARD DEMOCRATIC GOVERNMENT ARE PUT INTO PLACE. END

0189

PAGE 2

관리 번호	85/2312

발 신 전 보

번 호 : WCG-192 일 시 : 04241750 전보종별 :

수 신 : 주 시카고 KNAMV 총영사

발 신 : 장 관 (정이)

제 목 :

대 : CGW - 240

대호 Gary Skinner 목사의 인물평, 성향 및 특 이동향등 ~~을 회보 바람.~~ 에 관해 조사 보고 바람

(정보국장, 이원한)

일반: 85.12.31

예고문에 의거 일반문서로 재분류 1985.12.31 서명

보안 통제	

앙 고 재	85 년 4 월 24 일	정 보 2 과	기안자		과 장		국 장		차 관	장 관

외신과	접수자	통 제

0190

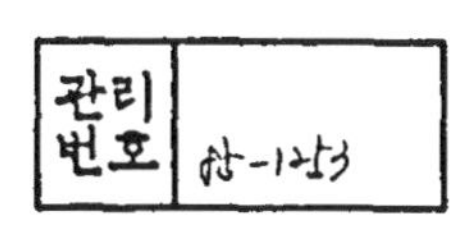
관리번호 85-1243

외 무 부 착신전문

지급

번 호 : CGW-251 일 시 : 04261130 종 별 : 지 급

수 신 : 장 관 (정공,미북,기정)

발 신 : 주 시카고 총영사

제 목 : 미 장로교 대책

대 : WCG-192

1. 대호 G.SKINNER 목사는 미장로교 시카고 노회 총무로서 (EXECUTIVE), 개인적으로 특별히 한국 정부에 대해 불리한 태도를 가진자는 아니며 한국문제를 거론하려는 선교사등을 대표하여 자신의 명의를 사용한 것이라고함.

2. 동 SKINNER 목사는 한국뿐아니라 일반적인 인권문제에 관심을 가지고 금명간 니카라과도 유사한 활동을 위해 방문할 계획이라하며 83년 현순호 목사와 함께 방한한 적이 있다고함.

(총영사 정경일)

예고 : 85.12.31 일반

예고문에 의거 일반문서로 재분류 1985.12.31 서명

공람	담 당	과 장	국 장		차 관	장 관

정문국 차관실 1차보 미주국 청와대 안 기

PAGE 1

85.04.27 10:39
외신 2과 통제관

0191

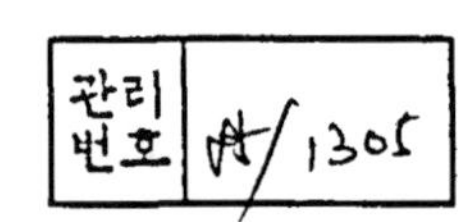

관리번호 85/1305

외 무 부 착신전문

번 호 : SFW-196　　일 시 : 05021400　　종 별 :

수 신 : 장 관 (정이,미북)

발 신 : 주 상항 총영사

제 목 : 재미 한국장노교회 회의

연 : SFW-124

1. 연호 김용준 목사에 의하면 전 미주 한국장노교 총회 (KPC) 가 5.7-8간 시카고에서 개최될 예정이며 김목사 자신도 동회의에 참석한다고함

2. 동 회의에서는 84년 라성대회에서 결의한바에 따라 대북한 선교위원회를 구성하게 될것이며 이승만,김인식 목사가 대북한 선교 추진상황등을 보고 예정이라함.

(총영사-국장)

예고 : 85.12.31 일반

공람	담 당	과 장	국 장		차 관	장 관
년 월 일						

예고문에 의거 일반문서로 재분류 19 . . 서명

정문국　차관실　1차보　미주국　청와대　안 기　총리실

PAGE 1

85.05.03 09:15
외신 2과 통제관

0192

관리번호	85/1238

WCG-205
WUS-1617

발 신 전 보

번 호 : ______ 일 시 : ______ 전보종별 : ______

수 신 : 주 시카고 총영사 (사본 : 주미대사)

발 신 : 장 관 (정이)

제 목 : 전미주 한국장로교 총회

1. 주상항총영사 보고에 의하면 전미주 한국장로교 총회가 5.7-8. 귀지에서 개최될 예정이라함.

2. 동 회의에서는 '84라성대회에서 결의한 바에따라 대북한 선교위원회를 구성할 것이라는 바, 동 총회개최 및 회의결과등을 탐지,보고바람. 끝.

(정문 국장)

예고 : '85.12.31. 일반

예고문에 의거 일반문서로 재분류 1985.12.31 서명

보안통제	

앙고재	85년 월 일	정보2과	기안자		과 장		국 장		차 관	장 관

외신과	접수자	통 제

0193

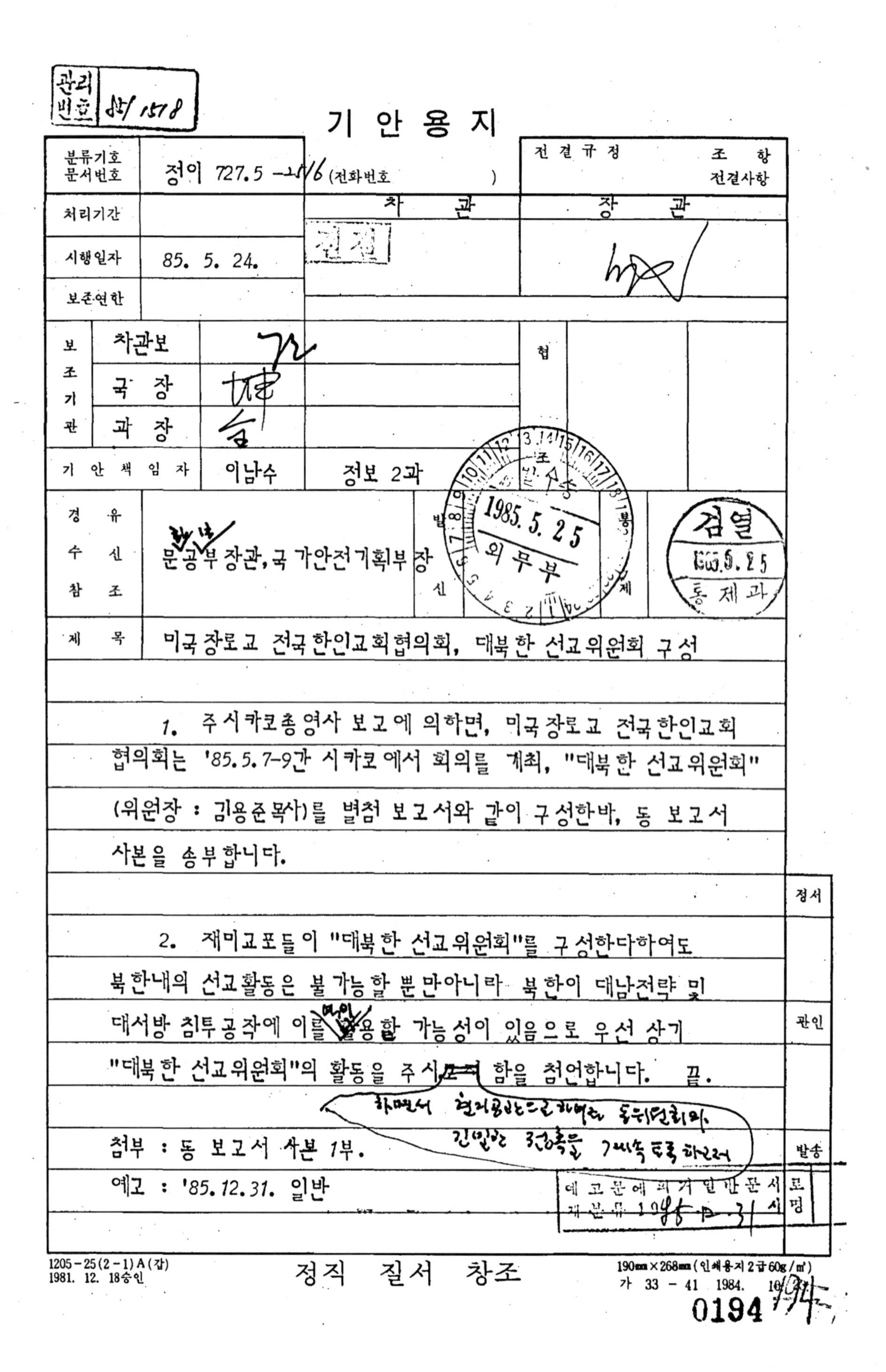

관리번호 85/1578

기 안 용 지

분류기호 문서번호	정이 727.5 -2416 (전화번호)	전결규정 조 항 전결사항
처리기간		차 관 / 장 관
시행일자	85. 5. 24.	
보존연한		
보조기관	차관보 / 국 장 / 과 장	협
기안책임자	이남수 정보 2과	
경유 수신 참조	문공부장관, 국가안전기획부장	발신 / 통제
제 목	미국장로교 전국한인교회협의회, 대북한 선교위원회 구성	

1985. 5. 25 외무부

검열 1985. 5. 25 통제과

1. 주시카코총영사 보고에 의하면, 미국장로교 전국한인교회 협의회는 '85.5.7-9간 시카코에서 회의를 개최, "대북한 선교위원회" (위원장 : 김용준목사)를 별첨 보고서와 같이 구성한바, 동 보고서 사본을 송부합니다.

2. 재미교포들이 "대북한 선교위원회"를 구성한다하여도 북한내의 선교활동은 불가능할 뿐만아니라 북한이 대남전략 및 대서방 침투공작에 이를 악용할 가능성이 있음으로 우선 상기 "대북한 선교위원회"의 활동을 주시 함을 첨언합니다. 끝.

첨부 : 동 보고서 사본 1부.

예고 : '85.12.31. 일반

예고문에 의거 일반문서로 재분류 1985.12.31 서명

정서 / 관인 / 발송

1205-25(2-1)A(갑) 1981. 12. 18승인

정직 질서 창조

190mm×268mm(인쇄용지 2급 60g/㎡) 가 33-41 1984. 10.

0194

외 무 부

정이 727.5 - 2516. 1985. 5. 24.

수신 문화공보부장관, 국가안전기획부장

제목 미국장로교 전국한인교회협의회, 대북한 선교위원회 구성

1. 주시카고총영사 보고에 의하면, 미국장로교 전국한인교회협의회는 '85.5.7-9간 시카고에서 회의를 개최, "대북한 선교위원회"(위원장 : 김용준 목사)를 별첨 보고서와 같이 구성한 바, 동보고서 사본을 송부합니다.

2. 재미교포들이 "대북한 선교위원회"를 구성한다하여도 북한내의 선교활동은 불가능할 뿐만아니라 북한이 대남전략 및 대서방 침투공작에 이를 역이용할 가능성이 있음으로 우선 상기 "대북한 선교위원회"의 활동을 주시하면서 현지공관으로 하여금 동위원회의 긴밀한 접촉을 계속토록하고자 함을 첨언합니다.

첨부 : 동 보고서 사본 1부. 끝.

예고 : '85.12.31. 일반

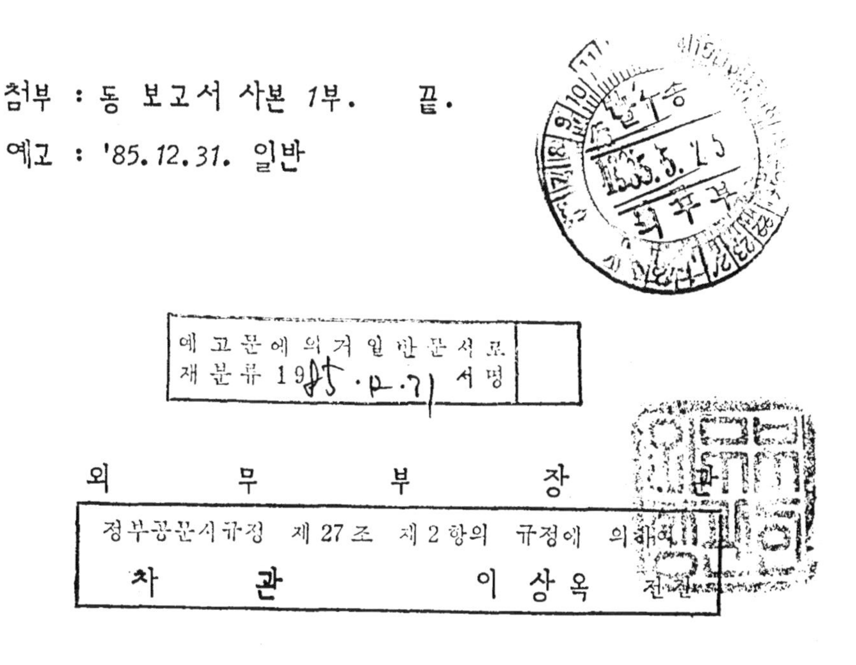

예고문에의거일반문서로 재분류 1985.12.31 서명

외 무 부 장

정부공문서규정 제27조 제2항의 규정에 의하여

차 관 이상옥 전결

0195

관리번호 88/1326

외 무 부

착신전문

번 호 : CGW-265　　일 시 : 05061830　　종 별 : 지급

수 신 : 장 관 (정이,사본-주미대사) 직송필

발 신 : 주 시카고 총영사

제 목 : 한인장로교 협의회

대 : WCG-205

1. 대호, 전미주 한인장로교 협의회 (NKPC) 가 85.5.7-5.9간 당지소재 TRINITY 신학교에서 개최될 예정이며 미전국 250개 한인교회에서 약 500명의 대표가 참석, 5개지역 간사들의 보고를 듣고 선교방향등을 협의할 것이라고함.

2. 동 행사에 이어 5.9-5.11 간은 전미주 아세안장로교 협의회 (NAPC) 도 동일한 장소에서 개최되고 5.9 (목) 오후 6시부터 가나안 장로교회에서 있을 예정인 NAPC 개막 기도회에서는 김윤국목사가 주제연설을 행할것이라함.

3. 당관이 동 김목사와 회의준비 담당목사 (NKPC 이진삼목사, NAPC 이종욱목사) 등을 통해 금번 회의에서 북한 선교문제와 한국 인권문제등의 거론여부를 탐문하였던바 현재로서는 확정적인 의제는 없고 만약 인권문제등이 나올경우 NKPC 보다 오히려 NAPC 에서 정치성이 없는 순전히 복음전파등에 필요한 결의등이 통과될 가능성은 있다고봄.

4. 동 행사 진전사항 계속 보고 예정임.

(총영사 정경일)

예 고 : 85.12.31. 일반

예고문에 의거 일반문서로 재분류 1985.12.31. 서명

공람	담 당	과 장	국 장		차 관	장 관
년 월 일						

정문국　차관실　1차보　미주국　청와대　안 기

PAGE 1

85.05.07 13:23
외신 2과 통제관

0196

관리번호 85/1407

주 시 카 고 총 영 사 관

주시카고(정) 700- 44　　　　1985. 5. 17.

수신 장관 (사본 : 주미대사)

참조 정보문화국장

제목 NKPC 및 NAPC 회의 보고

연 : CGW-265

1. 연호, 미국장로교 전국한인교회협의회 (NKPC) 및 아세안교회협의회 (NAPC)회의가 예정대로 85.5.7.- 9.기간 및 5.9.- 11.기간중 당지 Trinity Seminary (Dearfield) 에서 개최되었읍니다.

2. NKPC 의 특이사항으로는 5.8.(수) 회의시 김인식 목사의 북한선교 대책보고 (Christian Mission Policy and Strategy in North Korea)에 따라 별첨(1)과 같이 대북한 선교위원회 (위원장 김용준 목사)를 구성하였읍니다. 금차회의에서 새로 선출된 NKPC 임원진 구성은 별첨 (2)와 같읍니다.

3. 또한 NAPC 회의에서는 재일교포에 대한 일정부의 지문체취제도를 반대하는 결의문을 채택하였으며 동 결의문은 입수되는 대로 추후 보고할 계획 입니다.

첨부 : 1. 미국장로교 NKPC 대북한 선교위원회 구성

2. NKPC 임원진 구성

3. NKPC 및 NAPC 일정. 끝.

예고 : 1985.12.31.일반

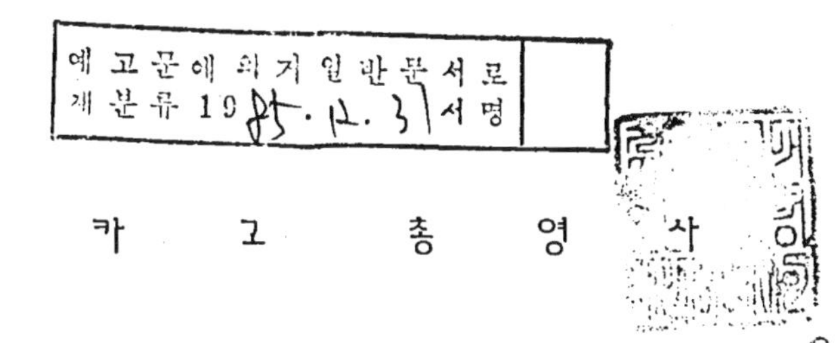
예고문에 의거 일반문서로 재분류 1985. 12. 31 서명

주 시 카 고 총 영 사

0197

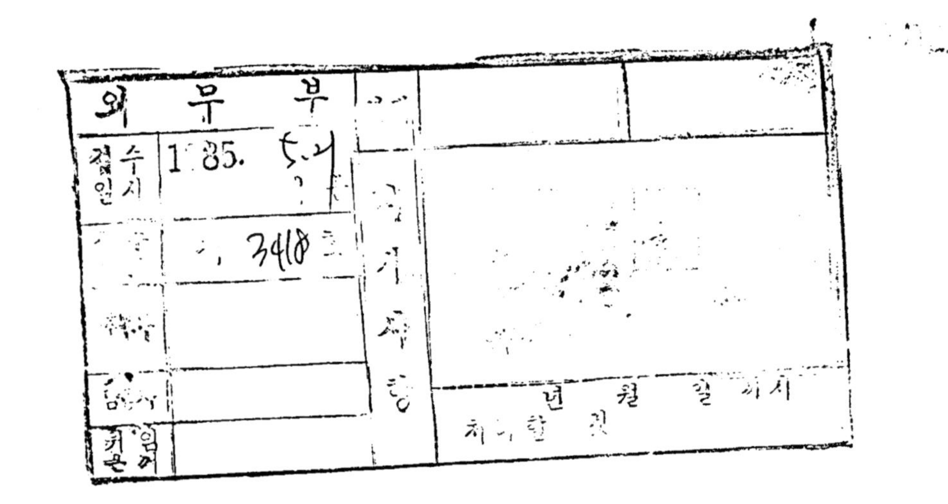

외 무 부

접수 일시	1985. 5.
번호	3418 호
처리과	
담당자	
기안 기록	

처리기한 년 월 일까지 처리할 것

0198

첨부 1

미국장로교 NKPC 의 대북한 선교위원회 구성

1. 85.5.7.- 5.9.간 시카고 교외소재 Trinity 신학교에서 개최된 미장로교 전국한인교회협의회(NKPC)에서는 "대북한 선교위원회 구성안"이 승인되어 대북한 선교위원회가 정식으로 구성되었음.

2. 선교위원회 구성

가. 위 원 장 : 김용준 목사

나. 위 원 : 7명

(1) 서부지역 : 3명 (천방욱 목사등)

(2) 남부지역 : 2명 (박한식 교수등)

(3) 중부지역 : 1명 (시카고 레익뷰 한인연합장로교회 이종민 목사)

(4) 동부지역 : 1명 (뉴저지 유제선 목사)

3. 차후 활동 계획

가. 먼저 대북한 선교사업을 촉진하기 위하여 북한내의 실정을 비롯한 모든 관련사항에 관해 연구를 한다.

나. 대북한 선교의 필요성과 선교방안에 관해 교단과 교인에게 홍보하여 이해를 촉구한다.

다. 교단에서 추진하는 대북한 선교사업에 적극적으로 참여하여 활동한다. 상기한 사업을 효과적으로 추진하기 위해 1년에 2회 "선교위원회" 회의를 개최한다.

0199

4. 대북한 선교위 구성배경

가. NKPC 에서는 1981.7.11. 개최된 제 10회 총회 (회장 우상범)
"본 NKPC 는 분열되어 있는 한민족의 화해를 위한 교회의 사명과
공산권에 거주하는 한인들에 대한 선교의 사명을 재확인하고 우리들의
관심을 "프로그램 에이전시에 전달한다"는 결의안 (결의안 10호) 채택

나. 이어 1982.7.8. 개최된 제 11차 NKPC 에서 "본 NKPC 는 분열되어
있는 한민족의 화해를 위한 교회의 사명과 북한에 거주하는 동포에 대한
선교의 사명을 재확인하고 우리들의 관심을 프로그램 에이전시에 전달하며
본교단의 선교정책에 Mission Policy for North Korean 를 설정해
줄것을 건의키로 한다"는 결의안 (결의안 14호)을 채택

다. 1983.6.7.- 6.15.간 아틀란타에서 개최된 195차 미장로교 년차총회에서
대북한 선교가 필요하다는 요지의 "Mission Perspective to North
Korea"가 통과됨 (동결의안은 당초 뉴욕 이승만 목사등이 친북적인 내용의
초안을 제출하였으나 한국측의 반발로 대폭 수정, 통과됨).

라. NKPC 에서는 1983년 "대북한 선교 전망" 결의안이 통과됨에 따라 차후
대북한 선교 추진시에는 NKPC 가 주도적 역할을 담당하여야 한다는 판단,
김용준 목사등이 주동이 되어 84.5.28. NKPC 총회에서 "대북한 선교위
구성 결의안"을 채택함.

마. 상기한 84년 NKPC 년차 총회시의 결의안에 따른 후속조치로 금년도
총회에서 정식으로 "대북한 선교위원회"가 구성되었으나 아직까지는 예산도
없고, 위원회 구성원의 임기도 정하지 않은채 년간 2회의 회의를 개최하여
전 "3항" 에서 언급된 사항을 추진할 것이라 함. 끝.

0200

첨부 2

85년 신임 NKPC 임원진 구성

회 장	:	이진삼 목사 (중부)
부회장	:	유제선 목사 (동부)
		김철환 목사 (남부)
		안계훈 장로 (여) (서부)
총 무	:	강형길 목사 (중부)
서 기	:	신현정 목사 (중부)
회 계	:	김복원 장로 (여) (남부)
감 사	:	안중식 목사 (동부)
		강형영 장로 (서부)

0201

미국장로교 전국 한인교회 협의회
NATIONAL KOREAN PRESBYTERIAN COUNCIL
PRESBYTERIAN CHURCH (U. S. A.)

Rev. Paul Chun
Chairperson
Rev. Tai Young Yoo
Rev. Chin Sam Rhee
Mr. Young Il Cho
Vice - Chairpersons
Rev. Sun Bai Kim
General Secretary
Rev. Man Soo Shim.
Recording Secretary
Mr. Kyu Whan Cho
Treasurer

1985 Annual Assembly Schedule
May 7-9, 1985
Trinity Seminary, Deerfield ,Illinois

May 7, Tuesday

1:00 p.m. Registration at J.R. Johnson Hall
6:00 p.m. Dinner at Canaan Korean Church
7:30 p.m. Opening Worship Service and Communion Service
8:30 p.m. Reception
9:00 p.m. 1) Reports from the Four Regional KPC
2) Reports of Consultants
3) Reports of NKPM
4) Reports of NKPW
5) Reports of Minister Wives Meeting
6) Reports of CCKAM
Organizing Overture Committee, Nominating Committee

May 8, Wednesday

7:30 a.m. Breakfast(at Cafeteria #5)
8:15 a.m. Morning Devotion by Dr.Sang Hyun Lee
9:00 a.m. Key Note Speaking on Evangelism by
Dr. Richard Armstrong
10:00 a.m. Coffee Break
10:30 a.m. Special Reports

1) Planning Committee , Rev. Paul Chun
2)Christian Mission Policy and Strategy in North Korea, Dr.Insik Kim
3)Christian Mission Policy and Strategy in Asia, Dr. SyngMan Rhee

12:00 p.m. Lunch
1:00 p.m. Workshop for Evangelism :General Introduction by Dr.C.W.Choi
1) Building Bridges by Rev. Paul Hyun
2) Personal Testimony by Rev. Sun Bai Kim
3) Various Obstacles in Visitation Evangelism by Rev. Young Joon Kim
4) How to Start in Our Faith Sharing by Rev. Sung Kook Shin
3:00 p.m. Regional KPC Meeting

5:00 p.m. Free Time
6:00 p.m. Dinner
7:30 p.m. Evening Devotion
8:00 p.m. Special Reports
4) New Mission Design , Dr. C.W. Choi
Dr. Samuel Moak
5) Report of 2nd Generation Dr. Young Pai
6) Center for Asian-American Theology and Ministry,
Dr. Sang Hyun Lee

Chairperson · 11714 Downey Ave Downey, CA 90241 213 923 - 6314
General Secretary - 1994 Clairmont St, Decatur, GA 30033 404 451 - 2026

0202

9:30 p.m. Assembly Business Meeting

May 9, Thursday

7:30 a.m. Breakfast
8:15 a.m. Morning Devotion

9:00 a.m. Business Meeting
11:00 a.m. Coffee Break
11:15 a.m. Closing Worship Service
12:00 p.m. Lunch

0203

National Asian Presbyterian Council

Presbyterian Church (U.S.A.)

Host Committee

Chairman
Rev. Chong W. Lee
Secretary
Mrs. Patti Park
Treasuer
Rev. Teo Tolentino
Members
Rev. Jung K. Pahn
Rev. Paul Hyun

13th Annual Assembly Schedule
May 9 - 11, 1985
Trinity Seminary, Deerfield, Illinois

May 9 Thursday

10:00 a.m.	NAPC Board Meeting	
3:00 p.m.	Registration at J.R. Johnson Hall	
4:30 p.m.	Board would invite those who served on Agency or GA Committee on behalf of NAPC to make oral report if they wished to do so	
5:30 p.m.	Leaving the campus to Korean Church	
6:00 p.m.	Dinner	at Korean Cannan Church
	(The following actives will be at Cannan Church)	
7:00 p.m.	Opening Worship	Rev. Fred Baliad
	Key Note Speaker	Rev. Y. David Kim, Th. D.
9:00	Reception by APW (Chicago Area)	

May 10, Friday

8:00 a.m.	Breakfast (at Cafeteria #5)	
8:45 a.m.	Communion Service: Rev. Chong Lee & Teo Tolentino	
9:30 a.m.	Empowering the Church-through Spiritual Formation	
	Speaker : David Nakagawa & Joely Lee	
10:30 a.m.	Coffee Break	
11:00 a.m.	Group Sharing	
12:00 p.m.	Lunch	
1:30 p.m.	Empowering the Church-through Equiping the Saints (Leadership Development)	
	1. Cultural Contacts	(East Coast Area)
	2. Necessary Tools	"
	3. Youth	"
	4. Women/Men	"
2:30 p.m.	Group Sharing	
3:15 p.m.	Coffee Break	
3:45 p.m.	Mission Design Committee	
5:00 p.m.	NAPC Restructure Committee Report	
5:30 p.m.	Free Time	
6:00 p.m.	Dinner	
7:00 p.m.	Ethnic Caucas Meeting	
8:30 p.m.	Presentation by Youth Group	
9:30 p.m.	Fellowship APW (Chicago Rear)	

May 11, Saturday

8:00 a.m.	Breakfast
9:00 a.m.	NAPC Business
11:30 a.m.	Closing Worship Service
12:00 a.m.	Lunch

0204

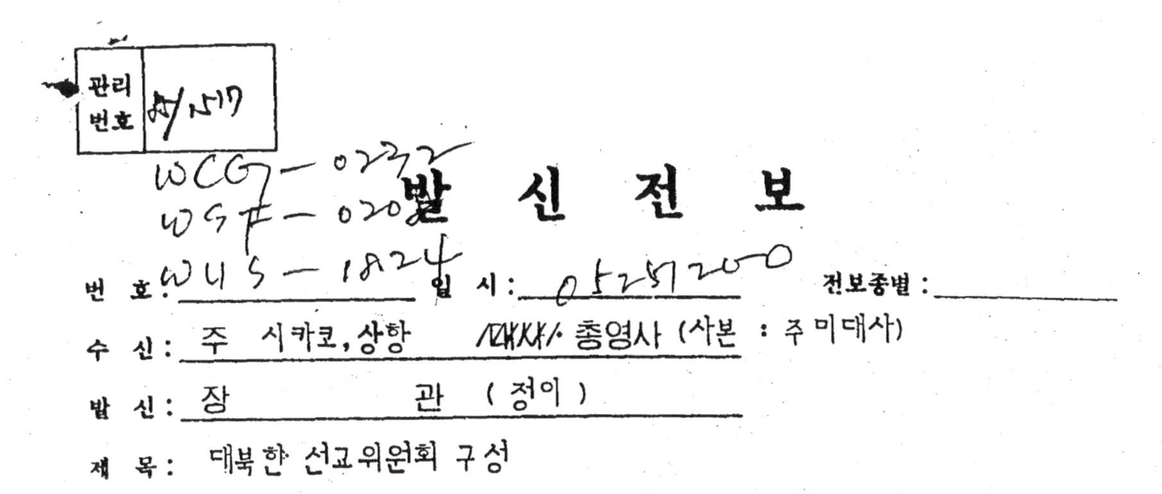

관리번호 86/517

WCG-0222
WSF-020

발 신 전 보

번 호: WUS-1824 일 시: 05281200 전보종별:

수 신: 주 시카코, 상항 총영사 (사본 : 주미대사)

발 신: 장 관 (정이)

제 목: 대북한 선교위원회 구성

대 : 주시카코(정) 700-44, SFW-196

대호 미국장로교 전국한인교회협의회의 대북한 선교위원회 구성과 관련, 동 위원회의 활동을 예의 주시, 특이사항 수시보고 바람. 끝.

(정문국장)

예고 : '85.12.31. 일반

예 고문에 의거 일반문서로 재분류 1985.12.31 서명

보안통제	2

앙고재	85년 5월 28일	정보2과	기안자		과 장		국 장		차 관	장 관
			서명		金					서명

외신과	접수자	통 제

0205

대 비 표

통합측 수정 요청 내용	한.미 선고협의회시 검토된 고사자문위 안	한.미 협의후 수정된 안	비 고
1. P 3 첫째문단 이승만에 대한 "임시정부 내 한분파의 지도자"라는 표현이 필요한가. 김일성에 대한 상응 표현 필요	미국이 지명한 미국유학생 출신이며 임시정부내 한분파의 리더인 이승만 박사는 새로이 탄생한 대한민국의 초대 대통령이 된다. 반면 북한지역에서는 오랫동안 공산당 활동을 해왔으며 소련의 지지를 받는 김일성이 조선민주주의 인민공화국의 수반이 된다.	미국유학생 출신이며 미국의 지원을 받은 이승만 박사는 새로이 탄생한 대한민국의 초대 대통령이 된다. 반면 .... 수반이 된다.	
2. P 3 네째문단, P 4 첫째문단 남한에 미군 주둔, 핵무기 무장하고 있는 것이 소련군을 자극하고 한국을 국제적 화약고로 만들었다는 표현은 오히려 그 반대이므로 시정 요망	남한에는 미국군대가 현재까지 주둔하고 있으며 핵무기로 무장되고 있다. 소련은 대한민국을 겨냥한 핵미사일을 한반도 접경에 배치하고 있으며 따라서 한반도는 미.소 양국의 세계적 규모의 핵전쟁을 촉발할 수 있는 국제적 화약고가 되버렸다.	미국은 한국에 대한 최초의 공약을 지키기 위하여 현재까지 군대를 한국에 주둔시키고 있으며 핵무기로 무장되어 있다. 소련은.... 화약고가 되버렸다.	

공람	미비과		과 장	심의관	국 장	차관보	차 관	장 관

0206

3. P 5 첫째문단 양쪽 경제체제를 언급하는 중에 남한 노동운동이 가혹한 탄압을 받고 있다고 지적한 반면 북한에 대한 언급은 피했다. 경제성장 비교를 공정히 다루어 주기 요망	대한민국의 경우 ..... 급속한 경제성장을 가져왔다. 이러한 경제성장은 미국으로부터의 정부 또는 개인차원의 외화를 막대하게 사용, 아시아지역 최대의 채무국이 되었다. 경제성장의 과실은 균등히 배분되지 않았으며 노동운동은 가혹하게 탄압받고 있고 ... 조선민주주의 인민공화국은 ..... 중공업 분야의 발달, 경제 및 농업분야의 자립, 외부 원조에 의존을 제한하는 정책을 강조하여 왔다. 이러한 정책 추구 고도의 경제자립 및 주목할 만한 성장을 결과시켜 왔으나	시정하지 않음.	
4. P 6 세째문단 남침 인민군의 전력 증강은 거론치 않고 미군주둔만을 문제시 한 것은 원인을 무시하고 결과만을 문제 삼는 것으로공감이 가지 않는다. 원인을 삽입하여 주기 바람.	한반도가 여전히 풀리지 않는 분쟁속에 놓이고 긴장관계가 첨예화 되여 핵무기로 무장된 미군이 주둔하고 있는 한 미소 양 강대국간의 핵 대결을 촉발시킬 수 있는 갈등의 잠재력은 항상 존재하고 있게 되는 것이다.	한반도가 여전히 풀리지 않는 분쟁속에 놓여 있고, 한국에서는 남침에 대한 공포로, 북한에서는 미국의 핵무기에 대한 공포로 긴장관계가 첨예화 되고 있는한 미소 양 강대국 간의 ..... 존재하고 있게 되는 것이다.	

0207

5. P 9 세째문단의 주장과 p11의 첫째문단중 한반도내 두 개의 정부 부정, 두 개의 정부 동시 UN 가입 지원은 양자 전후가 모순된 다.	o 대한민국과 조선민주주의 인민공화국이라는 두 개의 사회체제로 분할된 한국민족의 분단은 ..... 한국민족의 불행의 원인이 되고 있다. o 남북한중 일방만 인정하고 있는 정부에게 현존하고 있는 남북한 양정부를 외교적으로 인정하도록 하는 작업을 벌인다. o ..... 양측을 유엔에 동시에 가입시킨다.	시정하지 않음.	
6. P 11 둘째문단 대책없는 군사작전 보류나 군사력 감축만을 강요하는 것은 설득력이 없으며 남북 문제 해결을 위한 기관들에 게 재정적인 지원 제공은 반대한다.	o 이산가족 재결합을 위해 노력하는 ..... 유엔과 ..... 기관들에게 재정적 지원을 제공하며 o 남한에 주둔하는 미군문제를 포함하는 한반도내 군사력 감축을 위한 남북간의 회담을 지원하며 ..... o ..... 군사작전을 보류해 줄 것을 요청한다.	시정하지 않음.	

0208

요청없이 수정한 부분 또는 추가	고 사 자 문 위 안	협의후 수정된 안	비 고
P 10 [illegible]째문단 2) 우리의 나라 미국 ... [illegible]안한다.	ㅇ 2) 우리의 나라 미국 ... 제안한다. 세계교회협의회, 아시아 기독교 협의회, 한국교회 협의회 ... 확증하는 바이다.	ㅇ 2) 우리의 나라 미국 ... 제안한다 이 비극적인 분단은 이를 치유할 창조적인 조치를 요구하고 있다는 현실을 인정한다. 세계교회협의회, 세계개혁교회연맹, 아시아기독교협의회, 한국교회협의회 ... 확증하는 바이다.	추가 추가
P 11 첫째문단	ㅇ 영속적인 재통합을 위한 가능성에 대해 편견없이 남북한 양측을 유엔에 동시에 가입시킨다. ㅇ 비무장지대에 군사력과 군사적 긴장을 상호 감소시키며 중립적인 평화군을 배치한다.	ㅇ 분단의 묵인이 아니라 국가통일을 달성하기 위한 중요한 조치로서 남북한 양측을 ... 가입시킨다. ㅇ 비무장지대에 ... 평화군 배치로 군대를 철수시킨다.	수정 추가

0209

P 12 마지막 문단	○ 8) 총회 총서기는 본 결의를 ... 개혁교회 세계연맹과 한국내 관계 교회 지도자들에게 송부할 것을 총회는 명한다.	○ 8) 총회 총서기는 본 결의를... 개혁교회 세계연맹, 아시아 기독회의, 한국 기독교 교회협의회, 한국내 관계 교회 지도자들에게 송부할 것을 총회는 명한다.	추가

0210

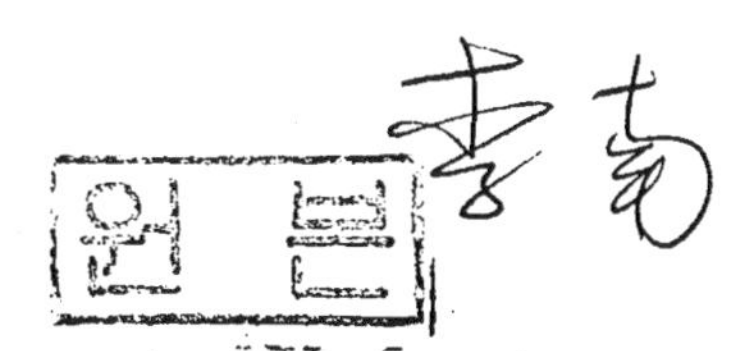

M/1608

		종 별:	지 급
번 호:	CGW-0333	일 시:	50604 1710
수 신:	장 관(정이,미북,기정)	사 본:	주 미 대사(직송필)
발 신:	주 시카고총영사		
제 목:	미 장로교 총회		

대: WCG-101, WUSM-22

1. 대호 미장로교 197차 연례총회가 85.6.4-12 기간중 인디아나폴리스 소재 CONVENTION CENTER에서 미전역 장로교 대의원등 약 4,000명이 참석한 가운데 개최중이며, 당지에서는 김윤국 목사(시카고노회장), 현순호 목사(시카고노회 총무), 강형길, 반정곤, 이진삼목사 및 박응기 장로등이 참석하였음

2. 특히 금번 총회기간중 김윤국 목사가 ASSEMBLY COMMITTEE ON PEACE-MAKING AND INT'L RELATIONS 의 위원장으로 피선되었으며, 당관은 동목사에게 한국관계문제가 상정될 경우 한국대표단등과 긴밀히 협조하여 적절히 대처해줄것을 당부하였음. 동회의 진행결과는 추보위계임. 끝.

(총영사 정경일)

예 고: 85.12.31. 일반

공람		과 장	국 장		차 관	장 관
		(서명)	(서명)			

배부처						
장관실	/ 의전실	아프리카국	총무과	청와대	/ 재무부	보안사
차관실	/ 아주국	국기국	감사관	총리실	/ 대협위	문공부
1차보	미주국	/ 경제국	공보관	안기부	/ 체육부	
2차보	/ 구주국	정문국 ○	외연원	법무부	SLOOC	
기획실	중동국	영교국	상황실	상공부	국방부	

85.6.5.

예고문에 의거 일반문서로 재분류 1985.12.31 서명

- PAGE: 1 -

0211

미 장 로 교 제 197 차 연 례 총 회

1. 일시 및 장소 : '85.6.4-12., 인디아나폴리스

2. 참 석 자 : 미전역 장로교 대의원등 약4,000명
(본국대표단 6명 파견)
- 예수교 장로회측 : 박종렬 목사외 3명
- 기독교 장로회측 : 이영찬 목사외 1명

3. 문 제 점

o 당초 미장로교는 금번 총회에서 북한선교 문제와 관련, "남북한 화해"라는 제목의 한국관계 결의안이 상정될 가능성이 있는 것으로 파악되어 주미대사관 및 6개공관에 대책반을 구성,운영함)

o 특히 동 총회 평화 및 국제관계위원회에서 김대중 귀국시 공항사건을 위요한 인권관계 결의안 채택 움직임이 있는 것으로 파악됨.

0212

4. 총회 결과 (6.11.주시카고 총영사 보고)

- 금번 총회에서는 정치문제가 개입될 수 있는 상기 의제를 채택치 않기로 결정되었음.
  (참석 본국대표단 및 현지 김윤국 목사등 노력)

- 북한선교 문제도 구체적으로 협의되지 않음.
  (추후 별도 관계위원회가 구성되는 대로 대책을 세우기로 함)

5. 특기사항

- 이에 앞서 5.7-9., 시카고에서 개최된 미장로교 한인교회 연합회에서는 북한선교위원회를 구성(위원장 : 김용준 목사, 차후 대북한 선교가 추진 될시에는 한인교회연합회가 주동이 된다는등 내용)

- 미장로교 동향은 계속 긴밀히 파악, 대처하여야함.

0213

결 번

넘버링 오류

미국 장로교 제197차 총회

1. 일시 및 장소 : '85.6.4-12., 인디아나폴리스

2. 한국대표단 파견 (6명)
   - 예수교 장로회측 : 박종렬 목사외 3명
   - 기독교 장로회측 : 이영찬 목사외 1명

3. 한국문제결의안 대책
   1) 한국문제결의안은 내년도 총회에 상정될 전망이나 금년도 총회에서 기습 상정될 가능성에 대비함.

   2) 대책반 운영
      - 주미대사관 및 6개공관(뉴욕, 라성, 시카고, 상항, 시애틀, 아틀란타)에 대책반 운영
      - 대책반은 공관장, 공보관, 파견관으로 구성.
        (공보관, 파견관 부재공관은 담당영사)

   3) 재미한인 목사를 활용, 한국대표단과 협조하여 한국관계 문제에 적절히 대처함.

0215

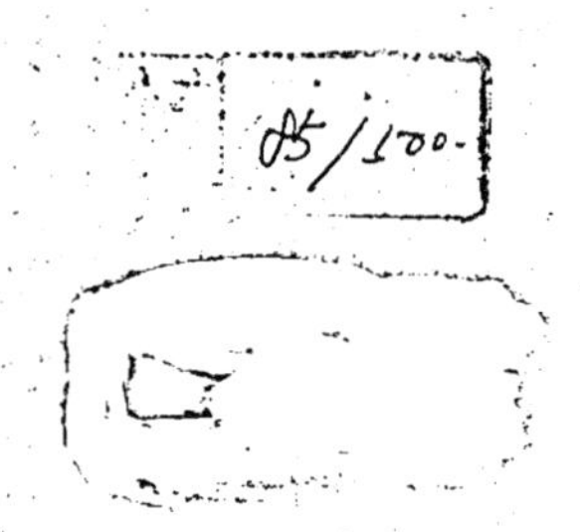

외 무 부

발신전보

종 별

번 호: WNY-0632 일 시: 0607 1030

수 신: 뉴욕 총영사 (문)

발 신: 장 관 (문공종무, 정문)

제 목: 미 장로교 총회 대책

연: WNY - 0594

미 장로교 총회 (인디애나 폴리스 6. 4 - 6. 11)관련, 박종렬목사 등 한국측 대표의 적극적인 활동을 은밀히 지원, 대책에 만전을 기하도록 주미대사(공)와 협의 적극 대처 바람.

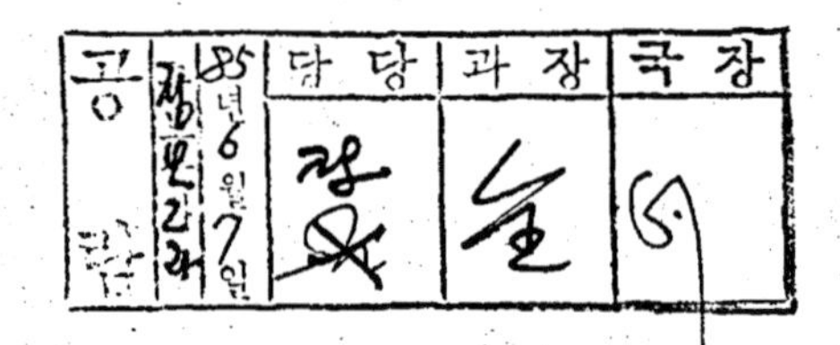

발신시간 :

통	제	관
주무과	외신과	

최종결재	유 태 완
기 안 자	김 종 오

접 수	담 당	주 무	과 장

0216

관리번호	85/1628

발 신 전 보

번 호 : WCG-0251　일 시 : 0610 1450　전보종별 : 지급

수 신 : 주 시카고 ~~대사~~ 총영사

발 신 : 장 관 (정이)

제 목 : 미장로교 총회

미국 장로교 총회 아측 대표인 박종렬 목사가 귀지 Hyatt Regency 호텔에 투숙중이며, 동인은 총회관계 서류를 문공부에 긴급 발송 희망하고 있으니 동인과 접촉, 협조하여 주기 바람. 끝.

(정보문화국장)

0217

예고문에 의거 일반문서로 재분류 1985.12.31 서명	

보안 통제	[서명]

앙 고 재	85년 6월 10일	정보 2과	기안자	과 장	국 장	차 관	장 관
			[서명]	[서명]	[서명]		[서명]

외신과	접수자	통 제
	[서명]	

*** 3 급 비 밀 ****

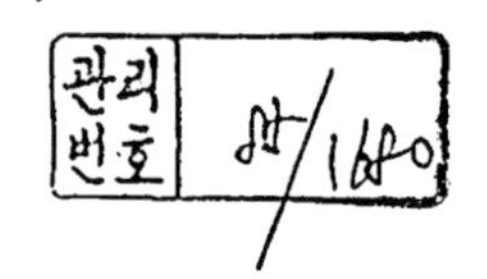

번 호: CGW-0345　　　　일 시: 50611 1420

수 신: 장 관(정이,미북,기정) 사본-주미대사(중계필)

발 신: 주 시카고 총영사

제 목: 미장로교 총회

공람	담 당	과 장	국 장		차 관	장 관
년 월 일						

연: CGW-0333, CGUS-61

대: WCG-0251

1. 연호 미장로교총회에 참석중인 김윤국목사(시카고노회장) 및 본국에서 파견된 박종렬 목사등을 통해 확인한바에 의하면 평화 및 국제관계위원회(위원장 김윤국목사)에서 김대중귀국시의 공항사건을 위요한 소위 한국의 인권문제에 관한 결의안을 채택하자는 움직임이 있었으나 결국 금번 총회에서는 타국의 정치문제가 개입될 소지가 있는 이와같은 의제를 취급하지않기로 결정하였으며 북한 선교문제도 구체적인 협의내용은 없었고 앞으로 별도 관계위원회가 구성되는 대로 대책을 세우기로 하여 합의함. 상세내용은 파악되는대로 추후 보고예정임.

2. 대호 관련, 당관이 6.11. 박목사와 연락시 회의자료는 현지에서 우편으로 직접 송부(동목사는 회의 참석후 시카고를 경유치 않음)키로 하였다고 하니 양지바람. 끝

(총영사 정경일)

예 고: 85.12.31. 일반

예고문에 의거 일반문서로 재분류 1985 . 12 . 31 서명	

배부처							
	장관실	의전실	아프리카국	총무과	청와대	재무부	보안사
	차관실	아주국	국기국	감사관	총리실	해협위	문공부
	1차보	미주국	경제국	공보관	안기부	체육부	
	2차보	구주국	정문국	외연원	법무부	SLOOC	
	기획실	중동국	영교국	상황실	상공부	국방부	

85.6.12.

- PAGE: 1 -

0218

美南(金)
↓
Copy 노승욱

관리번호 85-1889

주 아 틀 란 타 총 영 사 관

아틀란타 700- 208　　　　　　1985. 6. 13.

수 신 : 장 관

참 조 : 정보문화국장

제 목 : 장로교 관계

연 : 아틀란타 700-96

1. 연호와 관련, 당지 김인식목사와 접촉, 입수한 교단동향을 다음과 같이 보고하오니 업무에 참고하시기 바랍니다.

가. "북한선교회" 구성 : 지난 5월 시카고회의에서 구성된 한인장로교 협의회 산하의 북한선교회는 현재로서는 특별한 임무가 부여된 것은 아니고 다만 기 거론되고 있는 Smylie 안에 대해 선교회의 입장을 내기로 하였으나 이것이 실현될지는 미지수임.

나. 86년총회에 Smylie 안제기문제 : 현재 교단의 분위기를 보아 동 결의안이 약간의 수정을 거쳐 86년 총회에 제기될 것이 거의 확실시 됨.

다. NCC 의 북한선교문제 검토 : 현재 미국교회협의회에서도 북한선교에 관한 급진적인 입장을 갖고 있는 간부들이 많이 있어 향후 NCC 에서도 북한선교 문제에 관한 결의안등이 채택될 가능성이 큼.

0219

외 무 부		결재		
접수 일시	1985. 7 1 시	지 시 사 항		
접수 번호	제 3319			
주무과				
담당자			년 월 일 까지	
처리 근거			처리할 것	

[illegible]

0220

2. 상기 북한선교회 구성관련, 당지에 발표된 기사를 별첨 송부합니다.

첨 부 : 상기 기사. 끝.

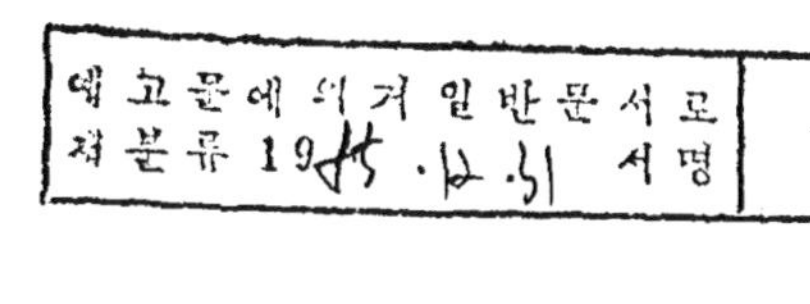
예고문에 의거 일반문서로 재분류 19 .12.31 서명

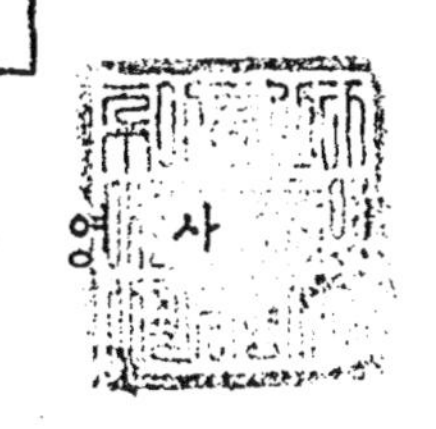

주 아 틀 란 타 총 영 사

일반문서로 재분류(1995.12.31.)

0221

한국신보
85. 6. 8

「북한 선교위원회」를 구성

NKPC통합후 첫총회, 한인교회 발전에 하나의 이정표 세워

한국신보
85. 6. 8.

(크리스챤·헤럴드지서 전재)

미국장로교전국한인교회협의회 금년도 총회가 지난 5월7일부터 9일까지 시카고근교인 일리노이주 디어필드시 트리니티 복음신학교에서 열렸다.

1백50여명의 총대가 참석한 가운데 열린 이번 총회에서는 미국장로교회 총회의 선교정책위원회에 코리언·데스크(한인교회담당)를 설치하고 여기에 3명정도의 한인스태프를 기용해줄것을 건의키로 했으며 이 제의는 전국아시아장로교협의회(NKPC) 총회에서 다수결로 통과되어 총회에 정식으로 건의문으로 상정되었다.

현재 미국장로교단 산하에는 아시안·데스크, 흑인데스크, 히스패닉·데스크, 아메리칸원주민 데스크가 있는데 2백50개교회에 이르는 한인교회가 불과 50개교회밖에 안되는 아시안데스크밑에 소속되어 재정문제나 2세교육문제등 모든사항을 처리함으로 많은 애로가 따르고 있다고 지적, 한인교회의 숫자가 이미 히스패닉·데스크산하의 1백50개교회, 아메리칸 원주민 데스크산하의 60개교회를 능가하고 있으므로 같은 수준의 독립된 코리언·데스크를 설치해야 마땅하다고건의서에서 밝혔다.

또 지난 1983년도 교단총회에서 북한선교 정책을 수립하는데 있어 선교협력관계를 갖고있는 한국장로교회와 충분히 협의하여 충실하고 효과적인 정책을 마련하며 이를 위해 전국한인장로교회협의회(NKPC)가 총회에 건의키로 한 결정에 따라 이번총회에서는 그동안 연구검토되어온 북한선교위원회를 구성하는데 성공했다.

◀NKPC총회에서 신성국목사가 연설하고있다.

위원장에는 김용준목사가 선출되었으며 위원에는 유재신목사(뉴욕)이종민목사(시카고)천방욱목사(로스엔젤레스)최원일목사 김철환목사(아트란타)박한신교수, 김상옥장로가 선임되었다. 고문에는 미국 교단에서 동아시아선교책임을 맡고있는 이승만 목사와 김인식목사가 추대되었다.

이와아울러 이번 총회에서는 한국선교에 관한 건의문을 채택, 「교단은 북한선교위원회가 있음을 숙지하고 한국선교에 대한 결의문을 낼때는 한국교단과 협의하여 결정한것」을 촉구했다.

이번총회에서는 재일교포의 지위와 인권문제에도 언급 「재일교포의 지문채취문제에 관해 NKPC이름으로 교단 총회와 NAPC 및 미국교회 협의회(NCC)등에 이 문제를 설명하여 협조를 얻도록」건의했다.

한가지 특기할만한 사항은 미국인교회 건물을 빌려쓰고 있는 한인교인들에 대한 인종적 차별행위를지양해줄것을 미국장로교 회총회에 건의한 사실이다.

「미국장로교회중에 백인교회건물을 한인들이 임대해서 쓰고 있는데 한인들에 대한 인종차별문제로한인교인들의 예배의 정기를 침해받고 있는 문제에대하여 총회에 건의하여 그리스도안에서 한 형제된 교인으로써 보호하며 한인교회의 성장에 적극협력하도록 진정하는 것이 가한줄 알며 교단의 소속 노회와 관계 기관, 교회에 이같은 사실을 알리기로 결의한다」

미국남북장로 교회가 통합된이후 첫번째 갖는 이번총회에서는 이처럼 중요현안문제들이 처리되어 앞으로 소속 한인교회들의발전에 하나의 이정표를 제시했다는 점에서 의의가있다고 관계자들은 풀이하고있다.

한편 이번총회에서는 시카고 서북한인장로교회 담임으로 있는 이진삼목사를 새회장으로 선출했다.

부회장에는 유재신목사(뉴욕)김철환목사(아틀란타) 안계훈장로(샌프란시스코)등이 선임되었으며 총무에는 강형길목사(시카고) 서기에 신형정목사(시카고) 회계에 김복원장로(여·오클라호마)감사에 안중식목사(뉴욕)김현영장로(펜실바니아)가 각각 뽑혔다.

개회첫날에는 고 송수석목사목도기도회로 개회예배와 성찬예식을 가졌으며 동,서,중,남부등 4개지역 KPC총무의 보고에 이어 남선교회전국연합회, 여선교회전국연합회, 목사부인회의 보고가 각각 있었다.

특히 이번총회에서는 통합된 KNPC안에 협의회의 방향설정과 교단과의 관계를 긴밀하게 유지함으로써 한인교회의 발전을 도모한다는 목적으로 상임기획위원회를 설치키로하고 위원은 4개지역에서 2명씩8명을뽑고 회장은 당연직으로 모두 9명으로 구성했다.

총회기간중 「그리스도의 증인이 되자」는 주제아래 리차드·암스트롱박사(프린스턴 신학교전도학교수)와 「그리스도 위한 사명자」라는 제목의 주제강연이 있었으며 특별보고로 김인식목사의 북한선교정책, 이승만목사의 아시아 선교정책, 최창욱목사의 교단의 새로운 선교계획과 구조, 이[illegible]현목사의 아시아 [illegible]한 현황, 배영목사의 한인2세문제등이 발표되었다.

◆ 신임 회장 이진삼 목사

▲NKPC 신·구 임원들. 왼쪽에서 4번째가 전회장 천방욱목사, 그옆이 이진삼목사 (신임회장)

0222

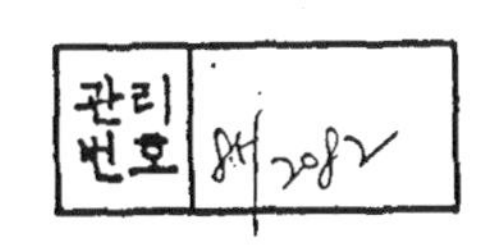

외 무 부 착신전보

번 호 : SFW-0316 일 시 : 507251630 종 별 :

수 신 : 장 관 (경이,주미대사) 중계필

발 신 : 주 상항 총영사

제 목 : 북가주 북한 선교회창립

대 : WSF-117(83.4.6)

1. 당관 관할 몬트레이 소재 몬트레이 한인교회 이춘삼목사등 북가주 한인교직자 29 명은 오는 7.2 9 상기 교회에서 회합을 갖고 가칭 북가주 북한선교회를 창립할것이라 함 (동 사실이 7.24 미주동아에 보도됨)

2. 이들은 적십자회담은 물론 국회회담을 위한 남북한 접촉도 무르익고 있어 북가주에 신앙의 동지들이 북한의 선교를 위해 모이게됐다고 금번 총회창립의 의의를 설명하고 있음.

3. 당관은 산마테오 영락교회 소규천 (83년도 통일연수 참석) 목사등 동 발기인들과 접촉, 북괴의 종교계를 통한 교민사회 침투책동의 위험성을 설명하고 최근의 남북대화 움직임과 관련, 북괴가 교민들의 심리상태를 악용할 소지가 우려되는 차제에 종교계에서 신중을 기해줄것을 강력히 요망한바, 동 목사들은 금번 회합은 순전히 기독교적 입장에서 대북한 복음전달의 뜻을 대외적으로 천명하기위한 선언적 의미가 있을뿐으로 반공정신이 투철하고 건전한 종교인들만의 모임이며 당장 특정 조치를 취하기 위한것도 아니므로 정부에서 우려할바가 전혀 없다고 말하고있음.

4. 동 종교인들의 앞으로의 움직임과 교민들의 반응을 주시하면서 적절히 대처하고자함.

(총영사 문기얼-국장)

예 고 : 85.12.31. 일반

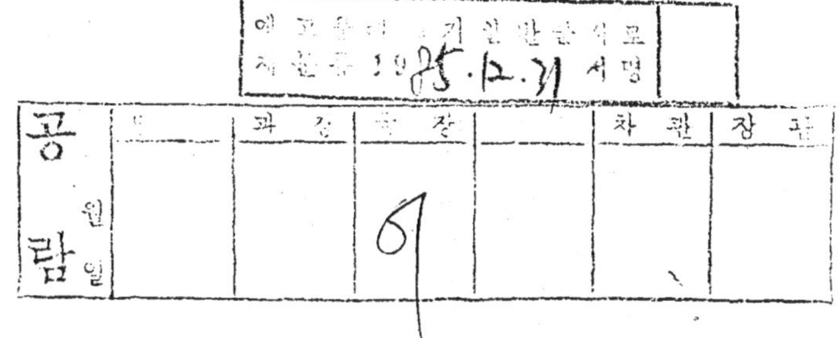

정문국 차관실 1 차보 2 차보 미주국 청와대 안 기 영교국

PAGE 1

85.07.26 14:05
외신 2과 통제관

0223

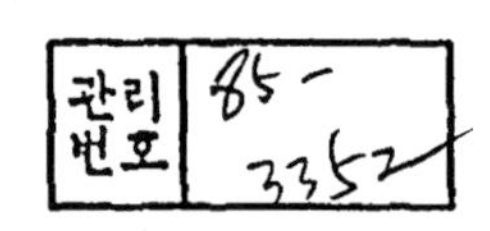

외 무 부 착신전보

번 호 : ANW-0184 일 시 : 512161630 종 별 :

수 신 : 장 관 (정문,정일)

발 신 : 주 아틀란타 총영사

제 목 : 장로교관계 (자료옹신 제 5호)

연:아틀란타700-96

대:WUSM-22

1.당관이 당지 남장로교선교회 김인식목사와 접촉, 입수한바에 의하면, 미장로교 선교협의회 총회가 1.20-24간 상항에서 개최될 것이며, 동 회의에서는 제반선교 문제와 아울러 북한선교 문제도 토의될 것 보고함.

2.북한선교 문제 토의시 대호 SMILEY 안도 토의될 것으로 예상되는바, 동 선교회의에의 비중 있는 한국교회대표 파견과 아국입장 설명이 북한 선교문제에 관한 향방 결정에 중요한 역할을 할것임을 지적하였음.(85.12 NCC 뉴욕회의에의 아국대표 파견이 큰효과가 있었음을 언급함.) 끝.

(총영사-국장)

예고:86.12.31.일반

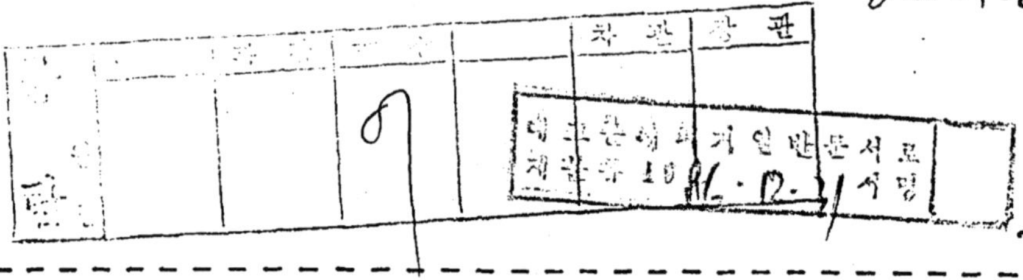

정문국 차관실 1 차보 청와대 안 기 미주국

PAGE 1

85.12.17 09:57
외신 2과 통제관

0224

관리 번호 85-445

외 무 부 착 신 전 보

번 호 : ANW-0184 일 시 : 512161630 종 별 :

수 신 : 장 관 (정문,정일)

발 신 : 주 아틀란타 총영사

제 목 : 장로교관계 (자료송신 제 5호)

연:아틀란타700-96

대:WUSM-22

1.당관이 당지 남장로교선교회 김인식목사와 접촉, 입수한바에 의하면, 미장로교 선교협의회 총회가 1.20-24간 상항에서 개최될 것이며, 동 회의에서는 제반선교 문제와 아울러 북한선교 문제도 토의될 것이라고함.

2.북한선교 문제 토의시 대호 SMILEY 안도 토의될 것으로 예상되는바, 동 선교회의에의 비중 있는 한국교회대표 파견과 아국입장 설명이 북한 선교문제에 관한 향방 결정에 중요한 역할을 할것임을 지적하였음.(85.12 NCC 뉴욕회의에의 아국대표 파견이 큰효과가 있었음을 언급함.) 끝.

(총영사-국장)

예고:86.12.31.일반

검 토 필 (1986.12.31.)

정문국 차관실 1차보 청와대 안 기 미주국

PAGE 1

85.12.17 09:57
외신 2과 통제관

0225

2. 1986년

0226

관리번호	86/76

발 신 전 보

번 호: WUSM-3 일 시: 0111150 전보종별:

수 신: 주 미지역전공관장 대사,총영사 (유엔,호노루루,괌,앵커리지제외)

발 신: 장 관 (정이)

제 목: 미국 장로교총회 대책

연 : WUSM-22 (85.4.21)

1. 미국 장로교 제198차 총회가 86.6.10-18 미네아폴리스에서 개최 예정이며, 동 총회에서는 연호 작년도 총회에서 상정이 보류된 한국문제 결의안이 재상정될 전망임.

2. 상기와 관련, 제198차 총회에 앞서 북한선교문제에 대한 한.미 양국교회간의 이견해소및 조정등을 위하여 "한미선교협의회"가 아래와 같이 개최됨

1) 일시및 장소 : 1.20-24, 상항 신학대학

2) 참 석 자

o 미국연합장로교측 : 약 20명

o 한국측 (예수교 장로회및 기독교 장로회)

: 약 20명 파견 예정

o 재미교포목사

- 라 성 : 이승만, 김인식, 김계용, 오은철, 천방욱, 현순호

- 뉴 욕 : 신성국

보안통제	刂

/ 계 속 /

미주국장:

앙고재	86년 1월 11일	정보2과	기안자	과 장	심의관	국 장	차관보	차 관	장 관
			[서명]	[서명]	[서명]	[서명]		전결	[서명]

발신시간:

외신과	접수자	과 장
	[서명]	

0227

- 디트로이트 : 김득렬

- 상 항 : 김용준

3. 대 책

1) 본부는 금년도 총회에도 한국문제 결의안이 상정되지 않도록 유도하며, 불가시에는 아측에 불리한 부문의 수정 또는 삭제를 추진중임

2) 금번 "한미선교협의회"에 참석하는 귀지소재 목사들과 접촉, 아측의 입장을 이해시키고 ~~관련동향을~~ 수시 보고 바람. 끝.

협조를 요청하시고, 결과

예고문 : 86.12.31. 일반

예고문에 의거 일반문서로 재분류 1986 .12 .31 서명	

0228

'86. 1. 10. 종교관계 회의

(정보2과장 참석)

장 소 : 문공부 종무실장실

참석자 : 문공부 종무실장 이 용 곤
문공부 종무지원과장 이 상 용
[redacted]
보안사 " 박 정 락
치안본부 정보3과 서 정 옥 총경.

0229

종고대책 실무회의 자료

1986 . 1. 10 .

종 무 실

0230

종교대책 실무회의 자료

1. 한미 선교협의회 개최

가. 경 과

- 미 연합 장로교는 83년 총회부터 북한선교에 관심을 보여 왔으며, 85년중 총회 산하에 북한선교 전문 기구의 구성을 추진하여 왔음.

- 미 연합 장로교 제 197차 총회(85.6.4 - 12, 인디아나 폴리스) 시 한국측(통합, 기장)에서 정대표 6명 참석함.

- 197차 총회에 상정될 북한선교 관련 소위 스마일리안이 북괴 정책을 찬양하고 미군철수 주장과 존재하지 않는 북한교회 대표를 초청하자는 북괴 편향적 내용을 담고 있어 동 결의안의 폐기 또는 수정안을 제출토록 국내 관련교역자, 재미 한인 계교역자 접촉 순화함.

- 총회 결과, 김대중 관련 한국 인권관계 결의안(시카고노회 헌의)을 기각시키고 '스마일리'안을 다음 198차 총회까지 보류키로 결정함.

0231

o 미 연합 장로교와 동역관계에 있는 예장통합과 기장측은 동 스마일리안의 재 상정에 대비 순수선교와 국익 차원에서 한국교회의 입장을 표명하고 동안에 대한 다음사항의 시정을 요구하고 한미 선교협의회(86.1.20 - 24)시 재협의토록 요구함.

- 정치성 짙은 내용 배제 (북괴정책 찬양)
- 미군철수문제 삭제 (군사적)
- 북한대표 초청문제 삭제 (종교적)

나. 금번 선교협의회 개요

o 일 시 : 86. 1. 20 - 24

o 장 소 : 미국 샌프란시스코 신학대학

o 참 석

- 미국 연합 장로교측 약 20명
- 한국(예장통합, 기장)측 약 20명 (예정)

박종열, 박창환, 김형태, 김윤식, 김기수, 김리관, 이시우
임 옥, 홍성현, 노정현, 정신옥, 정봉덕, 주 계명 (이상통합)
한상면, ~~외명찬~~, 김상근, 박형규 (이상기장)

o 주요 토의 내용

- 198차 총회에 앞서 북한선교 관련 소위 "스마일리"안에 대한 한미 양국교회간의 이견 해소 및 조정

2

0232

- 이민교회, 국제결혼 한국인의 당면문제에 관한 지원책 협의

- 제 198차 총회 (6.10 - 18 미네아폴리스)시 한.미간 거론될 공산권선교, 선교사 파송 등 문제점 사전 조정

다. 관련 동향

예수교 장로교
o 예장통합

- 세계 선교위는 한.미 선교협의회에 대비, 준비위원 7명 선정 (85. 12. 4)

•박종렬, 장동진, 주계명, 홍성현, 김형태 이시우, 박창환

- 북한전도, 통일문제 세미나를 개최하고 교단의 입장을 천명 (85. 11. 26)

. 평화적 통일 원칙
. 남북정부의 직접적 교섭
. 한국통일은 제 3국에 의해 성립 불가능
. 한반도 평화문제는 한국교회의 참여와 합의를 기초로 함 등 9개항

- 스마일리안에 대한 입장과 결의 천명 (미 장로회 총회장 에게, 85. 9)

. 스마일리안은 북한선교의 목적보다는 북한을 선전하고 찬양하는 편파적 내용으로 되어 있음.
. 동안을 재검토 분석해 보시고 현명한 판단 바람.

- 스마일리안을 한.미 선교협의회시 재검토 희망 (85. 8)
  . 북괴찬양등 정치성 내용 배제
  . 미군철수문제, 북한대표 초청문제의 삭제

o 기 장 (기독교 장로회)

- 현재까지 미 연합 장로교 주최 총회 참석을 꾸준히 시도하였으나 예장통합측의 반대등 종교외적 여건에 의거 불참
- 금번의 미 연합 장로교에 참석은 발언권 강화가 그 주목적임.
- 박형규, 김상근 등은 미NCC 소속 WCC계 및 재미 기장 출신 교포교역자중 불순교역자와 별도 접촉, "기장의 통일문제 연구위원회" 기장 방식의 통일논의 방향을 확산하기 위한 노력 경주 예상

* 통합과 기장과의 관계

- 기장측에서는 통합측의 방침이 너무 친정부적인 동시 기장의 방침과 배치된다는 이유를 들어 내용 일부를 수정할 것을 요청하고 있음.
- 금번 회의에 참석한 기장과 통합 양측은 행동 통일등을 기대하기는 어려울 것임.

o 해외 종교단체

- 미 NCC 총회(85. 12. 9 뉴욕)는 브르스 커밍스(워싱턴대), 패리스 하비, 오글 등 반한인사등이 주축이 되어 북한선교의 미명하에 방북 추진등 북한입장 지지 고수

4 0234

- 미 NCC 와 미 연합 장로교 상호간 조직은 상이하나 동일 목적하에 활동이 예상

- WCC는 나이난 코시(국제담당 국장), 바인 가르드너(인권 담당관)를 방북(85.11.10 - 19)시킨후 EPS 통신을 통해 북괴의 위장선전 내용을 전제

Ecumenical

라. 전 망

o 예장통합측은 미 장로교측에 스마일리안의 부당성을 지적하고 올바른 판단과 결정을 촉구할 전망

o 미 장로교측은 한국교회의 입장과 재미 한인교역자 등과의 협의를 통해 북한선교는 추진하되 스마일리안의 정치성 내용에 대해 한국측 교역자의 노력에 따라 신중한 검토 예상

o 북괴는 중공등 이웃나라의 개방정책과 남북 고향방문단 평양 방문후 종교부재 실상에 당혹, 계속적으로 WCC, 미 NCC 세계 불교도 협의회 등 세계 종교단체등에 추파를 보내는 한편, 북한내의 사찰.교회 등을 위장 재건하고 종교인의 존재를 내외에 선전할 것으로 예상되며 해외의 친북인사를 동원, 북괴 입장 지지운동을 확산시킬 것으로 보임.

마. 대 책

o 국내 참석 유력교역자 접촉 순화 (종무실)

5

0235

- 방 향 : 미국내에 팽배하고 있는 북한선교의 흐름을 막기 어렵다면 스마일리안의 불상정 또는 국익에 유익한 방향으로 수정안 제출

- 대 상 : 이영찬, 박종렬, 김형태, 주계명, 노정현 (연대 교수) 등

ㅇ 재미 교포목사 접촉 순화 (외무부)

- 대 상 : 이승만(남장로교출신 총무), 김인식(북장로교출신 총무), 김계용, 오은철, 천방욱, 현순호(이상 라싱) 신성국(한인교회협의회 동부지역 총무, 뉴욕), 김득렬(디트로이트 중앙교회), 김용준(미연합 장로교 서부지역 한인 총무, 상항)

Atlanta

회의 32.45 에 36.

ㅇ 문제교역자 출국 정지 검토

- 김상근, 박형규 (이영찬으로 대치)

ㅇ 해외 반한교역자 및 WCC 등 국제 종교단체와 북괴와의 연계 차단 장기적 검토

- 브르스 커밍즈(워싱턴대), 패리스 하비(미 감리교), 오글(추방 목사), 미 루터교, 퀘이커교

- WCC (제네바), 호주, 카나다, 서독 등의 반한교역자 및 북괴 편향 종교인

6

0236

o 북 괴 측

- "조선기독교연맹" 활용 제 3국 에서의 종교대회 개최 확책시 대응

- 세계 불교도 우의회 (방콕) 등

o 한국내 미 장로교에 영향이 미치는 미국통 교역자 활용

- 김윤국 목사 (영락교회)

o 기타 검토사항

- 미 NCC (85.12.9 - 14, 뉴욕) 개최, 한국 통일문제에 관한 회의 관련 대책

. 재미 한인교역자로 하여금 미 NCC 측에 한국의 통일정책 충분히 인식토록 수시 접촉, 설명 (뉴욕문화원)

대 상 : EPPS (미 NCC 국제부장)

패리스 하비, 죠지 오글 및 도로시 오글

페기 빌링스 등

. 미 NCC 가 결의한 방북 예정 교역자(미선정)를 접촉 우리의 통일정책과 북한 위장종교 실상 및 아국의 종교 자유상 설명 및 관련자료 제공

(외무부, 뉴욕문화원, 주미공보관)

. 미 NCC 동태 및 북괴 종교 공세 현상을 WCC 관계자에게 설명 (외무부, 제네바대사관)

. 미 NCC 총회시 우리의 상황을 왜곡 발표한 김관석 목사에게 유감 표시

7

0237

. 국내 평통 자문회의 관여 고위 인사 활용, 일련의 상황 설명 대응책 협의

대 상 : 조향록, 정진경

. 방북자 및 반정부 재미 교역자 파악, 국내 교단 유력교역자 통해 순화 추진 (초청 서신, 자료 제공 등)

2. WCC 간부 방한 대책

NCC 관계 關與 이로...

o 일 시 : 86. 1. 20

o 방 한 자 : 퍼킨스 (WCC 총무 보좌역)
박경서 (WCC 아세아담당)

o 방한목적 : 1991 WCC 총회 한국 개최, 문제 검토

5,000 이상.

(총회는 17세 연중 예식,
30 ...)

3. 북한 선교단체 초청 세미나 (강연회) 개최 검토

o 취 지

- 종교계의 무분별한 통일논의 견제

- 기독교의 공산주의 침투 경계등

0238

8

북한연구소 등

ㅇ 참석대상 : 25명 (예정)

- 기독교 남북문제 대책협의회 3명
- NCC 통일문제 연구원 운영위원회 3명
- 예장통합, 북한전도 대책위원회 5명
- 기장 평화통일문제 연구위원회 2명
- 천주교 북한선교부 3명
- 극동방송, 아시아방송 관계자 4명
- 기타 전도교등 북한선교단체 5명

ㅇ 검토사항

- 행사 주관단체, 시기, 인원, 강사 및 주제, 초청 범위 등

4. 건전 종교단체 행사 지원 검토

가. 모리스 세룰로 86 서울 전도대회

ㅇ 주 최 : 모리스 세룰로 86 서울 전도대회 준비위원회
(위원장 : 김창인 충현교회)

ㅇ 일 시 : 86. 4. 22 - 4. 24

ㅇ 장 소

0239

- 전도대회 : 장충체육관 (4. 22 - 4. 24)

- 세 미 나 : 중앙성결교회 (4. 21 - 4. 25)

° 참석인원 : 연 34,000여명

° 협조 요청사항

  - 장충체육관 장소 사용 협조

나. 제 20차 세계 기독 청장년대회

° 주 최 : 대한예수교장로회 기독 청장년 면려회 전국연합회 (합동, 고신, 침례, 예성, 예감, 개혁, 보수 등 7개 교단 합동)

° 일 시 : 86. 8. 6 - 8. 9

° 장 소 : 국립극장 및 장충체육관

° 참 석 : 내국인 - 7,000여명
외국인 - 52개국 1,500여명

° 협조 요청사항

  - 대회 장소 사용 협조

0240

10

5. 신흥사 문제

6. 차주 NCC 목요예배 대책 강구

ㅇ 주 관 : 고문 및 용공조작 저지 공동 대책위원회

ㅇ 일 시 : 86. 1. 16

ㅇ 설교 및 사례 발표 : 김상근 목사 (기장 총무)

0241

11

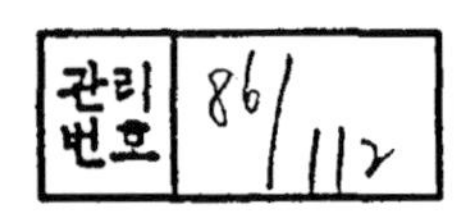

외 무 부 착 신 전 보

번 호 : LAW-0050 **일 시 : 601141700** **종 별 :**

수 신 : 장 관 (정이,기정)

발 신 : 주 라성 총영사

제 목 : 미국 장로교회 대책

대 : WUSM-03

대호 지시에 따라 당관 전병호 부총영사는 당지 관계인사 (김계용, 오은철, 천방욱 목사)와 접촉한 결과를 아래와 같이 보고함.

1. 86.1.20-22 간 상항에서 개최되는 한미 선교협의회에 관하여는 한국측 대표로서 한국에서 파견되는 대표단 (박종열 회장등 20명) 만 참석하며, 당지거주 목사들은 참석하지 않는다고함.

2. 미국측 대표의 일원으로 이승만 (뉴욕거주 목사, 미장노교 총회 본부근무 아세아 담당, 북괴대표 초청을 강력히 주장하는자) 이 참석할 공산이 크다고함.

3. 상기 협의회가 끝나면, 한국 대표단은 당지로 이동하여 당지 영락교회 (담임목사: 김계용) 에서 1.23-24 양일간 재미 한국노회 소속 교회의 회의를 개최한다고함.

4. 상기 목사들의 견해는, 미국 장노교 총회측에서 정식으로 한미 선교협의회 개최를 요청한 그자체가 우리 입장을 승인하는 결과로서 금번 회의는 낙관적이라고 하였음.

5. 건의 : 한국에서 파견되는 장노교 예장파와 기장파 각인사가 완전히 합심하여 통일된 우리 입장을 강력히 주장하도록 유도해 주시기바람. 끝

(총영사-국장)

예 고 : 86.12.31. 일반

정문국 차관실 1차보 미주국 청와대 안 기

PAGE 1

86.01.15 15:10
외신 2과 통제관

0242

관리번호 86/151

외 무 부 착신전보

번 호 : SFW-0031 일 시 : 601151500 종 별 :

수 신 : 장 관 (경이)

발 신 : 주 상항 총영사

제 목 : 미국 장로교회 총회대책

대 : WUSM-3

1. 대호 김용준 목사는 2월까지 RESEARCH LEAVE 중이므로 현재로는 접촉이 어려우나 계속 노력중이며 상항 신학대학 관계인과의 접촉도 시도하고 있기 우선보고함.

2. 한편 1.13자 당지 한국일보는 "북한에 기독교인 1만명" 이란 제목으로 비교회 협의회 (NATIONAL COUNCIL OF CHURCHES) 가 북한 선교를 위한 작업을 구체화하고 있다고 하면서 대호 회의 개최(예정)에 관해 보도하였는바, 동 보도 파편 송부하겠음.

(총영사 문기열-국장)

예 고 : 86.12.31. 일반

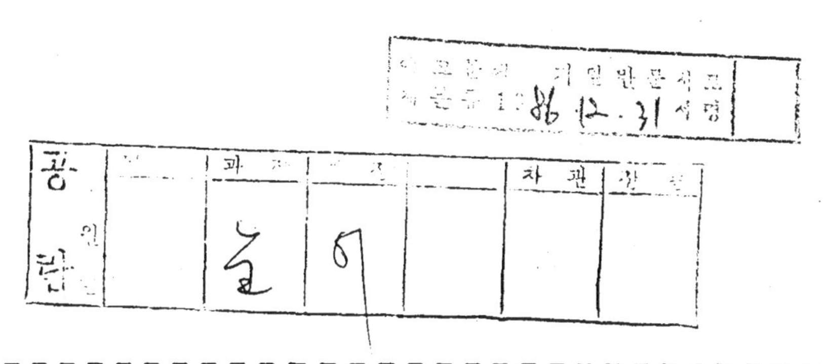

정문국 차관실 1 차보 미주국 청와대 안 기

PAGE 1

86.01.16 15:34
외신 2과 통제관

0243

86
-155

주 상 항 총 영 사 관

주상항(정) 700-28 1986. 1. 15.

수신 장 관

참조 정보문화국장

제목 총회대책

연 : SFW-0031

연호 당지 한국일보 기사를 별첨 송부합니다.

첨부 : 기사 사본 1 부. 끝.

예고문 : 86. 12. 31. 일반.

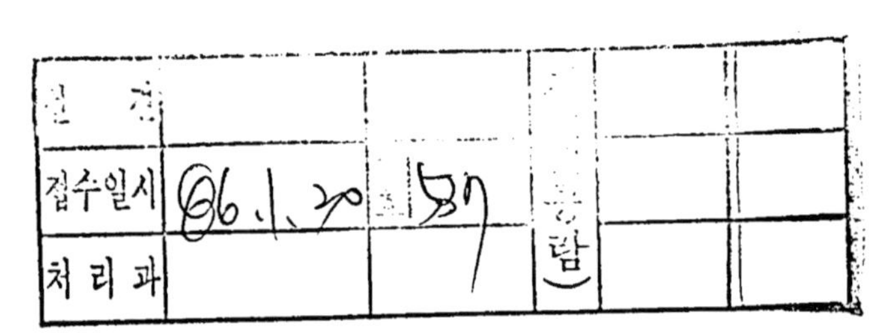

접수일시	86.1.20	57	(람)
처리과			

주 상 항 총 영 사

예고문에 의거 일반문서로 재분류 1986.12.31 서명

0244

1986. 1. 13(월)

한 국 일 보

북한에 기독교인 1만명

가정예배소 5백개·캐톨릭신자 8백명·목사30명

美교회협의회발표 "북한선교 위한 작업 구체화할 때"

협의회대표단 금년 남·북한 동시방문

미교회협의회(National Council of Churches)와 미주내 한인교회들은 한반도의 평화통일을 위한 남북대화의 순조로운 진행과 발맞춰 북한 선교를 위한 작업을 구체화하고 있다.

NCC는 지난달 9일부터 12일까지 뉴욕주 스트니포인트에서 개최된 회의에서 「북한의 기독교인들과의 교류」를 촉구하고 북한에 NCC 간부들을 공식 파견, 기독교인의 자격으로 한반도 평화통일에 기여한다는 원칙을 수립했다.

NCC는 아직 미기독교인의 북한 파견에 대해 구체적인 일정과 인원은 결정치 않았으나 NCC대표들은 금년중 남·북한을 동시에 방문, 교회지도자·종교전문가·정부측 대표들과 초교파적으로 기독교의 발전과 선교활동에 대해 구체적으로 토의하기로 결정했다.

이번 NCC회의에 참석한 세계교회협의회(World Council of Churches)의 에믹 와인가트너 국제문제담당사무총장은 『전세계의 많은 교회들의 WCC를 통해 북한의 기독교인들과의 교류 가능성을 타진하고 있다』고 밝히고 『북한의 기독교인들과의 교류는 전 세계의 교회들과 초교파적으로 연합하여 조심스럽게 접촉을 시도해 나가야할 것』이라고 지적했다.

와인가트너 사무총장은 지난 11월 북한기독교연맹의 초청으로 WCC 임원들과 함께 북한을 방문했다며 북한 기독교의 실태를 공식적으로 발표했다.

NCC 발표에 따르면 현재 북한의 기독교인 수는 1만명이며 북한에는 특별한 교회당이 없고 가정에서 예배를 보는 가정예배소가 5백여개에 이르고 있다는 것이다.

북한의 교회관계자 수는 2백여명이며 이중 30명이 목사라고 밝힌 와인가트너 사무총장은 평양에만 30~40개의 가정예배소가 있으며 북한의 카톨릭 신자 수는 8백여명이라고 북한 기독교연맹이 발표한 통계를 인용해 밝혔다.

이번 NCC회의에는 미국과 캐나다의 NCC임원·미주카톨릭교계의 대표·한미교회관계자·한국교회협의회임원·일본교회협의회임원등 60여명의 성직자들이 참석했다.

한편 미교회협의회는 한국의 대한예수교장로회와 한국기독교장로회의 대표들을 초청, 1월20일부터 24일까지 샌프란시스코에서 남·북한 기독교인들과의 교류를 위한 보다 구체적인 방안과 일정 등을 토의할 계획이다.

0245

관리 번호 86/165

외 무 부 착신전보

번 호 : CGW-0039 일 시 : 601161610 종 별 :

수 신 : 장 관 (정이,기정)(사본:주미대사-중계필)

발 신 : 주 시카고 총영사

제 목 : 미국장로 교회대책(자료응신 제3호)

362

대: WUSM-3

1.당관은 1.15.현순호목사를 면담,대호 교섭한바,동인의 반응 요약보고함

가.한미선교협의회 참석예정이며 구체적의제는 모르나 한.미교회간의 광범위한 선교 전략협의를 위한 회의임

나.미국교회의 대북한 선교정책은 아직 결정된바 없으며 미장로교가 한국에 관련된 사항을 결정할때는 한국에서온 대표단과 협의,한국측의 의견을 충분히 반영하여야한다는것을 과거 회의 에서 이미 결의한바 있어 한국의 입장에 반하는 결정이 이루어지지 않을것으로 봄

나.과거 일부교역자들이 한국에서 미군철수등 실제로 북한의 입장을 지지하는것같은 의견을 낸바 있으나 한국대표단등의 강력한 반대에 부딪쳐 수정된적이 있음.기독교인은 정부보다 앞서나가는 의견을 낼수있겠으나 공산주의자들을 도와주거나 이용당하여서는 안된다고보며 서로다른 의견을 충분히 수렴,하나님의 뜻에 맞는 의견으로 절충하여야한다고 봄

2.현 목사와는 상항회의이후 재차 접촉예정임.금후 동인에 대한 교섭은 동인의 근무처가 시카고이므로 당관에서 시행함이 좋을것으로 사료됨을 첨언함.

(총영사 경경일)

예고:86.12.31.일반

공람	담 당	과 장	국 장		차 관	장 관
		늘	67			

예고문에 의거 일반문서로 재분류 1986.12.31 서명

경판국 차관실 1차보 청와대 안 기 미주국

사본일자	86.1.18	성 명	이남수
사본부수	1 번부터 1		
사본의처	정보1과		

PAGE 1

86.01.17 13:26
외신 2과 통제관

0246

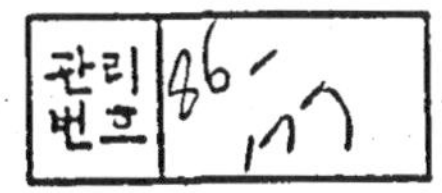

원본

외 무 부 착신전보

번 호 : ANW-0009 일 시 : 601161500 종 별 : 지급

수 신 : 장 관 (정이,정일,사본:주미대사)-중계필

발 신 : 주 아틀란타 총영사

제 목 : 미 장로교대책 (자료응신 제 1호)

대 : WUSM-3 (자료

1. 대호지시에 의거, 김인식목사를 접촉, 금번 상항회의에 관해 협의하였던바 요지를 다음과 같이 보고함.

가. 금번 상항회의에서는 현재 뉴욕측 관계자에 의해 준비되고 있는 SMILEY 안의 수정된 안이 제기될것으로 전망되며 (SMILEY 안의 불합리점을 지적한 남장로교 선교부의 PAPER 제출로, 양안을 가미한 WORKING PAPER 를 뉴욕측이 준비중인것으로 추측) 이에대해 한,미간의 토의가 있을것임.

나. 대부분이 온건한 인사로 구성되어 있으나 금번회의 대표중에는 SMILEY 목사가 직접 참석하고 그리고 뉴욕측의 몇몇대표가 과격한 인사이어서 결과가 우려됨.

다. 동 회의의 가장 이상적인 결과는 한.미간의 절충안이 만장일치로 채택되는것이나, 이러한 가능성은 크게 많지 않다고보며, 합의치못할경우 총회에 이송되어 재토론될것이나 총회에서는 총회분위기, 제반형편에 비추어 아측주장을 관철시키는데는 어려움이 있을것임.

라. 김목사 자신으로서는 양자합의의 절충안을 채택하는데 최대한 노력할생각임.

2. 동 김인식목사에 의하면, 현재 NCC 에서 86년 상반기 목표로 북한 방문단을 구성코자 준비중에 있다하니 참고바람.

(총영사-국장)

예 고 : 86.12.31. 일반

예고문에 의거 일반문서로 재분류 1986.12.31 서명

공람		과 장	국 장		차 관	장 관
월 일		(서명)	(서명)			

경제국 차관실 1 차보 미주국 청와대 안 기

PAGE 1

86.01.18 09:36
외신 2과 통제관

0247

관리번호 86-176

외 무 부 착신전보

번 호 : CGW-0045 일 시 : 60117 1730 종 별 :

수 신 : 장 관(정이,기정,사본:주미대사-중계필)

발 신 : 주 시카고 총영사

제 목 : 미국 장로교회 대책 (자료송신 제4호)

연: CGW-0039

1. 당관은 1.16 김득렬목사 (디트로이트 연합장로교회)를 접촉하여 아국정부입장을 설명하고 협조를 당부한바 동목사의 반응은 다음과 같음.

가. 시무중인 교회의 업무때문에 대호 회의에 참석하지는 못하겠으나 동회의 개최계획을 잘알고 있으며 한국교단과 한국정부의 입장도 잘 이해하고 있음.

나. 북한내에 기독교의 씨를 다시 뿌리기 위해서는 과거에 기독교 신자였던 사람들이 생존해있는 현시점에서 선교사업을 시작해야하며 북한을 국제사회에 끌어내어 호전성을 완화시켜야 한다는 일부 미국인 및 교포목사들의 견해도 일리는 있다고 생각함.

다. 그러나 최근 북한당국이 기독교에 대한 태도를 호전시킨 궁극적 목적이 미국과의 관계개선 계기를 조성하고 주한미군 철수 여론을 고조시키자는데 있다는 사실이 명백한 이상 대북한 선교활동도 조급히 추진되어서는 안되며 한국교단 및 한국정부의 입장을 고려하여 추진하여야한다고 생각함.

라. 또 미국내에는 한국과 북한의 이러한 입장을 잘 이해하고있는 인사가 많으므로 일부 인사들이 다소 진보적인 방책을 추진하려한다해도 뜻대로는 되지 않을것으로 생각하며 차후에도 이러한 문제가 있으면 한국정부의 입장이 반영되도록 협조하겠음.

2. 김목사는 미장로교 총회대의원으로도 참석한바 있고 디트로이트 미국장로교단에서도 신망을 받고있는 목사인바 차후에도 계속 접촉하여 대호와 같은 문제가 제기될 경우 적극적인 협조를 받을 수 있도록 조치하겠음.

(총영사 정경일)

예고 : 86.12.31 일반

검토필	86.1.20	성명	이남수
재분류	/ 일반 / 비밀 / 대 / 부		
보관처	정보1과, 문화부		

정문국 차관실 1차보 미주국 청와대 안기

예고문에 의거 일반문서로 재분류 1986.12.31

국	담당	과장	심의관	국장	차관	장관
2과						

PAGE 1

86.01.18 19:34
외신 2과 통제관

0248

관리번호 86-175

외 무 부 착신전보

번 호 : SFW-0038 일 시 : 601171600 종 별 :

수 신 : 장 관(정이)

발 신 : 주 상항 총영사

제 목 : 총회대책

대: WUSM-3

연: SFW-31

1. 대호 관련, 당관은 당관에 협조적인 당지 산마테오 영락교회 소규천목사에게 대호 내용을 설명하고 금년도 총회에서도 한국문제 결의안이 상정되지 않거나 불가시 아측에 불리한 부분이 수정 또는 삭제되도록 금번 회의에 참석, 가능한대로 노력해 줄것을 부탁한바, 동 목사는 자신은 아국 정부입에 흔쾌히 협조할 용의가 있으나 금번회의에는 일종의 옵서버 자격으로 초청되어 회의 일부에만 참석, 간단한 BRIEFING 만을 받게 되므로 자신의 역할은 회의적일 것이라고 하면서 가능한 최선을 다하겠다고 하였기 보고함

2. 당지 상항 신학대학(SAN FRANCISCO THEOLOGICAL SEMINARY) 에 의하면 동회의는 비공개로 진행될 것이므로 관계인사 이외의 외부인 출입이 금지될것이라고 하나 대호 관련 계속 노력하겠음.

(총영 사본기열-국장)

예고: 86.12.31.일반

	담 당	과 장	심의관	국 장	차 관	장 관
결재						

공람	담 당	과 장	국 장		차 관	장 관

예고문에 의거 일반문서로 재분류 1986.12.31 서명

정문국 차관실 1차보 미주국 청와대 안 기

사본일자	86.1.20	서명	이남수
사본부수			
사본의뢰			

PAGE 1

86.01.18 19:39
외신 2과 통제관

0249

관리번호 86/211

외 무 부 착신전보

번 호 : SFW-0057 일 시 : 601241000 종 별 : 지급

수 신 : 장 관(정이)

발 신 : 주상항총영사

제 목 : 총회대책

연: SFW-0038

1. 연호 회의는 예정대로 1.20 부터 한.미양측에서 20여명의 관계자들이 참석한 가운데 비공개로 열리고있음

2. 당관이 확인한바에 의하면 미국측은 미군철수 문제를 제기하였으나 아측의 주장으로 미군 감축안을 6월 회의에 상정하기로 합의하고 북한 선교는 제반 실정으로 보아 현재로서는 시기 상조라는데 의견을 같이하면서 동장로교단측에서 앞으로의 선교에 대비 준비만 한다는 선에서 일단 유보 하였다함. 또한 북한 기독교인들 미국 초청문제가 제기되었으나 동 초청도 시기 상조라는데 의견을 모았다고함

3. 당관은 동회의 결과를 주시하면서 최종결의문 입수를 위해 노력하고있음(총영사 문기열-국장)

예고:86.12.31일반

사본일자	86. 1. 27	담당	이
사본	1	원지국	1 부
사본	무궁부		

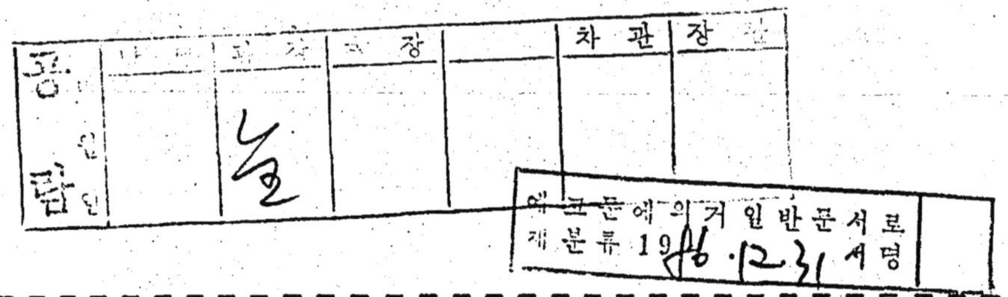

정문국 차관실 1차보 미주국 청와대 안 기

PAGE 1

86.01.25 19:09
외신 2과 통제관

0250

"한•미 선교 협의회"개최

1. "협의회" 개최 경위

가. 경 위

o "한-미 선교 협의회"는 미국 장로교 제198차 총회 (86.6.10-18, 미네아 폴리스 개최 예정)에 앞서 한•미 양국 교회간의 이견해소및 조정등을 위하여 개최됨

o 미국 장로교의 스마일리 목사는 작년도 총회에서 상정이 보류된 한국문제 결의안을 금년도 총회에 상정할 전망임

나. 일시 및 장소 : 86.1.21-22, 상항 신학대학

다. 참 석 자

o 미국 연합 장로교회측 : 약 20명

o 한국측 : 15명 파견

- 예수교 장로회 (친정부적) : 13명

- 기독교 장로회 : 2명

o 재미교포 목사 약간명

0251

2. "협의회"개최 결과 (주 상항및 라성 총영사 보고)

ㅇ 주한 미군철수 문제

- 미국측은 미군 철수 문제를 제기하였으나 아측의 주장으로 미군 감축안을 6월 회의에 상정하기로 합의함 (상항)

ㅇ 북한 선교문제

- 현재로서는 시기 상조이며 미국 장로교단측에서 금후 선교에 대하여 준비만 한다는 선에서 일단 유보 (상항)

- 미측 단독으로는 실시하지 않겠으며 앞으로 상설협의체를 구성, 한국측이 납득하여야 실시한다고 합의 (라성)

ㅇ 북한 기독교인 초청문제

- 시기상조라는데 의견을 같이함 (상항)

ㅇ 회의 결과 발표

- 1.28. 미 장로교 총회 본부에서 서류로 작성, 한국측 대표단의 총무 (주계명 목사, 예수교 장로회)가 서명후 발표함 (라성)

* 아측 대표단은 2월 5일경 귀국 예정

0252

관리번호	86/234

외 무 부 착신전문

번 호 : LAW-0123 일 시 : 601271730 종 별 :

수 신 : 장 관 (정이,기정)

발 신 : 주 라성 총영사

제 목 : 미국 장로교회 대책

공람	담 당	과 장	국 장		차 관	장 관
년 월 일						

대 : WUSM-03

연 : LAW-0050

연호, 표제건에 관하여 그 회의 결과를 아래와 같이 보고함.

1. 한미 장로교 협의회 회의 개최

가. 상기 회의는 예정대로 1.21-22 양일간, 상항 신학교에서 개최되었음

나. 미측 발언 요지:

1) 남북한 당국이 정치, 경제, 체육등 각분야별로 회담이 진행되고 있는데, 유독 종교계만 남북 교류를 저지하는것은 납득이 가지않음

2) 북괴는 김일성이가 통치하고 있다고 간단하게 기술한데 반하여 한국 정세에 관하여는 독제정권, 노사분규, 학생소요, 반정부인사에 대한 인권탄압등 어두운면을 지나치게 강조함

3) 북한내에 비공식 교회(가족 예배소)가 있고 교역자도 있으니 초청하자고 제안

다. 한국측은 상기 미측 발언에 대하여, 남북한 회담이라고는 하지만 본격적 회담은 아직도 요원하며 이제 그 실마리를 찾고저 접촉을 시작한데 불과하니 불필요한 자극은 오히려 본격적인 회담에 방해가 되며, 국내 정세가 다소 시끄러운것은 사실이나 이는 정치를 비판할수 있는 자유가 있다는 증거이며, 북한의 종교 대표는 어불성이고 만일 보내라고 하면 가짜(공산당원)이 올것이니 이러한 구상은 아직 시기상조라고 하였다고함.

2. 상기와 같은 한,미 양측의 의견 교환이 있은후, 북한 선교문제에 관하여는 미측 단독으로는 실시하지 않겠으며 이를 위하여는 앞으로 상설 협의체를 구성하여 한국측

정문국 차관실 1차보 미주국 청와대

PAGE 1

86.01.28 13:50
외신 2과 통제관

0253

이 납득하여야 실시한다고 합의하였으며, 회의 결과에 관하여는 명 1.28. 뉴욕소재 미장로교 총회 본부에서 서류로 작성하고, 아측 대표단의 총무 (주계명 목사)가 서명 한국 발크키로 하고, 그이전에는 발설하지 않기로 약속하였다고 하여 상기 내용 탐문에 어려움이 있었음.

3. 상기 회의 참석한 아국 대표단중 예장소속 14명은 당지로 이동, 라성 영락교회에서 한국 장로교단과 등교단 소속 재미교포의 단합과 협동으로 앞으로 모든 문제를 해결에 나가자고 다짐한바 있음. 끝

(총영사-국장)

예고 : 86.12.31. 일반

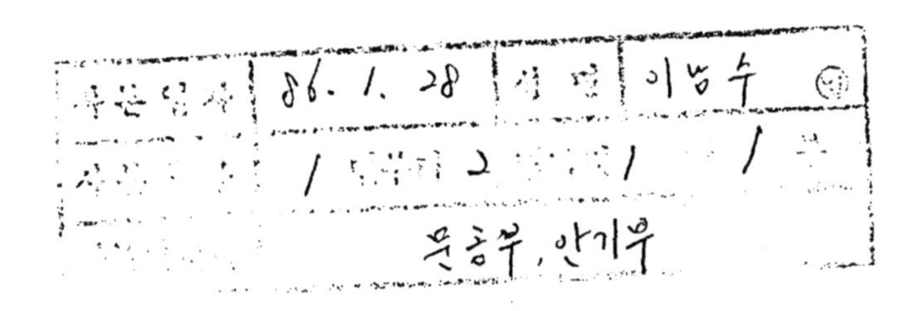

PAGE 2

0254

관리번호	86/246

발 신 전 보

WNY-0127

번 호: WUA-0122 일 시: 601291500 전보종별:

수 신: 주 뉴욕 대사·총영사 (사본: 주 라성 총영사)

발 신: 장 관 (정이)

제 목: 미국 장로교 총회 대책

연 : WUSM-3

주라성 총영사 보고에 의하면 연호 상항에서 개최된 "한미 선교협의회" 회의 결과를 1.28. 귀지 소재 미국 장로교 총회 본부에서 작성, 아측 대표단 총무 (주계명 목사)가 서명후 발표한다는 바, 동 발표문 요지를 타전바라며, 전문은 파편 송부 바람. 끝.

(정문 국장)

예고문 : '86.12.31. 일반

예고문에 의거 일반문서로 재분류 1986.12.31 서명

앙고재	86년 1월 29일	정보2과	기안자	과 장		국 장		차 관	장 관
			(서명)	(서명)		전결			(서명)

발신시간 :

외신과	접수자	과 장
	(서명)	

0255

관리번호 86/295

외 무 부 착신전문

번 호 : NYW-0143 일 시 : 602040900 종 별 :

수 신 : 장 관 (정이,미북)

발 신 : 주 뉴욕 총영사

제 목 : 미국 장로교 총회대책

대: WNY-0127

1.당관은 지난 1.22-23간 캘리포니아주 SAN ANGELMO 소재 상항신학교에서 한국 기독교장로회 (PCK), 대한 예수교장로회(PROK) 및 미국장로교(PCUSA) 등 3개교회가 회동한 가운데 개최된 대호 회의결과 채택된 성명문을 2.3. 입수하였음.(전문은 2.5 정파편 송부함)

2.동성명문은 서두에 회의의 임무를 기술하고 있으며,16개 항목의 AFFIRMATION 을 나열하고있는바,한반도 통일 및 대북선교에 관한 부분은 다음과같음.

- WE AFFIRM THAT OUR THREE CHURCHES WILL MAKE RECONCILIATION AND REUNIFICATION OF SOUTH AND NORTH KOREA A PRIORITY FOR MINISTRY AND MISSION.

-WE AFFIRM THE RESPONSIBILITY OF OUR CHURCHES TO EDUCATE THEIR CONSTITUENCIES ON THE ISSUES INVOLVED IN KOREAN REUNIFICATION.

-WE COMMIT OURSELVES,SEPARATELY AND TOGETHER,TO WORK FOR AND ENCOURAGE EXCHANGES BETWEEN CHRISTIANS AND OTHERS IN SOUTH AND NORTH KOREA,AND THE UNITED STATES OF AMERICA.

-WE AFFIRM THE COMMITMENT OF OUR CHURCHES TO SUPPORT IN ALL APPROPRIATE WAYS THE WITNESS AND GROWTH OF THE CHRISTIAN CHURCH IN NORTH KOREA AS OUR RELATION GROW.

-WE AFFIRM THE DESIRABILITY OF DIRECT DIALOGUE BETWEEN CHRISTIANS IN SOUTH KOREA AND NORTH KOREA. THE PCK,PROK,AND PCUSA IN CONSULTATION WITH OUR ECUMENICAL PARTNERS WILL EXPLORE THE POSSIBILITY OF SUCH DIALOGUE.

정문국 차관실 1차보 미주국 청와대 안기

PAGE 1

86.02.05 10:29
외신 2과 통제관

0256

-WE AFFIRM THE APPROPRIATENESS OF VISITS TO NORTH KOREA BY THE PCUSA. WHEN SUCH VISITS ARE CONTEMPLATED,THE PCUSA WILL INFORM AND CONSULT WITH THE PCK AND THE PROK.

-WE AFFIRM THE DESIRABILITY OF THE ESTABLISHMENT OF AN AD HOC COMMITTEE ON NORTH KOREA BY THE PCK,PROK AND THE PCUSA FOR THE PURPOSE OFCONTINUING DIALOGUE AND CONSULTATION ON REUNIFICATION,JOINT STUDY,EXCHANGING INFORMATION AND FACILITATION VISITS TO NORTH KOREA.

-WE AFFIRM THE DESIRABILITY OF DESIGNATING A DAY OF PRAYER FOR PEACE IN KOREA,AND PLEDGE OUR COMMITMENT TO WORK TOWARD A COMMON DATE IN OUR CHURCHES.

-WE AFFIRM THE NEED FOR EACH OF OUR CHURCHES TO BECOME STRONG ADVOCATES FOR EFFECTIVE POLICIES FOR PEACE AND RECONCILIATION IN KOREA. 끝

(총영사 김태지-국장)

예고:86.12.31.일반

예고문에 의거 일반문서로 재분류 1986. 12. 31 서명

PAGE 2

0257

관리번호 86/351

주 뉴 욕 총 영 사 관

주뉴욕(정) 700- 278 1986. 2. 5.

수신 : 장관

참조 : 정보문화국장, 미주국장

제목 : 미국 장로교 총회 대책

연 : NYW-0143

연호 성명문 등 관계자료를 별첨 송부합니다.

첨부 : 1. 성명문.

2. 교포신문 관계기사. 끝.

예고문 : 1986.12.31.일반

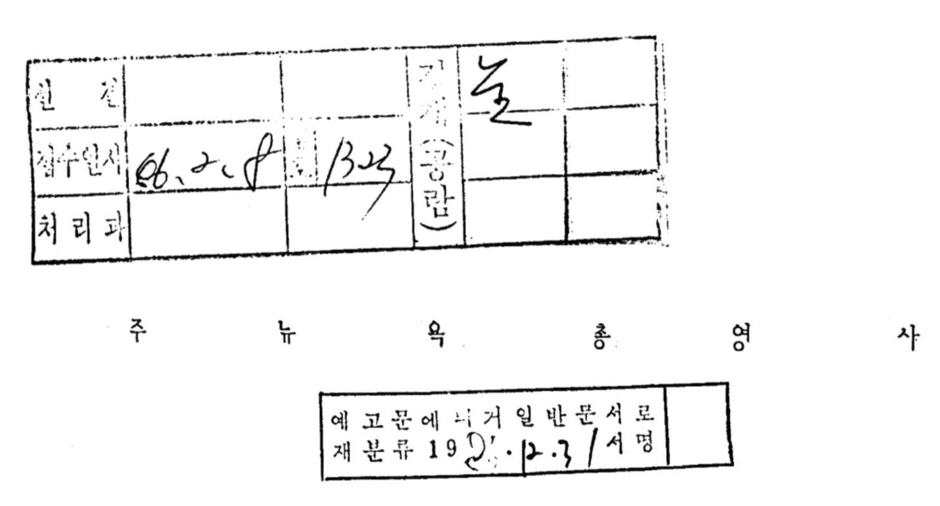

전 결			결재(공람)	
접수일시	86. 2. 8	1323		
처 리 과				

주 뉴 욕 총 영 사

예고문에 의거 일반문서로 재분류 1986.12.31 서명	

0258

한국 통일문제에 관한

한국장로교(기장측, 예장측 망라)와 미국 장로교의 성명(요지)

(86.1.22-23, 상항)

- 남.북한간의 화합과 통일에 선교와 목회의 중점을 둠.
- 남.북한, 미국 기독교도 또는 여타 인사간의 교류를 고무하기 위하여 노력함.
- 북한교회의 성장을 지원하는 노력을 재확인함.
- 남.북한 기도교도간 직접대화가 바람직한바, 이의 가능성을 모색함.
- 미국장로교 대표단의 방북이 적절함을 확인함. 본 방문이 구상될시 한국 장로교측과 협의함.

공람	북미과	86년 2월 11일	담당	과장	심의관	국장	차관보	차관	장관

0259

STATEMENT
ON THE REUNIFICATION OF KOREA
BY
The Presbyterian Church of Korea
The Presbyterian Church in the Republic of Korea
The Presbyterian Church (U.S.A.)

Occasion and Setting

Representatives of the Presbyterian Church of Korea (PCK), the Presbyterian Church in the Republic of Korea (PROK), and the Presbyterian Church (U.S.A.) (PCUSA) give thanks that God has granted them the opportunity to meet January 22-23, 1986, at San Francisco Theological Seminary, San Anselmo, California, in an historic consultation on reunification of Korea.

Our Belief and Calling

We believe that peacemaking is an essential part of the mission and calling of our churches. We realize that the Peace of God is not the same as the peace of this world. Existentially the Cross is the point of intersection where the conflict between the powers of this world and the will of God is manifest.

The Cross provides the evidence of our redemption and salvation; the basis for resistance to the forces of oppression and injustice; the power of reconciliation; the imperative to love even our enemies; and the symbol of Christ's identification with those who suffer and the hope for their liberation.

Our Affirmations

Therefore, the Presbyterian Church in Korea (PCK), the Presbyterian Church in the Republic of Korea (PROK) and the Presbyterian Church (U.S.A.) (PCUSA) make the following affirmations:

We affirm the responsibility of our churches to pray and work for justice, reconciliation and peace.

We affirm the necessity for our churches to work in our respective societies to overcome the "enemy images", that perpetuate hostility and prevent the building of trust.

We affirm that our three churches will make reconciliation and reunification of South and North Korea a priority for ministry and mission.

We affirm the responsibility of our churches to educate their constituencies on the issues involved in Korean reunification.

We affirm the autonomy of each church in working in its own way yet commit our churches to pray together, to consult and work together where possible in this ministry.

We affirm our commitments to work together with our ecumenical

0260

partners as appropriate in this ministry.

We commit ourselves, separately and together, to work for and encourage exchanges between Christians and others in South and North Korea, and the United States of America.

We affirm our commitment to learn from churches living and witnessing in different social systems.

We affirm the commitment of our churches to support in all appropriate ways the witness and growth of the Christian Church in North Korea as our relations grow.

We affirm the desirability of direct dialogue between Christians in South Korea and North Korea. The PCK, PROK, and PCUSA in consultation with our ecumenical partners will explore the possibility of such dialogue.

We affirm the appropriateness of visits to North Korea by the PCUSA. When such visits are contemplated, the PCUSA will inform and consult with the PCK and the PROK.

We affirm the desirability of the establishment of an Ad Hoc Committee on North Korea by the PCK, PROK and the PCUSA for the purpose of continuing dialogue and consultation on reunification, joint study, exchanging information and facilitation visits to North Korea.

We affirm the desirablility of designating a Day of Prayer for Peace in Korea, and pledge our commitment to work toward a common date in our churches.

We affirm the need for each of our churches to become strong advocates for effective policies for peace and reconciliation in Korea.

We affirm the need for increasing peace education in each of our churches and urge that this concern be referred to the appropriate office in each church.

We affirm our commitment to walk in humility, with open minds, prepared to change our ways, fulfilling the ministry of reconciliation, under the Lordship of Christ.

0261

미주 한인목사 30명 북한방문

북한선교 연내 실현 북한측 교계와 통일문제 의견도 교환

대한예수교장로회·미주한인장로회·NCC 구체적 협의

【LA지사】미주지역의 한인목사 30여명이 북한을 금년내 방문키로 결정함으로써 북한선교의 역사적 장을 열게됐다.

대한예수교 장로회 대표단 14명은 지난 23·24일 양일간 나성 영락교회에서 미주한인장로회 대표측과 협의를 한 끝에 30명의 한인목사(미 시민권자)를 북한에 보내기로 타결, 북한선교에 첫발을 내딛는 결정적 계기를 맞게된 것이다.

대한예수교 장로회 대표측은 미주한인장로회 대표팀과의 협의에 앞서 지난 20일부터 3일간 미 교회협의회(NCC)와 샌프란시스코에서 북한 및 중공선교에 대한 구체적 방안을 협의했다.

이 회합을 통해 양측은 공산권 선교에 협력, 상호보조를 맞춰가기로 결의했고 가까운 시일내에 서울에서 다시 NCC와 대한예수교장로회의 회합을 개최, 공산권 선교에 대해 더욱 박차를 가하기로 했다.

NCC와 대한예수교장로회는 금년중 북한에 교계 대표들을 공식 파견, 북한측 기독교계 대표와 한반도 평화통일에 관한 의견을 교환하기로 결정했는데 한국측 대표로 미주지역의 한인목사 30명이 참가하게 된 것이다.

대한예수교장로회 대표로 회합에 참석한 연세대 로정현교수는 『한반도의 통일과 북한선교는 불가분의 관계』라고 강조하고 『북한선교를 주도해 나감으로써 통일의 가능성을 높일 수 있다』고 지적했다.

북한에 30명 목사를 보내기로 결의한데 대해 김계용목사(나성영락교회 담임)는 『북한에 실질적인 교회대표자가 있을리 없고 정치적으로 이용당할 우려가 없지 않으나 북한선교를 추진해 나가다 보면 그 결실을 맺을 줄 믿는다』고 말했다.

한국일보 (뉴욕)

(86. 1. 30)

0262

관리번호 86/415

외 무 부　　　착신전문

번 호 : ANW-0025　　　일 시 : 60214 1600　　　종 별 :

수 신 : 장 관(정이,정일)

발 신 : 주 아틀란타 총영사

제 목 : 장로교 관계

(자료 응신 제4호)

당관이 당지 김인식 목사와 접촉, 입수한 기독교계의 북한 방문 동향을 아래와 같이 보고함.

1. 장로교 선교 협의회 결과

상항에서 개최된 협의회에는 한국측 대표의 다수 참가와 적극적인 설득 작업으로 당초 의안이 크게 완화 되었으나 북한 방문단 파견(10인 내외) 결정이 있었음.

2. 미 NCC 의 북한 방문단 파견

NCC 측은 현재 8명 정도의 북한 방문단(방북후 서울 방문)을 구성, 금년 4월중 방북 예정인것으로 알고 있음.

중요 문제는 방북 자체에 있는것이 아니고 방문단의 어떻게 구성되는가에 있는 바, 과연 얼마나 중립적인 인사들이 포함되는가는 두고 보아야 할것임.

한국측 인사로는 현재 뉴욕측의 이승만, 손명걸 목사가 포함되었으며 미측인사에는 SMILEY 도 간다고 함.

3. 동 김 목사는 선교 문제 협의차 2.23 방한 예정임.

(총영사 송학원-국장)

예고: 86.12.31.일반

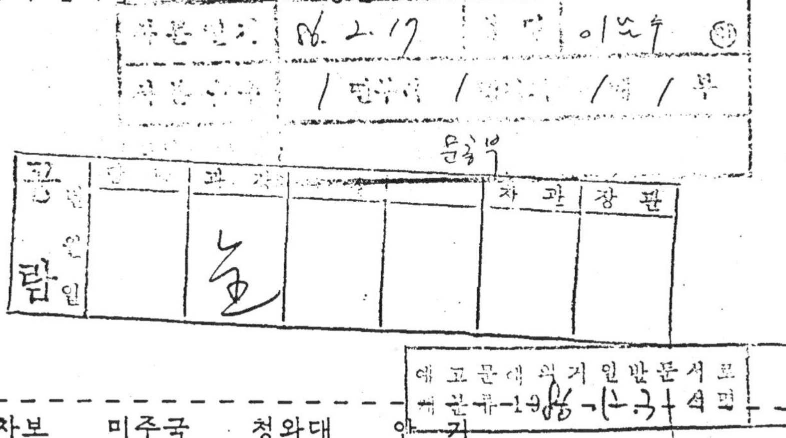

정문국　차관실　1 차보　미주국　청와대　안기

PAGE 1

86.02.16 00:15
외신 2과 통제관

0263

관리 86/128

주 뉴 욕 총 영 사 관

주뉴욕(정) 700-445　　　　　　　　　　1986. 3. 3.

수신 : 장관

참조 : 정보문화국장, 미주국장

제목 : 미국 장로교 총회 대책

연 : NYW -0143, 주뉴욕(정) 700-278

당관은 미국장로교 (PCUSA) 가, 연호 결의안등을 수정하여, 오는 6월 개최될 "한미 선교협의회" 회의에 제출하기 위하여 단독으로 작성한 결의안을 입수하였기, 이를 송부합니다.

첨부 : 동 결의안. 끝.

예고문 : 1986.12.31 일반

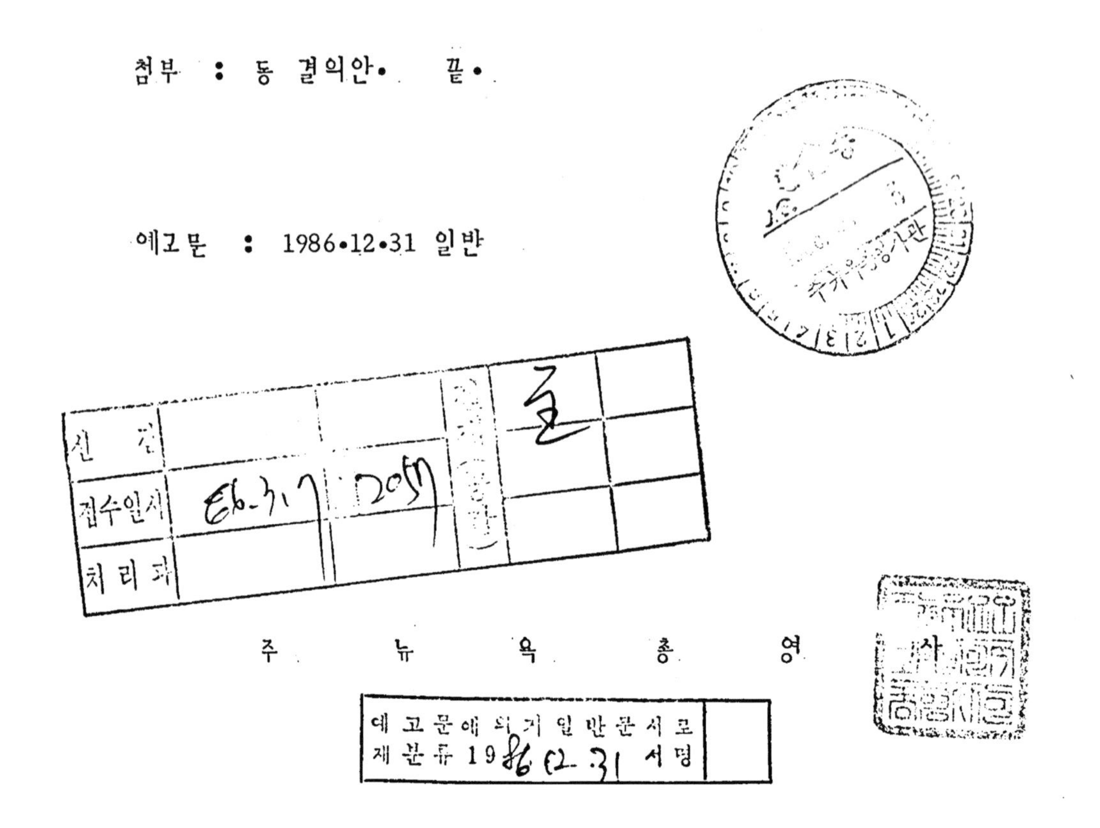

주 뉴 욕 총 영

예고문에 의거 일반문서로 재분류 1986.12.31 서명

0264

C. RESOLUTION ON RECONCILIATION AND REUNIFICATION IN KOREA

The Advisory Council on Church and Society submits the following background summary and resolution on Reconciliation and Reunification in Korea to the 198th General Assembly (1986) and recommends that the background summary be commended for study and the resolution be adopted.

God's reconciliation in Jesus Christ is the ground of the peace, justice, and freedom among nations which all powers of government are called to serve and defend. The church, in its own life, is called to practice the forgiveness of enemies and to commend to the nations as practical politics the search for cooperation and peace. This search requires that the nations pursue fresh and responsible relations across every line of conflict, even at risk to national security, to reduce areas of strife and to broaden international understanding. Confession of 1967 (9.45)

There are no quick or easy answers to the ambiguities and paradoxes of entangled good and evil in which we find ourselves. Fear must be overcome with faith, hate with trust, enmity with reconciliation, injustice with justice. In accepting this challenge we rely not in our own strength or shrewdness but in the surprising grace of God and are buoyed by the vision: 'and people will come from east to west, and from north and south, and seat at table in the kingdom of God'. The promise of the Kingdom of God fulfills our hopes beyond the secular expectations of history. Our hope is in the Kingdom of God and not in any particular political system or solution. That hope, however, invigorates us for the particular political struggles in which approximation of justice can be achieved. "Peacemaking: The Believers' Calling," (Minutes, 192nd General Assembly, UPCUSA, 1980, p. 212; 121st General Assembly PCUS 1981, p. 474)

BACKGROUND

A divided Korea is one of the tragic legacies of World War II. Unlike Germany, Korea was not divided because it was a threat to anyone or because it was the enemy. In fact, Korea itself had been occupied for over thirty years by Japan. Though Japanese military forces used Korea as a supply base, the main military reality in Korea during the war was continuing Korean resistance to Japanese rule. In August 1945, the Soviet Union entered the war against Japan as had been previously agreed, sending troops into Korea. The war officially ended less than a month later. The events that followed in Korea flowed partly from prior agreement among the Allied Powers and partly from expedient reaction by both the United States and the Soviet Union in the

0265

immediate situation. Whatever the intention and whenever it was formulated, the land and people of Korea were divided and remain so today.

As early as 1943, Korea was included in plans and agreements among the allies for dealing with "occupied territories" following the war. This apparently came to include an agreement at some point between the United States and Soviet Union, providing for a temporary trusteeship for Korea during which the Korean people ostensibly were to be prepared to take over the administration of their own country. Given the military situation on the ground as the war ended, the United States suggested to the Soviet Union a temporary division of Korea at the 38th Parallel, which the Soviet Union accepted. The United States was convinced of the high importance of the Korean peninsula to the security of the postwar Pacific, and concerned over the possibility of a unilateral occupation of all of Korea by the Soviet Union, whose strategic interests in this peninsula lying on its eastern border were obvious.

This new dual occupation and trusteeship were bitterly opposed by the Korean people, who viewed it as an insulting and humiliating assertion that they were not capable of self-government. The two powers simply ignored the long history of Korean unity and independence and the recent struggle for independence from Japan. Popular opposition was exacerbated by the fact that United States military authorities largely ignored the leaders of the Patriotic Movement in Korea, who had already established a provisional government-in-exile, and also looked upon any expression of resistance to continued foreign occupation as evidence of a Soviet-backed attempt to control the entire peninsula.

The division quickly solidified as each emerging super-power moved to protect its own perceived strategic interests. The United States and the Soviet Union fostered the development of administrations in the southern and northern zones headed by leaders chosen for their compatibility with the respective goals of the occupying super-power. In 1948, after an abortive attempt to have a UN-sponsored election, the United States sponsored the establishment of the Republic of Korea (ROK) and unilaterally recognized it as the only lawful government in Korea. Dr. Syngman Rhee, an American-educated Korean supported by the United States, was elected by the Congress of the Republic of Korea to be the leader of the new nation. Mr. Kim Il Sung, long active in the Communist Party and sponsored by the Soviet Union, became the head of the Democratic People's Republic of Korea (DPRK). Korea's division was now sealed, and the "cold war" was well underway. Once again, the Korean people had been denied the opportunity for genuine self-determination.

Tension between "North Korea" and "South Korea", as the two governments quickly came to be known, was immediate and continuing. In June of 1950, North Korea invaded the south and the Korean War was on. United States forces, and contingents from sixteen other countries, fought with ROK forces as North Korean troops pushed down nearly the whole length of the peninsula. Driven back nearly all the way to the northern border, North Korean troops were joined by a large number of volunteers from the new People's Republic of China. No Soviet troops participated in the fighting, though the Soviet Union provided massive amounts of material to the DPRK.

In twelve months of intense fighting, then, virtually the entire peninsula was covered in a savage see-saw struggle that left a devastation seldom seen in war. Although a ceasefire was agreed to in 1951, during the twenty-four months of negotiation that followed, continued fighting resulted in more than one million additional casualties. The total number of human casualties, dead and wounded, in these three years of war are estimated at 6,350,267. Of these, 3,670,995 were Korean civilians; 1,599,609 were Korean military personnel; 921,836 were soldiers from the People's Republic of China; and 157,827 were United Nations military personnel.

Although an armistice accord was reached in July of 1953, an air of hostility has remained between the two Koreas, and the situation has been marked by constant tension and violent incidents along the demilitarized zone at the 38th Parallel. Both societies have been burdened by heavy military expenditures; the two Koreas support the fifth and sixth largest armies in the world, over a million troops ready for combat. Sustaining its original commitment to the Republic of Korea, the United States has continued to station its troops in that country and has equipped them with nuclear weapons. The Soviet Union has nuclear missiles nearby in its contiguous territory, targeted on the Republic of Korea. The result is an international flashpoint capable of igniting a global nuclear war between the United States and the Soviet Union.

Thus, the significance and impact of the division goes far beyond its tragic consequences on the Korean peninsula itself. It affects the economic, political, and military policy and relationships of the four major Pacific Powers - Japan, the People's Republic of China, the Soviet Union and the United States. It complicates and penalizes Korean involvement in the new and dynamic pattern of economic power that is developing rapidly in the Pacific Basin region and represents a point of continuing instability and threat to those developments. The erosion of this particular dividing wall of hostility -movement toward Korean reconciliation and eventual reunification-would thus have powerful and positive benefit for the Korean people, for stable economic and political development of the region, and for world peace. It is imperative that the Christian community in the United States support in all appropriate ways the Korean Christians and other Koreans working toward the reunion that befits their cultural heritage. It is also imperative that the Christian community in the United States seek diligently to remove the external obstacles to the reconciliation of the peoples of the two Koreas, since so many of those obstacles arise from the perceived strategic interests of the United States in its global confrontation with the Soviet Union.

Progress toward reducing tensions is made very difficult because of at least two sets of dynamics which are at work, each complicating the other. The first set involves the two immediate parties, the two Koreas. Each in its own way has perpetuated the conflict and the division, hampering the development of even relatively normal relations and making pursuit of reconciliation and reunification seem almost impossible. Since 1948, profound differences have developed in their respective political and economic structures, although over-all results have been similar in many ways.

Although the societies have developed following different models, both the Republic of Korea and the Democratic People's Republic of Korea have produced highly authoritarian political patterns. The Republic of Korea is now in its third fundamentally authoritarian government: Syngman Rhee, 1948-1960; Park Chun Hee, 1961-1980; Chun Doo Hwan, 1980-present. The last two have come from the military and all three have been staunchly supported by the United

States. While clearly aligned with the Western capitalist bloc, the government of the Republic of Korea has demonstrated its independence from the United States in various ways. The Democratic People's Republic of Korea has had almost four decades of dictatorial rule by Kim Il Sung, now in his 70's, who is grooming his son, Kim Jong Il, for political succession. Although the Democratic People's Republic of Korea is clearly part of the communist world, and dependent in significant ways on the political patronage of the Soviet Union, it has sought with considerable success to build a self-reliant system with significant independence from both the Soviet Union and the People's Republic of China.

In economic terms, both north and south have developed significant industrial strength following the severe devastation of the war, but again following different models. The Republic of Korea, following a private entrepreneurial model, though with considerable government involvement, has had rapid economic growth though much of it has been oriented to export industries. It has used external capital extensively, both governmental and private largely from the United States, and as a result has the largest external debt burden in Asia. Benefits from this development have been unevenly distributed, the labor movement has been severely suppressed and the economy is heavily dependent on world financial and economic cycles.

The Democratic People's Republic of Korea followed a centrally planned command model, stressing heavy industrial development, economic and agricultural self-sufficiency, and limited reliance on outside investment or assistance. While this has engendered a high degree of economic autonomy and considerable growth, it has been achieved at the cost of a highly regimented, repressive society and an isolation which has limited access to new technology as well as to energy sources. While both economies carry a heavy burden of military costs, the relative burden may well be higher in the north because it receives little assistance from the Soviet Union or the People's Republic of China.

These divergent economic and political developments over the past forty years understandably are reflected in the educational, social and cultural spheres of each society. Although the two Koreas still possess a common language and share a common historical past, they bring fundamentally different present realities to the search for a reconciled and reunited future.

The second set of complicating dynamics that makes progress toward reconciliation and reunification difficult flows from the fact that Korea is still a stage for the global conflict between the United States and the Soviet Union. In a sense and to some degree, Korean reconciliation and reunification are held hostage to the strategic interests of the two super-powers. From at least 1946 on, the United States has seen the Soviet Union as a serious and consistent threat to its world interests, and a constant threat to international peace and stability. Even the triumph of the communist forces in China in 1949 and the involvement of Chinese troops in the Korean War were seen as evidence of the expanding power of the Soviets in Northeast Asia. The People's Republic of China, of course, developed its own separate identity that manifested visible areas of antagonism toward the Soviet Union and equally visible desire to normalize relations with the United States. The United States ultimately responded favorably, and in fact exercised significant initiative to re-establish diplomatic and economic relations with the Peoples Republic of China, but has made no similar effort toward ending the stalemate on the Korean peninsula or toward the Democratic Peoples Republic of Korea. The reasons for that may well lie in continuing conviction of a need to resist Soviet expansion into the Pacific. United States military presence in Korea, after all, provides the United States with a barrier to any such expansion, on the mainland and not too distant from Soviet territory and installations. The Soviet Union obviously perceives the military presence of the United States in the Northeast Pacific, with bases in Japan and Korea, as a clear threat to its own national security and international interests.

The situation is further complicated by the fact that what began as a United Nations action to protect South Korea from an invasion by North Korea in 1950, has evolved into a protracted conflict in which the United States, still flying a United Nations flag, has concluded an alliance with one of the two parties to the division. This fact, in itself, effectively precludes the United Nations from other activity within its mandate which might contribute to the process of reconciliation and reunification. It is a matter of concern to all who support the work of the United Nations that any perpetuation of the conflict in Korea tends to serve the strategic interests of the superpowers rather than those of the Korean people or the United Nations, whose mandate calls it to be not only a peacekeeper, but also a peacemaker.

THE CHURCH'S CONCERN

The reason for the church's concerns regarding Korea are manifold. Two are basic. First, there is the desire for a permanent and lasting peace with justice in the region. As long as Korea remains in a state of unresolved conflict, with tensions exacerbated in the South by fear of invasion and in the North by fear of the United States nuclear presence, there remains the potential for a conflict that could trigger nuclear confrontation between the superpowers. All who share the concern for peace and justice must be working toward reconciliation by every possible means, including opposition to the continued militarization of the region, which exacerbates the tensions and increases the danger. Second, there is a genuine desire for the well-being of the Korean people, north and south, who have suffered far too long from a conflict for which they are not altogether responsible.

Some ten million people in Korea have been separated from each other because of the division of their country. It is imperative to seek ways to enable the reunion of families through the opening of borders, and, by other means, to facilitate the kind of improved relations between the two parties that will contribute to the process of reconciliation and reunion. One of the facts that makes the efforts to reunite families more urgent, from a humanitarian perspective, is the poignant reality that many of those who were separated by the tragic war are rapidly growing so aged that if some opportunity of reunion does not occur soon, they will die before they are ever reunited with their loved ones.

The church is also concerned for the establishment of an environment in which the democratization and development of both societies could occur. The Korean people - south and north, together or separately - should have the opportunity to apply their skills, energies and resources to building a better and freer life for all, rather than having them consumed by the demands of the militarized confrontation that now exists. As noted, the Pacific Basin - from Australia through the Philippines and Hong Kong to Korea, and from the

People's Republic of China through Taiwan and Japan to the United States - is emerging as a vibrant growing arena of tremendous economic power. The full potential of Korean participation in that development is undermined by continued conflict and division, and the regional development is itself jeopardized by the inherent instability they represent.

In the face of such obstacles as have been noted, the church seeks signs of hope. It is important to note and to give thanks for the efforts that have been made, North and South, in the past six years, even when those efforts have been tentative or have been rebuffed. Both parties have made a number of initiatives, or explorations, toward softening the lines cast by the division. Many times those have been brought to nought by political events or by the fanning of suspicions of one party toward the other; nevertheless, those initiatives have continued. Even in the face of such inflammatory incidents as the shooting down of Korean Air Lines Flight 007 by Soviet fighter planes, and the bomb assassination of ROK officials in Rangoon, there have been recent signs of hope. Devastating floods in South Korea in 1984 brought an offer of help from North Korea for the flood victims, an offer which was as unusual as the decision of South Korea to receive that aid from the North. Furthermore, early in 1985, talks were initiated regarding economic relations between North and South. Even more encouraging is the fact that as a result of arrangements made through the Red Cross, a limited cultural exchange and visitations among members of separated families involving fifty persons from each side took place in the fall of 1985. This is the first time in forty years that such an exchange has taken place.

One of the most encouraging initiatives is that taken by Christians in South Korea to make reconciliation a major commitment, especially the Presbyterian churches in Korea which have requested the cooperative support of the Presbyterian Church (U.S.A.) in that effort. Along with that, new evidence is emerging from North Korea of the existence of small numbers of Christians, meeting in homes -- remnants which have survived over a long period of harsh suppression of religion. The emergence of that evidence itself is a reason to hope that there may be growing tolerance of religion in the north. In support of that, it should be noted that in 1983 there was, for the first time since 1950, the printing of a hymn book and a new translation of the New Testament. That was followed by the printing of a new translation of the Old Testament in the fall of 1984.

In view of these signs of hope, however small some of them may seem to be, it is surely a propitious moment for the Presbyterian Church (USA) and its members to respond with full support for our sisters and brothers in Korea in their efforts toward the reconciliation and reunification of the Korean people. It is surely also a propitious moment for the Presbyterian Church (U.S.A.) and its members to seek ways of changing the policies and practices of the United States in ways that will reduce barriers and facilitate progress toward reconciliation and reunification in Korea.

RESOLUTION

Whereas the Confession of 1967 declares: "God's reconciliation is Jesus Christ is the ground of the peace, justice and freedom among nations, which all powers of government are called to serve and defend. The church, in its own life, is called to practice the forgiveness of enemies and to commend to the nations as practical politics the search for cooperation and peace;" and

Whereas Peacemaking: The Believers' Calling, adopted by the General Assembly, speaks of bearing witness to Christ by nourishing the moral life of the nation for the sake of peace in the world; and declares that by God's grace, we are agreed to work with all people who strive for peace and justice, thus serving as signposts of God's love in our broken world; and

Whereas the division of the people of Korea into two antagonistic societies, the Republic of Korea and the Democratic People's Republic of Korea, continues to be a source of tension for the world and a tragedy for the Korean people; and,

Whereas the United States, as an original party to the division of Korea, as the principal military ally of The Republic of Korea and as one of its major trading partners, bears a particular responsibility and obligation to help reduce tensions and facilitate reconciliation; and,

Whereas the Presbyterian Church (U.S.A.) has a particular concern for peace, reconciliation and justice for the Korean people, having celebrated, in 1984, one hundred years of especially fruitful mission relations that spanned the opening of Korea to western influences, long years of Japanese occupation, and the decades of division which have followed; and,

Whereas the 195th General Assembly (1983) affirmed its commitment to work, in the future, with the people of North Korea to develop potential mission opportunities and relations there in consultation with Korean church partners, to support the reunification of families, and to promote peace with justice and reconciliation for the people of the Korean peninsula; and,

Whereas the Christian Conference of Asia and the World Council of Churches have taken a particularly hopeful initiative in support of the reconciliation and reunification of the Korean people, convening a consultation at the Tozanso International Center near Tokyo, Japan between October 29 and November 2, 1984 which brought together sixty-five church leaders from twenty nations around the world and called for the ecumenical Christian church to reaffirm the oneness of all people in Jesus Christ by working to make that unity visible in the life of the human community generally and Korea specifically;

Therefore be it resolved, that the 198th General Assembly (1986) of the Presbyterian Church (U.S.A.):

OFFERS ITS PRAYERS OF INTERCESSION for reduction of tension in the Korean peninsula and in all of Northeast Asia, for the removal of the military burden which is upon the people of North and South Korea, for the reconciliation of the two Koreas and their eventual reunification under peaceful, just conditions; and,

OFFERS ITS PRAYERS OF REPENTANCE for the complicity of our own nation, and even the church of which we are a part, in helping to create and perpetuate the tragic division and conflict that have beset the people of Korea.
RECOGNIZES THE REALITY that this tragic division now requires creative steps for healing.

COMMENDS ECUMENICAL EFFORTS to support and assist reconciliation in Korea by such bodies as the World Council of Churches, the World Alliance of Reformed Churches, the Christian Conference of Asia, the National Council of Churches in Korea, and the National Council of the Churches of Christ in the U.S.A.; and affirms continued cooperation, support, and participation in such efforts by appropriate agencies and officials of the Presbyterian Church (U.S.A.).
CALLS upon the appropriate boards and agencies of the General Assembly of the Presbyterian Church (U.S.A.):

1. To encourage study and understanding of the history and circumstances leading to the division and conflict in Korea, of current developments in Korea and its regional context, and of the urgent need for reconciliation on both personal and societal levels.

2. To participate with and support the initiatives of Christians in Korea, especially those of the Presbyterian churches, that are directed toward reconciliation and reunification.

3. To make financial contributions, as appropriate, to agencies that are involved in family reunification endeavors.

4. To initiate a study of the means whereby the Presbyterian Church (U.S.A.) and its members might provide material and financial assistance for the rebuilding of churches in North Korea destroyed by the war, should the opportunity arise; and to invite the Presbyterian Church bodies in the Republic of Korea to join in the study.

The financial requirements for implementing the actions in this section would vary according to the particular means chosen, the level of priority assigned, and in some instances (aid to agencies) according to the opportunities available. All are functionally within ongoing directions and programs of mission agencies and could be accomodated in regular planning and budgeting processes.

REGISTERS our conviction as Christians in the United States that the following developments would contribute significantly to reconciliation and peace in the Korean peninsula:

1. Establishment of direct communications links between North and South Korea, including regular telecommunications and postal arrangements.

2. Establishment of family reunification centers under Red Cross or neutral United Nations agency control, with open access to both north and south for the location, verification, and facilitation of family contact and relations.

3. Establishment of exchange programs and activities in the cultural, athletic, artistic and academic fields.

4. Establishment of trade relations.

5. Achievement of a formal treaty ending the Korean War, including a friendship and non-aggression pact between the Republic of Korea and the Democratic People's Republic of Korea.

6. Simultaneous full admission of the Republic of Korea and the Democratic People's Republic of Korea to the United Nations, not as an acquiescence to the division, but as an important step toward the healing unification of the nation.

7. Diplomatic recognition of both existing Korean governments by those governments that now recognize only one of the two.

8. Mutual reduction of military forces and tensions along the Demilitarized Zone, with the possibility of a drawback accompanied by the placement of a neutral peacekeeping force.

9. A phased reduction of United States military forces as confidence is restored and other guarantees for peace in the region are assured.

CALLS upon the United States Government to seek to facilitate and provide support in all appropriate ways for the achievement of the conditions above, and specifically;

1. To share U.S. financial resources with the United Nations, the International Red Cross and other agencies acceptable to both North and South Korea, which are working to assist in the reunification of Korean families, if requested.

2. To support and facilitate negotiations between North and South Korea for an enforceable and mutually verifiable reduction of military forces on the peninsula, including the question of United States military presence there, and for the increased cooperation and eventual reunification of the Korean people, without prejudice as to whether those negotiations take place at the level of two powers, three powers, four powers or multi-powers.

3. To initiate its own discussions with the Democratic People's Republic of Korea on ways to reduce tension and improve and normalize diplomatic and trade relations.

4. To seek to negotiate with the Soviet Union a moratorium on the introduction of new missles in the region, including the Tomahawk, SS 20 and SS 25.

5. To consider a temporary suspension of large scale military maneuvers in the Korean peninsula and the Northeast Asia region in an attempt to reduce tension and provide impetus to progress through the efforts called for in these recommendations.

CALLS upon the United Nations to undertake a major review of the Korean situation, exploring ways by which the United Nations can facilitate and assist the reconciliation process, including the possible transfer of the international peacekeeping role from the United States to a neutral peacekeeping team.

REQUESTS the Moderator, in consultation with appropriate agencies and councils of the General Assembly, to appoint a special committee of not more than ten Presbyterians to visit The Democratic People's Republic of Korea and The Republic of Korea specifically to seek more adequate understanding and insight on perspectives and issues concerning reconciliation and reunification in

0273

Korea. Assistance in planning and conducting the visitation shall be provided by members and staff of appropriate General Assembly agencies, in consultation with Presbyterian partner bodies in Korea; and a full report of the findings, together with appropriate recommendations shall be made to the 199th General Assembly (1987) or the earliest succeeding General Assembly possible.

The financial requirements for such a Special Committee of the General Assembly of ten persons would be approximately $40,000, assuming that the committee has one organizational meeting and also completes the visit to North and South Korea by December 31, 1986. The total is based on a trip of approximately 3 weeks total duration, travel through Beijing to reach North Korea, and use of church-owned hostel facilities in South Korea. It also assumes travel following the end of the "high season" in September. The total does not reflect group discounts for travel and accomodations that might be available.

The budget of the Office of the General Assembly contains an item to support Special Committees authorized by General Assembly. The financial requirements for this particular committee would exceed the average estimated for a single committee because of the unique factor of travel to the two Koreas. Whether the costs would exceed the total amount budgeted for new special committees would depend upon how many others are authorized by the 198th General Assembly (1986).

DIRECTS the Stated Clerk to communicate this resolution to the governments of the Republic of Korea and the Democratic People's Republic of Korea, the President of the United States, the Secretary of State of the United States, the Senate Committee on Foreign Relations, the House Committee on Foreign Affairs, the Secretary-General of the United Nations, the General Secretary of the World Council of Churches, the World Alliance of Reformed Churches, the Christian Conference of Asia, National Council of Churches of Korea, and appropriate church leaders in Korea.

The financial requirements for communication to such a small number of persons or groups (50 at most) are negligible and are provided in the general budget of the Stated Clerk for correspondence.

0993Y
2.11.86

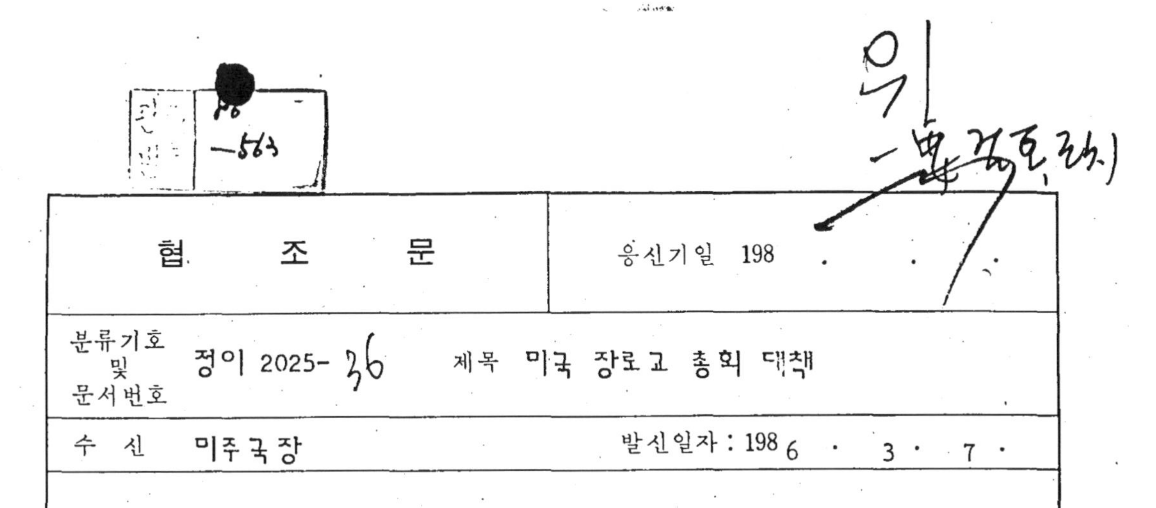

협 조 문	응신기일 198 . . .
분류기호 및 문서번호 정이 2025-36	제목 미국 장로교 총회 대책
수 신 미주국장	발신일자 : 1986 · 3 · 7 ·

1. 안기부는 별첨 전언통신문을 통하여 미국 장로교 교회 사회 자문위원회 소속 Smylie 목사가 제 198차 미 장로교 총회 (86.6.10-18. Minneapolis개최 예정)에 상정을 추진중인 "남북한 화해및 통일관련 결의안"에 대한 당부의 검토 의견과 문제점및 국내외 대책 방안등을 회보하여 줄 것을 요청하여 왔읍니다.

2. 동 결의안에는 북한에 대한 선교 문제와 함께 주한 미군문제, 군사훈련 문제등 한반도 정세관계와 아국 국내문제등이 포함되어 있는바, 동건에 관한 조치는 귀국에서 시행함이 적절할 것으로 사료됩니다.

3. 상기 결의안에 대한 당국의 검토의견및 대책 방안을 별첨과 같이 송부하니 참고 바랍니다.

첨 부 : 1. 안기부 전언통신문 1부.
2. 검토의견및 대책방안 1부. 끝.

정 보 문 화 국 장

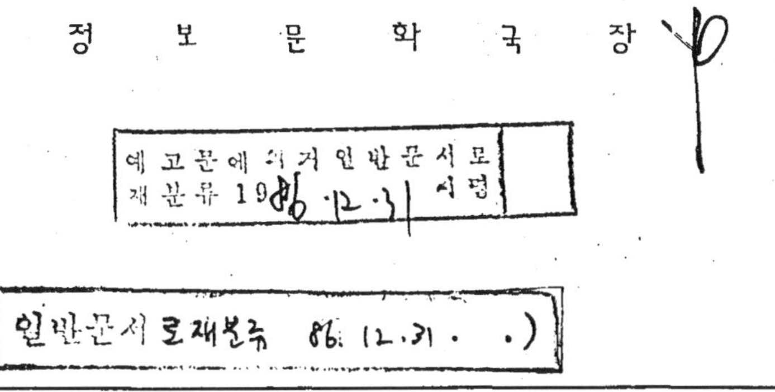

예고문에 의거 일반문서로 재분류 1986.12.31 서명

일반문서로 재분류 86.12.31. .)

1205-8A
1981. 12. 1 승인

190mm×268mm(인쇄용지(2급)60g/m²)

0275 가 33-41 1984. 10. 10.

관리번호 86/612

0276

협 조 문	응신기일 198 . . .

분류기호 및 문서번호 정이 2025- 26　　제목 미국 장로교 총회 대책

수 신 미주국장　　발신일자 : 1986 · 3 · 7 ·

1. 안기부는 별첨 전언통신문을 통하여 미국 장로교 교회 사회 자문위원회 소속 Smylie 목사가 제 198차 미 장로교 총회 (86.6.10-18. Minneapolis 개최 예정)에 상정을 추진중인 "남북한 화해및 통일관련 결의안"에 대한 당부의 검토 의견과 문제점및 국내외 대책 방안등을 회보하여 줄 것을 요청하여 왔읍니다.

2. 동 결의안에는 북한에 대한 선교 문제와 함께 주한 미군문제, 군사훈련 문제등 한반도 정세관계와 아국 국내문제등이 포함되어 있는바, 동건에 관한 조치는 귀국에서 시행함이 적절할 것으로 사료됩니다.

3. 상기 결의안에 대한 당국의 검토의견및 대책 방안을 별첨과 같이 송부하니 참고 바랍니다.

첨 부 : 1. 안기부 전언통신문 1부.

2. 검토의견및 대책방안 1부. 끝.

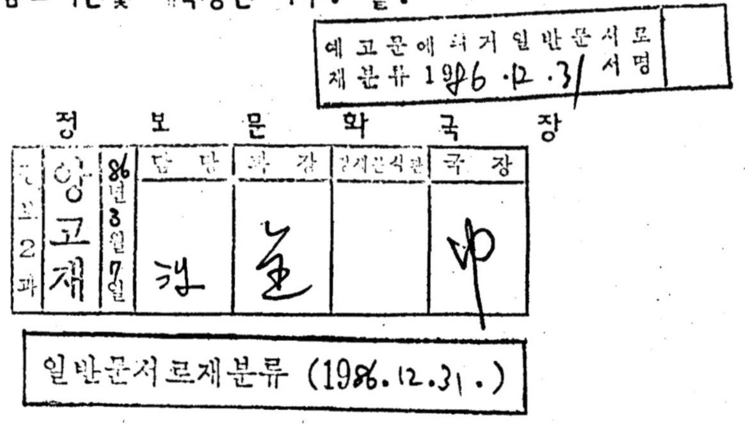
예고문에 의거 일반문서로 재분류 1986.12.31 서명

정 보 문 화 국 장

문화2과	양고재	86년 3월 7일	담당	과장	심의관	국장

일반문서로재분류 (1986.12.31.)

1205 - 8A
1981. 12. 1 승인

190mm×268mm(인쇄용지(2급)60g/m²)
가 33 - 41 1984. 10. 10.

전 언 통 신 문

('86. 2. 28. 13:00)

송화자 : 3국 북미과 송서기관　　　　수화자 : 정보 2 과장

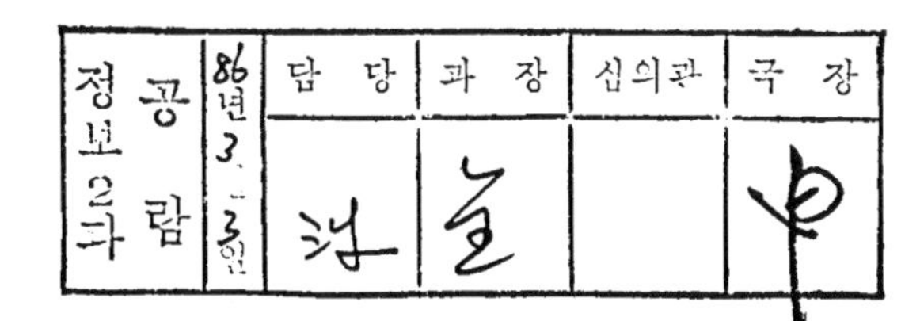

정보2과 공람	86년 3. 3일	담 당	과 장	심의관	국 장

분류 : 북미 400-121

발신 : 안기부장

수신 : 외무장관

제목 : 미 장로교 총회 대책

1. 최근 미장로교 교회사회자문위원회는 스마일리 목사 주도하에 반한 친북의 정치적 색채가 강한 소위 남북 민족 화해및 통일 문제 논의를 위한 보고서를 작성, '86.6.10-18 Minneapolis에서 개최 예정인 제 198차 미 장로교 총회에 상정, 채택을 시도하고 있음.

2. 동 보고서는 종교적 차원을 벗어나 아국을 군사 정권 국가로 규정하고 아국의 외채문제와 부의 편재를 왜곡, 부각시키는 한편, 3자회담 미-북괴간 대화추진, 군사훈련 중지등을 주장하는등 북괴 노선및 주장에 영합하는 내용이 포함되어 있어 이에 대한 대책이 요망됨

3. 상기와 관련, 첨부 보고서 내용에 대한 귀부 검토 의견과 문제점및 국내외 대책 방안등을 3.8한 통보 바람

(상기 보고서는 금일 연락관편 송부 예정). 끝.

0277

미 국 장 로 교 총 회 대 책

1. "남북한 화해및 통일관련 결의안"검토 의견

가. 동 결의안은 남북한 상호 불가침 조약 체결, 남북한의 유엔 동시 가입, 남북한 고차승인및 이산가족 재회 추진등 아측의 통일방안과 부응하는 내용을 포함하고 있는 반면, 다음과 같은 북한측 주장과 일치내지 아국에 불리한 내용도 다수 포함되어 있음

나. 문 제 내 용

1) 미국 장로교단에 대한 요구

ㅇ 이산가족 재결합 노력에 관계되는 기관 (남북한)에 적절한 경제적 기여

ㅇ 북한지역내의 교회 재건설을 위한 경제적 지원 방안 연구

ㅇ 미장로교 대표단 (10명)의 남북한 방문 추진

2) 한반도 정세에 관한 결의

ㅇ 주한 미군의 단계적 감축 진행

0278

3) 미국 정부에 대한 요청

ㅇ 이산가족 재결합을 위해 노력하는 남북한 양측 기관들에 대한 미국의 재정적 지원

ㅇ 주한 미군을 포함하는 한반도 군사력 감축을 위한 남북한간의 회담 지원

ㅇ 북한과의 대화 시도 요청

ㅇ 한반도와 동북아 지역에서의 대규모 군사훈련 보류

4) 유엔에 대한 요청

ㅇ 국제 평화유지군의 역할을 미군으로부터 중립국의 평화 유지군으로 이전하는 가능성 검토

5) 한반도 정세 배경 설명

ㅇ 한국내 외채문제, 빈부격차및 노동운동 탄압 비난

~~ㅇ 아국을 군사정권으로 규정~~

ㅇ 북한의 독립성및 자립성 강조

2. 대 책 방 안

가. 기본 방향

ㅇ 85.3. 관계부처회의에서 수립된 기본방침에 따라 미 장로교 총회에 결의안이 상정되지 않도록 유도하며, 불가시에는 최소한 아측에 불리한 부문의 수정 또는 삭제 추진

0279

o 결의안 저지를 위한 한국정부의 적극적 개입이 표출될시 종교문제에 대한 개입이라는 불필요한 물의를 야기시킬수 있는바, 국내 장로교계 인사및 재미 한국인 목사들을 활용함

o Smylie결의안의 효과를 상쇄시키기 위해 아측에 유리한 결의안의 상정 문제도 검토함

나. 방 안

o 국 내

- 미 장로교 총회 참석 아측 대표단에게 결의안의 문제점을 상세히 설명, 협조를 구함

- 총회에 참가하는 장로교 예장파및 기장파 각 인사가 완전히 합심하여 통일된 우리 입장을 강력히 주장하도록 유도함

o 해 외

- 85년 제 197차 총회에 대비, 기구성 되어있는 주미지역 대책반의 임무를 강화함

• 대상공관 : 주미, 뉴욕, 라성, 시카고, 상항, 시애틀, 아틀란타 공관

• 구 성 : 공관장, 공보관, 파견관

• 임 무 : 관할 지역내 목사활동 순화및 활용, 총회동향수집 보고, 기습상정대비동향 파악

- 장로교 총회에 참석하는 미국인 목사에게 아측 통일방안 설명및 협조 요청

0280

미 국 장 로 교 총 회 대 책

1. 경 위

ㅇ 미국장로교 교회사회자문위원회 소속 "스마일리"(Robert D. Smylie) 목사는 86. 6. 10-18간 Minneapolis에서 개최 예정인 제 198차 미장로교 총회에 한국문제 결의안을 상정할 예정임.

ㅇ 동인은 동 결의안을 85.6. 제 197차 총회에 상정하려 하였으나 계획을 변경, 금번 총회에 상정할 계획임.

ㅇ 동 결의안 상정에는 재미교포인 이승만 목사 (미 북장로교 선교부 동북아담당 총무)와 김인식 목사 (미 남장로교 동북아담당 총무)가 관련되어 있음.

2. 결의안 내용

ㅇ 동 결의안은 남북 대화 추진, 남북한 교차승인및 유엔 동시가입등 아측 주장이 반영되어 있는 반면, 아래와 같은 문제 내용이 포함되어 있음.

ㅇ 문 제 점

- 미-북한간 대화 촉구

- 주한 미군 철수

0281

- 한국의 외채문제, 부의 편재및 노동운동 탄압 비난
- 동 결의안의 이행을 위한 미 장로교 대표단의 남북한 파견

3. 대 책 (85년도 총회 대비 수립)

o 안기부 (3국), 문공부 (종무실), 통일원 (남북대화 사무국), 청와대및 외무부등 관계 부처 협의, 결정

o 대 책

- 총회에 결의안이 상정되지 않도록 유도하며, 불가시에는 최소한 아측에 불리한 부문의 수정 또는 삭제 추진
- 대책 수행은 국내 장로교계 지도자를 앞세워 추진하며 정부의 직접적인 개입인상은 불식함
- 주미 지역 공관에 대책반을 구성, 재미목사 활동 순화및 총회 동향 수집등을 담당함

0282

남북한 화해 및 통일 관련 결의안

0283

남북한화해 및 통일 관련 결의안

교회사회 자문위원회는 하기와 같은 배경 설명 요약과 남북한 화해 및 통일 관련 결의안을 제198차 총회(1986)에 제출하며 동 배경 설명 요약에 대한 연구가 이루어지고 결의안이 채택될 것을 권고하는 바이다.

예수 그리스도를 통해 이루신 하나님의 화해는 지상의 모든 정치체제가 지켜 나가야 할 국가간의 평화, 정의, 그리고 자유의 바탕이 되고 있읍니다. 더더우기 교회는 적대관계를 종식시켜 나가고 실질적인 정치 행위를 담당하고 있는 각국 정부에게 상호 협력과 평화를 위한 노력을 촉구해 나가야 할 사명이 있읍니다. 이러한 노력에는 지역분쟁의 기회를 줄이고, 국제적 상호 이해의 폭을 넓혀 나가기 위해 때로는 국가안보적 차원의 위험 부담을 각오하고라도 모든 분쟁관계를 초월하는 참신하고도 책임있는 관계를 각 국가가 추구해 나갈 것이 요구되는 것입니다.

– 1967년도 신앙고백서중에서

우리가 살고 있는 세계의 선과 악이 얽혀 있는 복잡다단한 여러가지 문제를 손쉽고도 신속하게 해결할 수 있는 길이란 없읍니다. 두려움은 믿음으로, 증오는 신뢰로, 적대감은 화해로, 불의는 정의를 행하는 것으로 극복되어져야 할 것입니다. 이러한 여러가지 도전들을 받아들이는데 있어서 우리는 우리 자신들만의 힘과 지혜에 의존하는 것이 아니라 하나님의 놀라우신 은총에 힘입고 있으며, '사람들이 동에서 부터 서로, 북으로 부터 남으로 올 것이며 하나님 나라 식탁에 앉을 것이로다'라는 성서의 말씀에 담긴 소망으로 기꺼워 하고 있읍니다. 하나님의 나라에 대한 약속은 역사에 대한 세속적인 기대를 넘어서서 우리들의 희망을 채워주고 있읍니다. 우리들의 희망은

1

0284

지상의 어떤 특별한 정치체제나 그 해결책에 있지 아니하고 하나님 나라에 있읍니다. 그러나, 하나님의 나라에 대한 바로 그러한 희망은 우리로 하여금 정의가 최대로 이루어져 나갈 수 있도록 특별한 정치적 투쟁을 수행해 나가도록 촉구하고 있읍니다.

—'평화를 이룩하는 것은 믿는자의 소명'중에서
(1980년도 192차 미장로교총회 회의록에서 게재)

— 배경설명 —

한반도의 분단 상황은 제2차 세계대전의 비극적 유산 가운데 하나이다. 독일의 경우와는 달리, 한반도는 주변국에 대한 정치적 군사적 위협 또는 적대국이라는 이유로 분단된 것이 아니었다. 오히려 한반도는 30여년간이나 일본에게 점령당하고 있었으며, 비록 일본군국주의체제가 한반도를 병참기지화하였으나 전쟁기간중에도 한국민들은 끊임없이 일본의 지배에 항거하였던 것이다. 1945년 8월 소련은 연합국측과 협의한대로 일본에 선전포고, 한반도에 군대를 파병하였으며 한달이 채 지나지 않아 일본군은 무장해제를 당하였다. 이후 전개된 한반도의 정국은 연합국간에 체결된 협의와 미.소 양국의 현지 상황 변동에 대한 기민한 대처의 결과에 영향을 받게 되었으며, 이로 말미암아 미.소 양국의 정책적 의도가 무엇이었던간에 그리고 어느 시점에서 그러한 정책이 형성되었던지간에 관계없이 한반도의 땅과 그곳에 살고 있는 사람들은 분단 상태에 처하게 되었으며 현재까지 그러한 상황이 계속되고 있는 것이다.

2

0285

1943년도 초, 한반도문제는 연합국간에 체결된 전후 점령지역 처리에 관한 협정과 그 계획의 일부에 포함되어 있었다. 이는 미.소간에 협의된 사항으로서 한국민들이 자치적으로 자신들의 정부를 운영해 나갈 수 있는 준비가 현저히 인정되기까지 잠정적 신탁통치를 한다는 것을 골자로 하고 있었다. 종전후의 한반도 군사상황을 기정사실로 하고, 미국은 소련에게 한반도를 38도선을 경계로 분할할 것을 제의하였으며 소련은 이 제안을 받아들이게 된다. 미국은 종전후의 태평양 지역 안보에 한반도가 심대한 중요성을 가지고 있음을 분명히 확신하고 있었으며 한반도 동해안 지역에 대한 전략적 이해를 갖고 있음이 분명한 소련이 한반도 전체를 일방적으로 점령해 버리지는 않을까 하는 우려를 하고 있던 터였다.

이러한 이중적 점령과 신탁통치안은 이를 한국인 자치 능력 부재라는 모욕적 주장으로 받아들인 한국 국민들의 거센 반발에 부딪힌다. 양대강국은 한국이 오랜 세월동안 통합과 독립성을 유지해 왔으며, 1945년전까지 항일 독립투쟁을 벌인 역사가 있음을 간과해 버렸던 것이다. 또한 상해 임시정부 수립을 통해 독립운동을 전개해 온 한국 지도자들의 정치적 위치를 미군정 당국이 인정하려들지 않았을 뿐만이 아니라, 점령 미군에 대한 여하한 일체의 반대표시는 한반도 전체를 손아귀에 넣겠다는 소련의 사주를 받은 기도로 단정해 버린 사실로 말미암아 한국 국민들은 군정 반대 움직임을 치열하게 전개하였다.

이제 한반도의 분단은 종전후 등장한 양 대강국이 각기 전략적 이익에 따라 점령한 지역을 지키려는 노력을 경주하면서 급속히 고착상태로 빠져들게 되었다. 미.소 양국은 남북한 각 지역에서, 그들의 목표에 부합되는 지도자를 선택, 그들이 수반이 되는 행정체제를 발전시켜 나갔다. 1948년 유엔감시하의 선거기도가 수포로 돌아가자 미국은 남쪽에 대한민국

0286

정부수립을 지원, 이를 한반도내의 유일한 합법정부로 인정하고 만다. 미국 유학생 출신이며, 미국의 지원을 받은 이승만 박사는 새로이 탄생한 대한민국의 초대 대통령이 된다. 반면 북한지역에서는 오랫동안 공산당 활동을 해 왔으며 소련의 지지를 받는 김일성이 조선 민주주의 인민 공화국의 수반이 된다. 이로써 한반도의 분단은 공식화되고 '냉전'이 진행되기시작한다. 한국 국민들은 또다시 그들의 운명을 스스로 결정할 수 있는 기회를 박탈당하고 만 것이었다.

남북간의 긴장은 각기의 정부수립이 완료되면서 즉각적으로 형성되기 시작하였다. 1950년 6월 북한은 남침을 개시, 한국전이 발발하게 된다. 미국과 16개 참전국들은 북한군이 남한지역 전체를 거의 점령해 나가자 즉각 대한민국 군대에 합류, 연합군을 구성하게 된다. 연합군의 반격으로 한반도 북단 경계선까지 밀려 올라간 북한군에는 중화인민공화국 군대가 대거로 합류 참전한다. 이 전쟁 과정에서 소련은 북한측에 막대한 물량적 지원을 하는 반면 군사적 개입은 시도하지 않았다.

12개월간에 걸친 치열한 전투에서 한반도는 일진일퇴의 격전을 거듭, 피폐해질대로 피폐해진다. 비록 1951년 휴전이 합의되나 이후 2년간의 휴전 협정 협의 기간중에도 전투는 끊이지 않아 백만명이 넘은 사상자가 추가로 발생한다. 3년간의 한국전에서의 사상자는 전체 6,350,267명을 헤아리며 이중 민간인 3,670,995명, 남북 양측 전사자 1,599,609명, 중국군 921,836명, 유엔참전군 157,827명의 피해가 있었다.

1953년 휴전 협정 조인에도 불구하고 남북간의 적대 분위기는 여전하였으며 38도선을 경계로 한 비무장지대에서의 계속적인 긴장과 무력 충돌사태가 한반도 상황을 점철하고 있었다. 남북 양 체제는 군사비 지출로 경제적 부담을 안고 있는바, 남북한 각기 즉시 전투에 투입할 수

0287

있는 백만이상의 병력을 소유, 세계 제5, 6위에 달하는 규모의 군대를 유지하고 있다. 미국은 한국에 대한 최초의 공약을 지키기 위하여 현재까지 군대를 한국에 주둔시키고 있으며 핵무기로 무장되어 있다. 소련은 대한민국을 겨냥한 핵 미사일을 한반도 접경에 배치하고 있으며 따라서 한반도는 미.소 양국의 세계적 규모의 핵 전쟁을 촉발할 수 있는 국제적 화약고가 되어 버렸다.

따라서 한반도의 분단이 가지는 그 의미와 영향은 한반도 자체의 비극적 상황으로만 그치는 것이 아니게 된 것이다. 한반도의 분단은 태평양지역 4대 강국, 즉 일본, 중국, 소련, 미국의 정치군사정책과 4대국간의 관계에 영향을 미치는 것이며, 이 분단으로 한국은 환태평양 지역에서 급속히 진행되고 있는 역동적 경제관계에 진입하는데 어려움을 겪고 있는 것이다. 분단상태가 지속되는한 환태평양 지역에서의 경제발전 상황은 계속적인 불안정과 위협의 요소를 지니고 있게 된다. 분단 상태에서 파생되는 적대관계를 종식시키려는 한반도내의 민족화해와 종국적인 통일을 위한 움직임은 한국인들과 이 지역의 안정된 정치 경제 발전 및 세계평화에 상당히 긍정적 이익을 가져다 줄 것이다. 그러므로 미국내의 기독교 공동체가 모든 적절한 수단을 통해 한국의 문화적 유산과 부합하는 통일을 위해 노력하는 한국 기독교인 및 여타 한국인들을 지원하는 것이야말로 긴급한 과제이며, 또한 미국내 기독교 공동체가 남북 양측의 화해를 가로막고 있는 외적 장애를 제거하는 노력을 경주하는 것은 중대한 일이다. 왜냐하면 이는 수많은 장애의 요인이 소련과의 국제적 대결이라는 관점에서 전략적 이해를 저울질 하고 있는 미국으로 말미암아 비롯되고 있기 때문이다.

0288

5

긴장완화를 위한 사태 진전은 적어도 다음과 같은 2가지 역동적 관계로 인해 어려움을 겪고 있는바, 그 첫째는 남북한 양 당사자의 문제로서 각 당사자는 각기 관계 정상화 노력을 저해하는 분쟁과 분단 상태를 심화시켜 왔으며 따라서 화해와 통일을 위한 노력을 추구한다는 것은 거의 불가능하게 보였다. 1948년 이후 양쪽 정치 경제 구조는 그 전체적 결과의 유사성에도 불구하고 심각한 차이를 보이게 되었다.

상이한 모델에 따른 사회발전을 추구했음에도 불구하고 대한민국과 조선 민주주의 인민공화국 모두 고도의 권위주의적 정치 패턴을 형성하게 되었다. 대한민국의 경우 현재 기본적으로 권위주의적인 정치체제 제3기를 맞고 있다. 즉 제1기, 이승만체제 1948-1960, 제2기 박정희 체제 1961-1980, 제3기 전두환 체제 1980-현재까지로서 박정희와 전두환 체제는 군사정권에 기반을 두고 있으며, 세 정권 모두 미국의 강력한 지원하에 체제 유지를 하여 왔다. 반면, 서구 자본주의 체제와 연결을 맺고 있는 한국 정부는 이를 바탕으로 여러가지 방법으로 미국으로 부터의 독립성을 보이고 있다. 조선 민주주의 인민공화국은 70대에 이른 김일성의 근 40년에 걸친 독재적 지배하에 놓여 있으며, 그는 그의 아들 김정일을 중심으로 하는 정치 권력 계승 작업을 진행하고 있다. 조선 민주주의 인민공화국이 분명한 공산주의 세계의 일부이며, 소련에게 중요한 차원에서 의존하고 있는 실정이긴 하나 소련과 중국으로 부터 상당한 정도의 독립성을 유지하면서 자립적인 체제를 수립하여 오는데 괄목한 성공을 거두어 왔다.

경제적으로 볼때 남북 양측은 한국전 이후 폐허 위에서 각기 다른 모델에 따라 중요한 산업능력을 발전시켜 왔다. 사유 제 자유경쟁 체제를 채택한 대한민국의 경우 상당한 정도의 정부 개입에도 불구하고 수출 주도형 경제정책을 통해 급속한 경제성장을 가져 왔다. 이러한 경제성장은 미국으로 부터의 정부 또는 개인 차원의 외화를 막대하게 사용, 그 결과

0289

아시아지역 최대 채무국이 되었다. 경제성장의 과실은 균등히 배분되지 않았으며, 노동운동은 가혹하게 탄압받고 있고 경제는 세계통화 및 경제 변동에 몹시 좌우되고 있다. 조선 민주주의 인민공화국은 중앙 통제 계획 경제모델에 따라 중공업 분야의 발달, 경제 및 농업 분야의 자립, 외부 원조에 의존을 제한하는 정책을 강조하여 왔다. 이러한 정책 추구가 고도의 경제자립 및 주목할만한 성장을 결과시켜 왔으나, 이는 고도로 통제되고 억압된 사회와 에너지 자원 및 새로운 기술발전에 제한된 접촉을 야기한 국제적 고립이라는 댓가를 치루고 이루어진 것이었다.

남북한 양 체제의 경제가 군사비의 막중한 부담을 같이 안고 있으나 상대적으로 평가해 볼때 소련이나 중국으로 부터 거의 원조를 받고 있지 않는 북한측의 부담이 더 클 것이다.

이러한 양측의 40여년간의 상이한 경제 정치 발전은 당연히 각 사회의 교육, 사회 및 문화 부문에 반영되어 있다. 비록 양측이 동일한 언어를 사용하고 동일한 역사적 과거를 공유하고 있다 할지라도 이제까지의 상이한 발전 과정은 민족화해와 통일된 한반도의 미래를 추구해 가는데 있어서 기본적으로 상이한 현실을 인식해야 할 필요를 제기하고 있다.

화해와 한반도 재통합을 위한 노력의 전진을 어렵게 하고 있는 두번째 요인은 한반도가 현재에도 미.소간의 국제 대치의 현장이 되고 있다는 점에 있다. 어떤 의미에서 또한 어느정도로는 한반도 민족화해와 재통합은 미.소 양국의 전략적 이해의 볼모로 되고 있다. 적어도 1946년 이후 계속해서 미국은 소련을 미국의 국제적 이익에 대한 심각하고도 지속적인 위협 내지는 국제평화와 안정을 해치는 존재로 간주하고 있다. 1949년 중국내의 공산주의 세력의 승리와 한국전내의 중국 군대 개입마저도 동북아시아에서의 소련세력의 팽창이 이루어진 한 증거로 인식하고 있는 것이다. 중국은

0290

7

소련과 분명한 마찰관계를 보이는 부분이 있으며 이로 인해 그들 독자적인 체제를 발전시켜 왔고, 동시에 미국과의 관계 개선에 대해 현저한 소망을 표시해 왔던 것이다. 결국 미국은 이에 대해 호의적인 반응을 보였고 실질적으로 중국과 외교 및 경제관계를 재수립하는 중대한 조처를 취하였던 것이다. 그러나 이러한 사태 진전에도 불구하고 한반도의 교착상태를 종식시키고 조선 민주주의 인민공화국과의 관계 개선을 위해서는 이와 유사한 노력을 전혀 하고 있지 않아 왔던 것이다. 그 이유는 아마도 태평양 지역내의 소련 세력 팽창을 저지시킬 필요가 있다는 미국의 확신에 있다고 할 것이다. 결국 남한의 미군 주둔은 소련 영토와 그 군사시설물이 있는 지역에서 얼마 멀지 않는 동북 아시아에서의 소련의 팽창기도를 견제하는 물리적 기반을 미국에게 제공하고 있는 것이다. 이에 소련은 일본과 한국에 있는 미국 군사기지와 함께 동북 태평양 지역내의 미국 군사력 배치를 소련의 국가안보와 국제적 이해를 분명히 위협하는 존재로 받아들이고 있다.

또한 애초 1950년 북한의 침공에서 남한을 수호하려는 것으로 비롯된 유엔의 조처는 오히려 전쟁 상태를 장기화, 여전히 유엔의 깃발 아래 미국은 분단 당사자중 일방(남한)과 동맹 관계를 맺었던 것이다. 이러한 사실로 유엔은 실질적으로 효과있게 그 권한내에서 화해와 통일을 위한 여타의 활동을 할수 없게 된 것이다. 이는 유엔의 활동을 지원하고 있는 모든 사람들에게 우려가 되고 있으며, 한반도내의 상호 적대관계의 영속화는 한국 민족이나, 평화를 유지하는 것뿐만이 아니라 평화를 창출해 나갈 것을 사명으로 하는 유엔의 입장을 이롭게 한다기 보다는 양 대강국의 전략적 이해에 봉사하는 결과를 지속시켜 나갈 것이다.

0291

- 한반도 문제에 대한 미국 교회의 관심 -

한반도 문제에 대해서 미국 교회가 관심을 갖는 이유는 여러가지로 설명될 수 있다. 우선 두가지가 가장 기본적인 것으로서 첫째 한반도 지역에 정의와 함께 영속적인 평화가 수립되기를 바라는 소망이 있기 때문이다. 한반도가 여전히 풀리지 않는 분쟁속에 놓여 있고, 한국에서는 남침에 대한 공포로, 북한에서는 미국의 핵무기에 대한 공포로 긴장 관계가 첨예화되고 있는한 미.소 양 강대국간의 핵 대결을 촉발시킬 수 있는 갈등의 잠재력은 항상적으로 존재하고 있게 되는 것이다. 평화와 정의에 관심을 가지고 있는 사람들은 누구나 할 것없이 긴장관계를 첨예화시키고 전쟁의 위협을 증가시킬 수 있는 한반도 지역에서의 계속적인 군사력 증강 정책에 반대를 하는 것을 포함하는 모든 가능한 수단을 동원해서 한반도 지역의 남북한 화해를 위해 노력해야 할 것이다. 두번째 이유로서는 남북 양측에 그들의 책임으로 이루어진 것이 아닌 국제적 갈등으로 인해 오랫동안 고난을 받아 왔던 한국 국민들이 그들의 행복의 증진을 위한 진정한 소망을 갖고 있기 때문이다.

나라의 분단으로 가족이 떨어질 수 밖에 없는 상황에 놓여 있는 사람들이 한반도에는 약 천만명을 넘고 있다. 따라서 상호 문호를 개방시킴으로서 헤어진 가족들을 재결합 시킬수 있는 방법을 찾고, 여러가지 다른 방법을 통해서 민족 화해와 이산가족 재결합을 실현시킬수 있는 양측 당국의 보다 개선된 관계를 촉진시키기 위한 수단을 강구하는 것은 긴급한 일인 것이다. 인도주의적인 견지에서 이산가족의 결합을 추진하는 일은 매우 중요한 일로서 이는 한국전 이후에 가족과 헤어진 세대의 많은 수가 나이가 들어가고 따라서 이들에게 속히 재상봉의 기회가 주어지지 않는다고 한다면 그들이 그들의 사랑하는 이산가족과 다시 만나기 전에 죽고말 것이라는 점을 상기할 필요가 있다.

0292

9

미국 교회는 또한 양쪽 체제의 민주화와 사회 발전이 진행될 수 있는 환경을 조성하기 위한 점에도 관심을 가지고 있다. 남쪽 북쪽할 것 없이 한국의 국민들은 그들의 기술과 에너지 그리고 자원을 현재 존재하고 있는 군사적 대치에 탕진하기 보다는 그들 전체를 위한 보다 개선되고 보다 자유로운 사회를 건설하는데 쓸 수 있는 기회를 가져야 할 것이다. 이미 밝힌 바와 마찬가지로 오스트레일리아로 부터 시작해서 필리핀에 이르기까지 그리고 홍콩에서 한국에, 중국에서 대만, 일본과 미국에 이르기까지의 지역을 일컫는 환태평양 지역은 현재 대단히 중요한 경제 경쟁지역으로 부상되고 있다. 환태평양 지역내의 경제발전 상황에 한국이 참여할 수 있는 충분한 잠재력은 한반도 지역 내에서 현재도 진행되고 있는 갈등과 분단 상황으로 말미암아 저해받고 있으며, 또한 이 지역 발전 역시 내부적으로 존재하고 있는 불안정으로 인해 위협을 받고 있다.

앞서 이미 지적한 바와 같은 여러가지 장애의 요인에도 불구하고 미국 교회는 상황이 개선될 수 있다는 희망의 조짐을 보고 있다. 비록 그러한 노력들이 때로는 일시적이거나 또는 좌절되기도 했지만 지난 6년동안 이루어진 남쪽과 북쪽간의 여러가지 노력에 대해서 주목하고 감사를 표하는 것은 중요한 일이다. 남북 양 당사자들은 분단으로 말미암아 이뤄진 양쪽의 거리를 좁힐 수 있는 여러가지의 제안과 노력들을 행하여 왔는데 수차에 걸쳐서 이러한 조처들은 정치적인 사건이나 또는 상호 상대방쪽의 저의에 대한 의심의 결과로 아무런 효과를 거두지 못한 경우도 있지만 이러한 양쪽의 노력들은 계속 진행되고 있다. 소련 전투기에 격추된 007 칼기 사건과 랑군에서의 대한민국 정치 인사들의 폭탄 암살 사건과 같은 일들이 발생했음에도 불구하고, 최근 희망의 조짐이 나타나고 있다. 1984년 한국의 대홍수때 북한은 홍수 희생자들을 위해 지원 제공을 제의했고, 한국은 북측의 제의를 이례적으로 수락했다. 1985년 초 남북

10

0293

경제회담이 시작되었다. 더욱 고무적인 것은 적십자회담을 통해 이루어진 합의의 결과로 제한적인 예술단 교환 공연 및 50명의 남북 이산가족 상호 방문이 1985년 가을 실현되었다.

한국의 기독교 특히 한국 장로교에 의하여 이루어진 가장 고무적인 조치중의 하나는 남북한 화해를 위한 노력의 일환으로 미 장로교의 협조적 지원을 요청한 것이다. 오랜 기간동안의 종교 탄압에 대한 부산물이지만 북한에도 소수의 장로교 신자가 존재하고 있다는 증거가 있다. 그 자체가 북한이 점차 종교에 대해 관대해져 가고 있는 증거이다. 1950년 이래 최초로 1983년에 찬송가 및 신약성서 번역물이 인쇄되었다.

1984년에는 구약성서가 출판되었다. 비록 작기는 하지만 이러한 희망적 조짐에서 볼때 미 장로교 및 그 신자들이 한국민의 화해와 재통일을 이룩하는데 충분한 협조를 한다는 것은 분명히 상서로운 일이다. 또한 미 장로교회가 남북간의 장벽을 깨고 한국의 화해와 통일을 이룩하는 방향으로 미국의 정책과 그 시행을 유도하는 것도 분명히 상서로운 일이다.

- 결의안 -

1967년도 신앙 고백서는 다음과 같이 선언하고 있다. 예수 그리스도를 통해 이루신 하나님의 화해는 지상의 모든 정치 체제가 지켜 나가야 할 국가간의 평화, 정의, 그리고 자유의 바탕이 되고 있읍니다. 더더우기 교회는 적대관계를 종식시켜 나가고, 실질적인 정치 행위를 담당하고 있는 각국 정부에게 상호 협력과 평화를 위한 노력을 촉구해 나가야 할 사명이 있읍니다.

0294

총회에서 채택된 평화를 이룩하는 것은 믿는 자의 소명이라는 문서는 교회가 세계 평화를 위해서 국가의 도덕적 생활을 향상시키는 책임을 지니고 있다고 밝혔다. 또한 선포하기를 하나님의 은총으로 말미암아 우리 모두는 평화와 정의를 위해서 투쟁하는 모든 사람들과 함께 공동 투쟁을 할 것이며, 이를 통해서 고난을 겪고 있는 이 세상에 하나님의 사랑을 드러내는 작업을 펼치게 되는 것이라고 하였다.

대한민국과 조선 민주주의 인민공화국이라는 두 개의 대립된 사회체제로 분할된 한국 민족의 분단은 국제적 긴장의 원인과 한국 민족의 불행의 원인이 되고 있다.

한반도 분할의 원천적 당사자로서, 대한민국의 주요한 군사동맹국으로서, 또한 주요한 무역 파트너로서 미국은 긴장을 완화시키고 화해를 촉진시키는 일에 특별한 책임과 의무를 갖고 있다.

서구의 영향력에 대한 한국의 문호개방과 오랜 세월동안의 일본에 의한 점령 그리고 뒤이은 수십년의 한반도 분단에 이르기까지의 기간을 포함하는 선교 100주년을 1984년도에 기념한바 있는 미국 장로교는 한국민의 평화, 화해 및 정의에 관해 특별한 관심을 갖고 있다.

1983년도 195차 총회에서는 한반도에 살고 있는 한국민들의 정의와 화해로 평화를 증진하고 또한 가족들의 재결합을 지원하기 위해 한국 교회 당사자들과의 협의 아래 북한 주민에 대한 가능한 선교 기회와 관계를 발전시키기 위해서 장래에도 교회적 차원의 노력을 경주할 것을 확인하였다.

아시아 기독교 협의회, 세계 교회 협의회는 한국인의 화해와 통일을 지원하기 위한 특별한 희망적 조처를 취한바 있다. 즉 1984년도 10월 29일에서 11월 2일에 걸쳐 일본 동경근교 토잔소 국제센타에서 20여개국 65명의 교회

12

0295

지도자가 참석한 가운데 회의를 소집, 전세계 기독교인들이 인류 공동체의 삶속에서 특히 한국문제에 있어서 눈에 보이는 뚜렷한 일치를 형성, 예수 그리스도안에서 우리 모두가 하나임을 확인하자고 하였다.

◎ 따라서 1986년도 198차 미국 장로교 총회가 아래와 같은 사항을 결의하기를 희망한다.

한반도와 동북아시아 모든 지역에서 긴장이 감소되고, 남북한 양측에 지워지고 있는 군사적 부담이 해소되며, 양측이 화해하여 평화적이고도 정의로운 조건하에서 영원한 통일을 이룰수 있기를 중보 기도할 것을 제안한다.

우리의 나라 미국, 그리고 우리가 그 일부인 교회가 한국 민족들을 어려움에 처하게 하고 있는 비극적 분단과 갈등을 만들고 영속화 시킨 과정에 연루되었음을 회개하는 기도를 할 것을 제안한다. 이 비극적인 분단은 이를 치유할 창조적인 조치를 요구하고 있다는 현실을 인정한다.

세계교회 협의회, 세계 개혁 교회 연맹, 아시아 기독교 협의회, 한국교회 협의회 및 미국 교회 협의회등을 비롯한 각 기관을 통해 한반도 민족 화해를 지원하기 위한 초교파적 노력을 기울일 것을 천명하는 동시에 장로교회 소속 각 담당 관련기관 및 위원들은 계속적인 협력과 지원 그리고 참여로 노력할 것을 확증하는 바이다.

미국 장로교 총회 소속에 다음과 같은 목적을 수행할 적절한 기구를 설치할 것을 요구한다.

즉,

1. 한국의 분단과 갈등을 초래시킨 역사와 상황, 현재의 한국 정황 및 지역적 상황, 그리고 개인적 사회적 차원에서 화해의 긴급한 필요를

13 0296

연구하고 이해하는 것을 고무

2. 한국내 기독교인, 특히 화해와 통일을 위해 노력하고 있는 한국 장로교회 주도적 노력에 참여하고 협조
3. 이산가족 재결합 노력에 관계되는 기관에 적절한 경제적 기여 V
4. 기회가 있다면 전쟁으로 파괴된 북한지역내의 교회 재건설을 위한 물질적 경제적 원조를 미국 장로교와 그 소속원들이 마련할 수 있는 수단을 연구해 나가며, 이 연구를 위해 한국 장로교회들이 함께 참여해 줄 것을 요청 V

이러한 조치들을 이행하는데 필요한 재정적 필요는 선택된 특별한 수단에 따라 할당된 우선 순위의 수준에 따라 어떤 경우에는 가용할 수 있는 기회에 따라 변할수도 있다. 모든것은 기능상 선교부의 점진적인 지침과 기획내에서 이루어지며, 정규 계획 및 예산 과정에서 조정될 수 있다.

또한 다음과 같은 조처가 한반도의 민족 화해와 평화를 이룩하는데 중요한 공헌을 할 것으로 확신한다.

1. 정규 전기통신 개설 및 우편 협정을 포함하는 남북간 직접 대화 창구를 수립한다.
2. 남북 양당국에 공개적으로 접근할 수 있는 적십자사나 중립적 입장에 있는 유엔기관 통제하에 이산가족의 소재지, 확인, 접촉과 관계 촉진을 위한 이산가족 재결합 센타를 설치한다.
3. 문화, 체육, 예술 및 학문 분야에서의 프로그램과 활동을 교환한다.
4. 경제 교역 관계를 수립한다.
5. 대한민국과 조선 민주주의 인민공화국간에 우호 및 상호 불가침 조약을 포함하는 휴전 상태에 있는 한국전을 종식시키는 공식적 조약 관계를 성립시킨다.

14

0297

6. 분단의 묵인이 아니라 국가통일을 달성하기 위한 중요한 조치로서 남북한 양측을 동시에 유엔에 가입시킨다.

7. 남북한중 일방만 인정하고 있는 정부에게 현존하고 있는 남북한 양 정부를 외교적으로 인정하도록 하는 작업을 벌인다.

8. 비무장지대에 군사력과 군사적 긴장을 상호 감소시키며 중립적인 평화군 배치로 군대를 철수시킨다.

9. 상호 신뢰가 회복되고 이 지역내의 평화 확보를 위한 여타 조처가 확실히 이루어지면 미군의 단계적 감축을 진행시킨다.

미국 정부에게 위와 같은 조건들이 적절한 방법으로 성취될 수 있도록 협조를 요청하는 동시에 특히

1. 이산가족 재결합을 위해 노력하는 남북한 양측 모두에게 받아들여질 수 있는 유엔과 국제적십자기구 및 기타 기관들에게 미국의 재정적 지원을 제공한다.

2. 남한에 주둔하는 미군 문제를 포함하는 실행 가능하고, 상호 확인이 가능한 한반도내 군사력 감축을 위해 회담 구성(2자, 3자, 4자, 다자회담)에 관계없이 한국민의 협조를 증대시키고 궁극적으로 통일 달성을 위해 남북한간의 회담을 지원하고 촉진시킨다.

3. 긴장을 줄여나가고 외교 미 고역관계 개선과 정상화를 위한 방법을 찾기 위해 조선 민주주의 인민공화국과 대화를 시도할 것을 요청하며

4. Tomahawk, SS-25, SS -20 를 포함한 신종 미사일을 이 지역내에 들여오는 일에 대한 일시적 중지를 소련과 타협할 수 있도록 촉구한다.

5. 도한 긴장을 감소시키고 이러한 제안에 요구되는 노력을 통해 이루어질 사태 진전에 활력을 주기 위해서 한반도와 동북아시아 지역에서의

15

0298

대규모 군사 작전을 보류해 줄 것을 요청하는 바이다.

ⓑ 국제평화 유지군의 역할을 미국에서 부터 중립국으로 구성된 평화 유지군으로 이전시킬 것을 포함하는 즉, 유엔이 화해 노력을 촉진하고 지원할 수 있는 방법을 강구할 수 있는 한국 상황에 대한 중요한 전반적 검토 작업을 유엔이 수행할 것을 요청한다.

ⓒ 총회장에게는 총회 산하의 적절한 담당기관과 위원회의 상의를 거쳐 10인의 장로교인으로 구성된 특별위원회를 선정, 남북한을 방문케 하며 특별히 남북의 화해와 재통합에 관한 여러가지 관점 및 문제점에 대한 보다 적절한 이해와 통찰력을 얻을 수 있도록 조처를 취해줄 것을 요구한다. 방문 계획과 그 수행에 대한 협조는 한국의 장로교 기구와 상의를 하여 총회 기구의 담당위원과 스탭진에 의하여 마련되어야 하며, 문제 해결을 위한 적절한 제안사항을 포함하는 총 보고서는 1987년도 199차 총회 또는 총회 이후 가능한 빠른 기일안에 작성 제출되어져야 한다.

이와같은 10명을 위한 총회의 특별위원회의 재정은 이 위원회가 조직적인 회합을 갖고, 1986.12.31까지 남북한을 방문한다면 약 4만불이 소요될 것이다. 총액수는 약 총 3주간에 걸쳐 북경을 통해 북한을 방문하고 한국에서는 교회 소유 시설을 사용한다는데 기초한 것이다. 남북한 방문은 9월말 이루어질 것이다. 총 경비는 여행시의 단체 할인이나 이용 가능한 시설을 고려한 것이 아니다.

총회 예산에는 총회가 승인한 특별위원회를 지원하기 위한 항목이 포함되어 있다. 본 특별위원회의 재정은 남북한을 방문한다는 특별한 요인때문에 한 위원회에 배당되는 평균 재정을 초과할 수 있다.

16

0299

방문 비용이 새로운 특별위원회에 할당된 총 예산액을 초과할 수 있느냐의 여부는 198차 총회(1986)의 승인 여하에 달려 있다.

총회 총서기는 본 결의를 대한민국 정부와 조선 민주주의 인민공화국 미 합중국 대통령, 미 국무장관, 상하 외교위원회, 유엔 사무총장, 세계 교회 협의회 사무총장, 세계 개혁교회 연맹, 아시아 기독회의, 한국 교회 협의회 한국내 관계 교회 지도자들에게 송부할 것을 총회는 명한다.

이와 같은 소수 인원이나 단체(50명)의 통신을 위한 재정 요구는 무시해도 좋으며, 재정적 문제는 총회 서기의 통신을 위한 일반 예산에서 제공된다.

0300

17

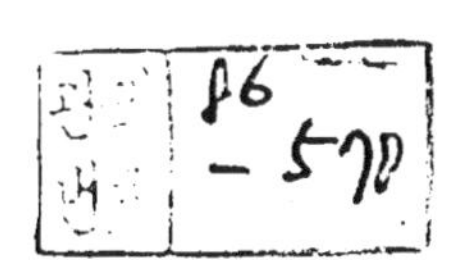

기 안 용 지

분류기호 문서번호	미북 700- (전화 :)	시 행 상 특별취급	
보존기간	영구·준영구. 10. 5. 3. 1.	장	관
수 신 처 보존기간			
시행일자	1986. 3. 10.		

보조기관		협조기관		문 서 통 제
국 장				1986. 3
심의관				
과 장				
기안책임자	위성락			발 송 인

경 유 수 신 참 조	국가안전기획부장 3국장	발신명의	
제 목	미 장로교 총회 대책		

1. 북미 400-121(86.2.28)의 관련입니다.

2. 상기로 요청하신 미국 장로교 교회사회 자문위원회의 보고서에 대한 당부 검토의견과 대책방안을 별첨 송부합니다.

첨 부 : 상기 검토의견 및 대책방안 1부. 끝.

예 고 : 1986.12.31.일반.

예고문에 의거 일반문서로 재분류 1986.12.31. 서명

1505-25(2-1) 일(1)갑
85. 9. 9. 승인

190mm×268mm 인쇄용지 2급 60g/㎡
40-41·1985. 10. 29.

미국 장로교 총회대책

1. "남북한 화해 및 통일관련 결의안" 검토의견

가. 동 결의안은 남·북한 관계에 있어 중립적이고 객관적인 입장을 취하려는듯이 보이나 남북한 상호 불가침조약 체결, 남북한의 유엔 동시가입, 남북한 교차승인 및 이산가족 재회 추진등 아측의 통일방안과 부응하는 내용과 함께 다음과 같이 북한측 주장과 일치내지 아국에 불리한 내용도 포함되어 있음.

나. 문제내용

가 1) 미국 장로교단에 대한 요구

- 이산가족 재결합 노력에 관계되는 기관(남북한)에 적절한 경제적 기여

- 북한지역내의 교회 재건설을 위한 경제적 지원 방안 연구

- 미 장로교 대표 단~~(10명)~~의 남북한 방문추진

나 2) 한반도 정세에 관한 결의

- 주한미군의 단계적 감축 진행

0302

3) 미국 정부에 대한 요청

o 이산가족 재결합을 위해 노력하는 남북한 양측 기관들에 대한 미국의 재정적 지원

o 주한 미군을 포함하는 한반도 군사력 감축을 위한 남북한간의 회담 지원

o 북한과의 대화 시도 요청

o 한반도와 동북아 지역에서의 대규모 군사훈련 보류

4) 유엔에 대한 요청

o 국제 평화유지군의 역할을 미군으로부터 중립국의 평화 유지군으로 이전하는 가능성 검토

5) 한반도 정세 배경 설명

o 한국내 외채문제, 빈부격차및 노동운동 탄압 비난

o 북한의 독립성및 자립성 강조

2. 대 책 방 안

가. 기본 방향

o 85.3. 관계 부처회의에서 수립된 기본방침에 따라 미 장로교 총회에 결의안이 상정되지 않도록 유도하며, 불가시에는 최소한 아측에 불리한 부문의 수정 또는 삭제 추진

0303

ㅇ 결의안 저지를 위한 한국정부의 적극적 개입이 표출될시 종고문제에 대한 개입이라는 불필요한 물의를 야기시킬수 있는바, 국내 장로교계 인사및 재미 한국인 목사들을 활용함

ㅇ Smylie 결의안의 효과를 상쇄시키기 위해 아측에 유리한 결의안의 상정 문제도 검토함

나. 방 안

ㅇ 국 내

- 미 장로교 총회 참석 아측 대표단에게 결의안의 문제점을 상세히 설명, 협조를 구함
- 총회에 참가하는 장로교 예장파및 기장파 각 인사가 완전히 합심하여 통일된 우리 입장을 강력히 주장하도록 유도함

ㅇ 해 외

- 85년 제 197차 총회에 대비, 기구성 되어있는 주미지역 대책반의 임무를 강화함
  - 대상공관 : 주미, 뉴욕, 라성, 시카고, 상항, 시애틀, 아틀란타 공관
  - 구 성 : 공관장, 공보관, 파견관
  - 임 무 : 관할 지역내 목사활동 순화및 활용, 총회동향수집 보고, 기습상정대비동향 파악
- 장로교 총회에 참석하는 미국인 목사에게 아측 통일방안 설명및 협조 요청

0304

- 사태추이에 따라 필요시주 미대사가 Smylie 등
  관계자를 접촉하는 방안도 고려. 끝.

0305

미 장로교 총회 대책 검토 요청에 대한

의 견 회 신

1986. 3.

국 토. 통 일 원

0306

1. 의 견

1. 2페이지 33행 - 35행

Dr. Syngman Rhee, an American-educated Korean supported by the United States, was elected by the Congress of the Republic of Korea to be the leader of the new nation.

미국 유학생출신이며 미국의 지지를 받은 이승만박사는 새로 태어난 대한민국 초대 대통령이된다.

의 견 :

남한의 민족적 정치지도자들과 국민으로 부터 추대받고 미국의 지지를 받은 이승만박사는 새로 태어난 대한민국의 초대 대통령이 되었다.

2. 3페이지 33행 - 37행

It is also imperative that the Christian community in the United States seek diligently to remove the external obstacles to the reconciliation of the peoples of the two Koreas, since so many of those obstacles arise form the per-

- 1 -

0307

ceived strategic interests of the United States in its global confrontation with the Soviet Union.

또한 미국내 기독교 공동체가 남북양측의 화해를 가로막고 있는 외적장애를 제거하는 노력을 경주하는 것은 중대한 일이다. 왜냐하면 이는 수많은 장애의 요인이 소련과의 국제적 대결이라는 관점에서 전략적 이해를 저울질하고 있는 미국으로 말미암아 비롯되고 있기 때문이다.

의 견 :

또한 미국내 기독교 공동체가 남북양측의 화해를 가로막고 있는 외적장애를 제거하는 노력을 경주하는 것은 중대한 일이다. 왜냐하면 이는 수많은 장애의 요인이 남북한의 유엔동시가입, 4대강국의 교차승인과 같은 남북한간의 화해와 공동의 국제적 진출을 반대하고 있는 소련으로 말미암아 비롯되고 있기 때문이다.

3. 3페이지 38행 - 43행

Progress toward reducing tensions is made very difficult

- 2 -

0308

because of at least two sets of dynamics which are at work, each complicating the other. The first set involves the two immediate parties, the two Koreas. Each in its own way has perpetuated the conflict and the division, hampering the development of even relatively normal relations and making pursuit of reconciliation and reunification seem almost impossible.

긴장완화를 위한 사태진전은 적어도 다음과 같은 두가지 역동적 관계로 인해 어려움을 겪고 있다. 그 첫째는 남북한 양 당사자의 문제이다. 각 당사자는 각기 관계정상화 노력을 저해하는 분쟁과 분단상태를 심화시켜 왔으며 따라서 화해와 통일을 위한 노력을 추구한다는 것은 거의 불가능하게 보인다.

의 견 :

긴장완화를 위한 사태진전은 적어도 다음과 같은 두가지 역동적 관계로 인해 어려움을 겪고 있다. 그 첫째는 남북한 양 당사자간의 문제이다.

전 한반도를 공산화하려는 기도로 마치 일본이 진주만을 기습공격했듯이 1950년 6월 25일 일요일 새벽에 북한이 전면적인 무력

남침을 감행했던 한국전쟁은 미소 간의 막후 협상으로 3년후 휴전이라는 형태로 종결되었다. 그러나 이 전쟁은 적어도 남한국민에게는 북한에 대한 뿌리깊은 경계심과 불신을 심는 결과를 가져왔다. 대한민국 정부를 전복하고 남한을 공산화하려는 북한의 노력은 1968년 대한민국 대통령 관저 습격사건, 130여명의 무장게릴라 침투 사건, 70년대 남북 대화 기간중에 파내려온 휴전선 일대의 남침용 땅굴 사건, 83년 버마에서의 대한민국 대통령 암살기도 사건등 그 뒤로도 수없이 반복 계속되었다. 70년대초부터 남북한간에는 대화를 통한 관계 정상화와 화해 노력이 전개되었으나 이러한 사실들로 말미암아 경계심과 불신은 쉽사리 풀리지 않고 있으며 따라서 화해와 통일을 위한 노력을 추구한다는 것은 매우 어렵게 보여지고 있다.

4. 3페이지 43행 - 4페이지 3행

Since 1948, profound differences have developed in their respective political and economic structures, although overall results have been similar in many ways.

Although the societies have developed following different

- 4 -

0310

models, both the Republic of Korea and the Democratic People's Republic of Korea have produced highly authoritarian political patterns. The Republic of Korea is now in its third fundamentally authoritarian government: Syngman Rhee, 1948-1960; Park Chung Hee, 1961-1980; Chun Doo Hwan, 1980-present. The last two have come from the military and all three have been staunchly supported by the United States. While clearly aligned with the Western capitalist bloc, the government of the Republic of Korea has demonstrated its independence from the United States in various ways.

1948년 이후 양쪽 정치경제구조는 그 전체적 결과의 유사성에도 불구하고 심각한 차이를 보이게 되었다. 상이한 모델에 따른 사회 발전을 추구했음에도 불구하고 대한민국과 조선민주주의 인민공화국 모두 고도의 권위주의적 정치패턴을 형성하게 되었다.

대한민국의 경우 현재 기본적으로 권위주의적인 정치체제 제 3기를 맞고 있다. 즉 제 1기 이승만체제 1948 - 1960, 제 2기 박정희체제 1961 - 1980, 제 3기 전두환체제 1980 - 현재까지로서 박정희와 전두환체제는 군사정권에 기반을 두고 있으며 세정권 모두 미국의 강력한 지원하에 체제유지를 하여왔다. 반면 서구 자본주의

체제와 연결을 맺고 있는 한국정부는 이를 바탕으로 여러가지 방법으로 미국으로 부터의 독립성을 보이고 있다.

의 견 :

1948년 이후, 미소의 군정이 종식되고 각각 독자적인 정부가 수립되자 남북한의 정치경제구조는 극히 대립적이며 대조적인 차이를 보이게 되었다.

대한민국은 서구의 자유민주주의 이념과 자본주의 제도를 받아들였으나 북한은 소련의 스타린식 공산주의 이념과 제도를 받아들였다.

대한민국은 건국이후 오늘에 이르기까지 적지않은 시행착오를 경험하기는 하였으나 기본적으로 3권분립, 다원적 정당정치, 자유경쟁선거에 의한 의회구성등 민주주의의 본질에 입각한 정치발전을 도모해 왔다.

5. 4페이지 5행 - 10행

Although the Democratic People's Republic of Korea is

clearly part of the communist world, and dependent in significant ways on the political patronage of the Soviet Union, it has sought with considerable success to build a self-reliant system with significant independence from both the Soviet Union and the People's Republic of China.

조선민주주의 인민공화국은 분명히 공산주의 세계의 일부이며 소련에게 중요한 차원에서 의존하고 있는 실정이긴 하나 소련과 중공으로 부터 상당한 정도의 독립성을 유지하면서 자립적인 체제를 수립하여 오는데 괄목할 성공을 거두어 왔다.

의 견 :

북한은 공산권내에서도 가장 폐쇄적이며 스탈린 주의적 독재 정책을 추구하고 있다. 북한은 외교적으로 독자노선을 전개하고 있는 듯이 보이고 있으나 실제로는 군사 및 경제면에서 소련과 중공에게 크게 의존하고 있다.

6. 4페이지 16행 - 20행

It has used external capital extensively, both governmental and private largely from the United States, and as a result has the largest external debt burden in Asia.

Benifits from this development have been unevenly distributed, the labor movement has been severely suppressed and the economy is heavily dependent on world financial and economic cycles.

이러한 경제성장은 주로 미국으로 부터의 정부 또는 개인차원의 외화를 막대하게 사용, 그 결과 아시아지역 최대의 채무국이 되었다.

경제성장의 과실은 균등히 배분되지 않았으며, 노동운동은 가혹하게 탄압받고 있고 경제는 세계통화 및 경제변동에 몹시 좌우되고 있다.

의 견 :

60년대 이래 불과 25년사이에 저개발국에서 중진국으로 부상한 한국의 이러한 고도경제성장은 자원, 기술, 자본이 없이 전쟁의 폐허 위에서 이룩되었다는 점에서 경이의 대상이 되고 있으며, 자유민주주의와 사회주의 중 어느것을 선택할것인가를 망설이고 있는 아시아.아프리카 개발도상국가들에게 그들의 장래를 선택하는데 있어서 매우 귀중한 모델이 되고 있다.

외채가 많은 나라에 속하는 것은 사실이나 최근 국제수지의 개선

- 8 -

0314

과물가안정 그리고 급속한 기술개발등을 고려한다면 남한은 세계

어느 외채국가 보다도 건실하고 신뢰할만한 경제발전 국가라는 것이

국제금융시장의 일반적인 평가이다.

7. 4페이지 27행 - 30행

While both economies carry a heavy burden of military costs, the relative burden may well be higher in the north because it receives little assistance from the Soviet Union or the People's Republic of China.

남북한 양 체제의 경제가 군사비의 막중한 부담을 같이 안고 있으나 상대적으로 평가해볼때 소련이나 중공으로 부터 거의 원조를 받고 있지 않는 북한측의 부담이 더 클 것이다.

의 견 :

남북한 양 체제의 경제가 군사비의 막중한 부담을 같이 안고 있 있으나 상대적으로 평가해 볼때 경제총량(GNP)면에서 남한의 1/5 도 안되는 북한측의 부담이 훨신 더 클 것이 확실하다.

0315

8. 4페이지 39행 - 40행

In a sense and ~~to some~~ degree, Korean reconciliation and reunification are held hostage to the strategic interests of the two super-powers.

어떤 의미에서 또한 어느 정도로는 한반도 민족화해와 재통합은 미소 양국의 전략적 이해의 볼모로 되고 있다.

의 견 :

한반도의 평화와 통일을 달성하기 위해서는 한반도의 분단과 한국 전쟁에 직접, 간접으로 책임이 있는 관계국 가들이 남북한에 대하여 호혜적으로 선린 우호관계를 발전시켜 나가고 동시에 남북한의 화해와 통일에 유리한 환경을 조성하도록 서로 협력해야한다.

9. 4페이지 51행 - 5페이지 3행

........, but has made no similar effort toward ending the stalemate on the Korean peninsula or toward the Democratic People's Republic of Korea. The reasons for that may well lie in continuing conviction of a need to resist Soviet expansion into the Pacific.

- 10 -

0316

그러나 이러한 사태진전에도 불구하고 한반도의 교착상태를 종식시키고 조선민주주의 인민공화국과의 관계개선을 위해서는 이와 유사한 노력을 전혀 하고 있지 않아 왔던 것이다.

그 이유는 아마도 태평양 지역내의 소련세력 팽창을 저지시킬 필요가 있다는 미국의 확신에 있다고 할 것이다.

의 견 :

한편 미국은 이와함께 남북한의 유엔동시가입 및 교차승인, 남북한을 포함한 미.중공 4개국회담 또는 미.중.소.일 6개국회담 개최 등을 제의하면서 한반도 문제에 대해서도 화해와 교착상태의 해결을 위한 노력을 경주하였다.

그러나 교착상태의 해결이나 화해보다 전 한반도의 공산화통일을 더 중시하고 있는 북한은 중공과는 달리 미국의 이러한 제의들을 거부했으며 중공과 이해관계를 달리하고 있는 소련도 이러한 북한의 태도를 지지 하였다.

그결과 아시아 지역에서는 미.중공간의 관계정상화와 활발한

0317

상호교류라는 새로운 진전이 있음에도 불구하고 한반도에서 만은 여전히 '냉전상태'가 그대로 지속되고 있는 것이다.

10. 5페이지 3행 - 8행

United States military presence in Korea, after all, provides the United States with a barrier to any such expansion, on the mainland and not too distant from Soviet territory and installations. The Soviet Union obviously perceives the military presence of the United States in the Northeast Pacific, with bases in Japan and Korea, as a clear threat to its own national security and international interests.

결국 남한의 미군 주둔은 소련영토와 그 군사시설물이 있는 지역에서 얼마 멀지 않는 동북아시아에서의 소련의 팽창기도를 견제하는 물리적 기반을 미국에게 제공하고 있는 것이다.

이에 소련은, 일본과 한국에 있는 미국 군사기지와 함께 동북 태평양 지역내의 미국군사력 배치를 소련의 국가안보와 국제적 이해를 위협하는 존재로 받아들이고 있다.

의 견 :

0318

- 12 -

결국 남한의 미군주둔은 전한반도를 공산화 하려는 북한의 모험적인 기도를 견제하는 동시에 동북 아시아에 대한 소련의 팽창기도를 아울러 견제하는 물리적 기반을 제공하고 있는 것이다.

11. 5페이지 9행 - 19행

The situation is further complicated by the fact that what began as a United Nations action to protect South Korea from an invasion by North Korea in 1950, has evolved into a protracted conflict in which the United States, still flying a United Nations flag, has concluded an alliance with one of the two parties to the division. This fact, in itself, effectively precludes the United Nations from other activity within its mandate which might contribute to the process of reconciliation and reunification. It is a matter of concern to all who support the work of the United Nations that any perpetuation of the conflict in Korea tends to serve the strategic interests of the superpowers rather than those of the Korean people or the United Nations, whose mandate calls it to be not only a peacekeeper, but also a peacemaker.

또한 애초 1950년 북한의 침공에서 남한을 수호하려는 것으로 비롯된 유엔의 조치는 오히려 전쟁상태를 장기화, 여전히 유엔의 깃발아래 미국은 분단 당사자중 일방(남한)과 동맹관계를 맺었던 것이다. 이러한 사실로 유엔은 실질적으로 효과있게 그 권한내에서 화해와 통일을 위한 여타의 활동을 할 수 없게 된 것이다. 이는 유엔의 활동을 지원하고 있는 모든 사람들에게 우려가 되고 있으며, 한반도내의 상호 적대관계의 영속화는 한국 민족이나, 평화를 유지하는 것 뿐만이 아니라 평화를 창출해 나갈 것을 사명으로 하는 유엔의 입장을 이렇게 한다기 보다는 양대 강국의 전략적 이해에 봉사하는 결과를 지속시켜 나갈 것이다.

의 견 :

1950년 북한의 침략으로 부터 한국을 보호하기 위한 유엔의 결의에 따라 한반도에 파견된 유엔군은 아직도 유엔의 깃발아래 그 곳에 주둔하고 있다.

주한미군을 주축으로 하는 유엔군의 존재는 1953년 휴전성립 이래, 지금까지 북한의 직간접적인 침략위험을 효과적으로 억제해 왔으며 이지역의 전쟁억제와 평화유지에 실질적으로 기여하는

- 14 -

0320

역할을 수행하였다.

만약, 북한과 그의 동맹국들이 남한에 대한 침략의 기도 - 이른바 '남조선혁명' 노선 - 를 버리고 화해와 공존의 길을 선택한다면 이지역의 평화유지를 목적으로 하는 유엔군의 임무는 조속한 시일내에 효과적으로 종결 될 수 있을 것이다.

유엔은 비단 평화를 유지하는 것 뿐만 아니라 평화를 창출해내는데도 마땅히 관심을 돌려야 하며 이를 위해서는 이 지역의 분쟁과 갈등의 원천인 '침략의 기도'를 억제토록 하고 화해와 공존, 그리고 창조적인 건설의 방향으로 나가도록 적극 권장 해야 할 것이다.

12. 5페이지 24행 - 31행

As long as Korea remains in a state of unresolved conflict, with tensions exacerbated in the South by fear of invasion and in the North by fear of the United States nuclear presence, there remains the potential for a conflict that could trigger nuclear confrontation between the superpowers. All who share the concern for peace and justice must be working toward reconciliation by every possible means, including opposition to the continued militarization

0321

of the region, which exacerbates the tensions and increases the danger.

- 한반도가 여전히 풀리지 않는 분쟁속에 놓여 있고, 한국에서는 남침에 대한 공포로, 북한에서는 미국의 핵무기에 대한 공포로 긴장관계가 첨예화 되고 있는한 미소 양 강대국간의 핵대결을 촉발시킬 수 있는 갈등의 잠재력은 항시적으로 존재하고 있게 되는 것이다.

평화와 정의에 관심을 가지고 있는 사람들은 누구나 할 것 없이 긴장관계를 첨예화 시키고 전쟁의 위협을 증가시킬 수 있는 한반도 지역에서의 계속적인 군사력 증강정책에 반대를 하는 것을 포함하는 모든 가능한 수단을 동원해서 한반도 지역의 남북한 화해를 위해 노력해야할 것이다.

의 견 :

북한이 그들의 이른바 '남조선 혁명'노선을 포기하지 않고 남북한간의 평화적 공존을 수락하지 않는한 한반도 지역에는 전쟁재발의 위험이 사라지지 않으며 긴장완화와 분쟁해결도 불가능하다.

그것은 곧 미소 양 강대국간의 핵대결을 촉발시킬 수 있는 갈등의

0322

잠재력이 항시적으로 존재하고 있다는 것을 의미하는 것이다.

평화와 정의에 관심을 가지고 있는 사람들은 누구나 할 것 없이 긴장관계를 첨예화시키고 전쟁의 위협을 증가시키는 것을 반대해야 하며 아울러 가능한 모든 수단을 동원해서 북한의 문호개방을 포함한 남북한 화해를 위해 노력해야 할 것이다.

13. 6페이지 31행 - 33행

The emergence of that evidence itself is a reason to hope that there may be growing tolerance of religion in the north.

그 자체(소수의 장로교 신자가 존재하고 있다는 사실)가 북한이 점차 종교에 대해 관대해져가고 있는 증거이다.

의 견:

북한이 점차 종교에 대해 관대해져가고 있는지는 아직 불확실하다. 그러나 그 자체(소수의 장로교 신자가 북한에 존재해 있다는 사실)는 매우 반가운 일이다.

- 17 -

0323

14. 9페이지 7행 - 9행

8. Mutual reduction of military forces and tensions along the Demilitarized Zone, with the possibility of a drawback accompanied by the placement of a neutral peace-keeping force.

비무장지대에 군사력과 군사적 긴장을 상호 감소시키며 중립적인 평화군 배치로 군대를 철수시킨다.

의 견 :

8. 비무장지대 내의 군사시설을 완전철거한 후, 평화이용조치를 강구하고 남북한간에 상호사전 군사훈련 통보, 상호군사훈련 참관, 군비통제 및 균형 감군 등의 과정을 거쳐 점진적으로 군사적 긴장을 감소시켜 나가도록 한다.

15. 9페이지 25행 - 27행

3. To initiate its own discussions with the Democratic People's Republic of Korea on ways to reduce tension and improve and normalize diplomatic and trade relations.

- 18 -

0324

3. 긴장을 줄여나가고 외교관계와 교역관계를 정상화하고 발전시켜나가기 위한 방법을 찾기 위해 (미국이)조선 민주주의 인민공화국과의 직접 대화를 시도한다.

의 견 :

남북한간의 관계개선과 평화정착을 위한 국제환경 조성을 위해 주변국가들이 호혜평등의 원칙하에 남북한에 대해 서로 문호를 개방하고 인적.물적 교류와 협력관계를 증진해나가도록 관계국들과 협의한다.

16. 9페이지 31행 - 34행

5. To consider a temporary suspension of large military maneuvers in the Korean peninsula and the Northeast Asia region in an attempt to reduce tension and provide impetus to progress through the efforts called for in these recommendations.

또한 긴장을 감소시키고 이러한 제안에 요구되는 노력을 통해 이루어진 사태진전에 활력을 주기 위해서 한반도와 동북아 지역

0325

에서의 대규모 군사 기동훈련을 임시적으로 보류해 줄 것을 요청한다.

의 견:

(동 5항을 삭제하고 다음 내용으로 대치하되 4항과 그 위치를 바꾸어 놓는다.)

한반도에서의 긴장완화와 평화보장을 위해 한반도의 분단과 한국전쟁에 직접 간접으로 책임이 있는 국가 즉, 미.일.중.소가 함께 참가하는 다자회담의 개최를 추진하고 남북한에 대한 교차승인 문제를 협의한다.

17. 9페이지 35행 - 39행

Calls upon the United Nations to undertake a major review of the Korean situation, exploring ways by which the United Nations can facilitate and assist the reconciliation process, including the possible transfer of the international peace-keeping role from the United States to a neutral peacekeeping team.

국제평화 유지군의 역할을 미국에서부터 중립국으로 구성된 평화

유지군으로 이전시킴 것을 포함하는 즉, 유엔이 화해노력을 촉진하

고 지원할 수 있는 방법을 강구할 수 있는. 한국 상황에 대한 중요한

전반적 검토작업을 유엔이 수행할 것을 요청한다.

의 견 :

남북한의 유엔 동시가입과 국제 평화 유지군으로서의 유엔군의

역할 해제 등을 포함하는 즉, 유엔이 화해노력을 촉진하고 평화정착

을 확고히 할 수 있는 방법을 강구할 수 있는 한국 상황에 대한

중요한 전반적 검토작업을 유엔이 수행할 것을 요청한다.

18. 9페이지 40행 - 45행

Requests the Moderator in consultation with appropriate agencies and councils of the General Assembly, to appoint a special committee of not more than ten Presbyterians to visit the Democratic People's Republic of Korea and the Republic of Korea specifically to seek more adequate understanding and insight on perspectives and issues concerning reconciliation and reunification in Korea.

총회장에게는 총회산하의 적절한 담당기관과 위원회의 상의를 거쳐 10인의 장로교인으로 구성된 특별 위원회를 선정, 남북한을 방문케하며 특별히 남북의 화해와 재통합에 관한 여러가지 관점 및 문제점에 대한 보다 적절한 이해와 통찰력을 얻을 수 있도록 조치를 취해줄 것을 요구한다.

의 견 :

(상기 사항에 추가하여)

동 방문단에게는 대북한 선교의 가능성 모색의 일환으로 북한에 기독교 신앙의 자유가 허용되고 있는지의 여부를 확인하고 만약 신앙의 자유가 있다면 교세가 어느 정도인지를 파악하며 북한당국이 자유로운 선교활동을 허용할 것인가를 알아보는 특별 임무를 부여한다.

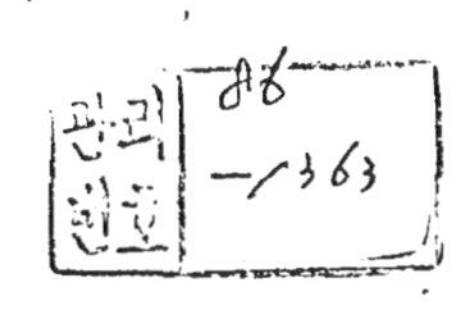

외(91)

*** 착 신 전 보 ****

번 호: CGW-0509　　　　일 시: 60606 1645

수 신: 장　관(정이, 정일, 미북) 사본: 주미대사(중계필)

발 신: 주 시카고총영사

제 목: 미국 장로교 총회(자료응신 제86-18호)

1. 86.6.10 미네아폴리스에서 개막되는 미국 장로교 총회 대비, 당관은 6.5. 총회참석 대표인 반정곤 목사(시카고중부 장로교회)와 접촉한바, 동인은 이스라엘 초청으로 6.15 부터 10일간 성지순례 예정이므로 상기 총회에 참석치 않는다고 함.

2. 동인에 의하면 대신 미국인 목사가 대체될 것으로 알고있으며 따라서 대표단에 시카고 지역에서는 한국계 목사가 포함되어 있지 않다고함.

(총영사 이승곤-국장)

예고: 86.12.31일반

배부처												
장관실		의전실		아프리카국		총무과		청와대	/	재무부		보안사
차관실	/	아주국		국기국		감사관		총리실		해협위		문공부
1차보	/	미주국	/	경제국		공보관		안기부	/	체육부		
2차보		구주국		정문국	Q	외연원		법무부		SLOOC		
기획실		중동국		영교국		상황실		상공부		국방부		

예고문에 의거 일반문서로 재분류 1986. 12. 31 서명

0329

0330

관리 번호	86 -1638

	분류번호	보존기간

발 신 전 보

WCG-0575

번 호: WUS-2724　일 시: 60710 1830　전보종별:

수 신: 주 미 대사·총영사 (사본 : 주 시카고 총영사)

발 신: 장 관 (미북)

제 목: 미국장로교 총회 결과대책

1. 주 시카고 총영사 7.8. 보고에 의하면, 86.6.10-6.17 미네아폴리스에서 개최된 제 198차 미 장로교 총회에서 한국관련 결의안이 거의 수정없이 통과됨에 따라, 미 장로교회는 ~~장차 예산을 확보함과 아울러~~ 동 결의안에 포함되어 있는 대표단의 남북한 방문을 추진할 계획인 것으로 알려지고 있다함.

2. 미 NCC 대표단의 최근 방북후 여사한 미종교인의 방북이 또 다시 이루어지는 경우, 남북 대화가 중단된 현시점에서 대미직접 접촉 확대에만 주력하고 있는 북한에 의해 악용될 우려가 있다고 판단되는 바, 귀관은 주 미총영사회의시 미 NCC 총회대책과 아울러 상기 미장로교 대표단의 방북계획에 대한 대책도 협의하고 결과 보고 바람.

3. 동문제와 관련한 회의자료는 본부에서 작성, 영사교민국장이 지참 예정인바, 동회의 자료에 필요한 일부 수정된 최종결의안의 사본은 주 시카고총영사관과 협조, 귀관에서 준비바람.

(차관대리 박수길)

예고문에 의거 일반문서로 재분류 1986.12.31 서명	

영사교민국장

보안 통제	

앙 고 재	86년 7월 10일	북미과	기안자	과 장	심의관	국 장	1차관보	차 관	장 관

외신과	접수자	통 제

관리번호 86-1610

외 무 부

착 신 전 문

번 호 : CGW-0604　　　일 시 : 607081145　　　별 : 지 급

수 신 : 장 관(미북,정이,정일,기정동문)(사본:주미대사)직송필

발 신 : 주 시카고 총영사

제 목 : 미국장로교총회 (자료응신 제 86-19호)

86.6.10-17 미네아폴라스에서 개최된 제 198차 미장로교총회에서 통과된 한국관련 결의안 및 관련사항을 보고함

1.동 회의에는 한국장로교측에서는 이종성 전회장,김리관 북한선교대책위원장등이 참석,동 결의안에대한 한국교단의 입장을 설명하고 결의안의 일부내용을 수정할것을 요청하였으나 일부 수식어의 삭제등에 그쳤음

2.동 결의안이 통과됨에따라 미장로교회는 장차 예산을 확보함과 아울러 대표단을 북한에 파견할 계획인 것으로 알려짐

3.아국관련 결의안의 통과된 내용상세는 파편 송부하겠으며 사전 배포된 결의안 초안에서 변경된 주요내용은 아래와같음

가. BACKGROUND: 한국의 경제상황 설명중 아시아에서 가장 외채가 많은 국가라는 내용삭제,노동운동이 엄격히 억압되고 있다는 구절에서 엄격히 (SEVERELY) 를 삭제

나. RESOLUTION: 미국정부에 대한 촉구사항 제5항 말미에 남북한이 상호 위협이되는 군사활동을 공히 중지토록 남북한에 요청한다는 내용을 추가

다.유엔에 대한 촉구사항 다음에 별도로 미국 NCC 는 한국의 화합과 통일 및 관련정책 준비를 위해 조사하도록 건의하고 총회의 관련기구는 장로교대표단의 남북한 방문을 지원토록 촉구한다는 내용을 추가함

라.총회의장에게 북한방문을 위하여 10명이내로 구성된 특별위원회를 임명하도록 요구한다는 내용초안에서 10명이내를 삭제하고 북한 방문목적으로 기술한 SPECIFICALLY YO SEEK MORE --- REUNIFICATION IN KOREA 를 삭제함.

(총영사 이승곤-국장)

예고: 86.12.31. 까지

예고문에 의거 일반문서로 재분류 1986.12.31 서명

미주국　차관실　1 차보　정문국　청와대　안 기

PAGE 1

86.07.09 13:35
외신 2과 통제관

0331

관리번호 86-1661

주 시 카 고 총 영 사 관

주시카고 - 61　　　　　　　　　　　　1986. 7. 11.

수신 장관

참조 미주국장, 정보문화국장

사본 주미대사

제목 미국 장로교회 총회

연 : CGW-0604
CGUS-0049

1. 연호 보고와 같이 86.6.10.-17. 미네아폴리스에서 개최된 제 198차 미장로교 총회에서 통과된 한국관련 결의안 내용을 별첨과 같이 보고합니다.

2. 동 결의안의 초안 ("별첨 1")중 변경사항은 "별첨 2" 와 같은바 그내용 아래와 같습니다.

― 아 래 ―

1. Background

- 27. 115중 1) and as a result has the largest external debt burden in Asia 가 삭제됨.
  2) labor movement has been severly suppressed . . . 에서 severely 를 삭제

- 27.116중 highly regimented, repressive society 를 highly regimented and controlled society 로 수정됨. 따라서 초안의 "repressive" 는 삭제됨.

선 결			결재 (공람)	
접수일시	86.7	번호	4174	
처리과				

예고문에 의거 일반문서로 재분류 1986.12.31 서명

0332

2. Resolulion

- 27.137 제 3항 to initiate its own discussions 에서
  ils own 을 삭제
- 27. 137 제 5항 끝에 아래 문구를 추가

  and to invite both North and South 'Korea to join in a similar suspension of military maneuvers that are interpreted as threatening to others.
- 27.138과 27.139 사이에 아래 내용을 삽입

  Commend the National Council of Churches of Christ in the U.S.A. for its initiative in exploring the issues of Korean reconciliation and reunification and the preparation of a proposed policy statement on these issues; and urges appropriate agencies of the General Assembly to support the proposed visit of an ecumenical delegation to North and South Korea.
- 27.139중 not more than 10 을 삭제하고 specifically to seek more adequate . . . reunification in Korea 를 삭제하고 following the visit of the ecumenical delegation 을 추가

첨부 : 1. Resolution on Reconciliation and Reunification in Korea (결의 초안)

2. Catholicity of the Church (토의 결과). 끝.

주 시 카 고 총 영 

0333

15-1

Catholicity of the Church

THE 198TH GENERAL ASSEMBLY OF THE PRESBYTERIAN CHURCH (U.S.A.)

Report of the Assembly Committee on the Catholicity of the Church

55.001-.094
31.282-.294
31.380-.382
CR 86.44
27.104-.143
31.407-.451, OVT 16-86
32.114-.140
46.001-.025
OVT 133-86
19.001-.007, 19.009-.023, 15.168-.171, Com 33-86
21.000-.208
OVT 152-85
OVT 162-86

The Committee recommends that the 198th General Assembly (1986) adopt the following recommendations:

I. Reports of Ecumenical Organizations

A. 55.001-.094, Annual Report of the National Council of Churches of Christ, World Council of Churches, and the World Alliance of Reformed Churches.

1. That 55.001.094 be adopted.

(VOTE: 58-0-0)

II. Ecumenical Participation

A. 31.282-.294, 31.380-.382, Report of the GAMB-PA

1. That 31.283, recommendation concerning the celebration of 150 years of Presbyterian Church participation in ecumenical mission, be adopted.

(VOTE: 57-0-0)

2. That 31.381-.382, on the invitation and election of ecumenical delegates, be adopted.

B. CR 86.44, on celebrating the 40th anniversary of Church World Service, be adopted.

(VOTE: 57-0-0)

III. Korean Relations

A. 27.104-.143, Report of the Advisory Council on Church and Society.

0334

15-2

Catholicity of the Church

1. That 27.104-.142, Background Statement and Resolution on Reconciliation and Reunification in Korea, be adopted with the following amendments:

a. 27.115 to read:

In economic terms, both north and south have developed significant industrial strength following the severe devastation of the war, but again following different models. The Republic of Korea, following a private entrepreneurial model, though with considerable government involvement, has had rapid economic growth, though much of it has been oriented to export industries. It has used external capital extensively, both governmental and private largely from the United States (and as a result has the largest external debt burden in Asia). Benefits from this development have been unevenly distributed, the labor movement has been (severely) suppressed, and the economy is heavily dependent on world financial and economic cycles.

b. 27.116 to read:

...While this has engendered a high degree of economic autonomy and considerable growth, it has been achieved at the cost of a highly regimented (repressive) and controlled society and an isolation which has limited access to new technology as well as energy sources.

c. 27.137 point 3, to read:

To initiate (its own) discussions with the Democratic People's Republic Korea on ways to reduce tension and improve and normalize diplomatic and trade relations.

d. 27.137 point 5, to read:

To Consider a temporary suspension of large-scale military maneuvers in the Korean peninsula and the Northeast Asia region in an attempt to reduce tension and provide impetus to progress through the efforts called for in these recommendations, and to invite both North and South Korea to join in a similiar suspension of military maneuvers that are interpreted as threatening to others.

3. Add a recommendation between 27.138 and 27.139 to read:

Commend the National Council of Churches of Christ in the U.S.A. for its initiative in exploring the issues of Korean reconciliation and reunification and the preparation of a proposed policy statement on these issues; and urges appropriate agencies of the General Assembly to support the proposed visit of an ecumenical delegation to North and South Korea.

0335

Catholicity of the Church

f. 27.139 to read:

Request the Moderator, in consultation with appropriate agencies and councils of the General Assembly, to appoint a special committee of (not more than 10) Presbyterians to visit the Democratic People's Republic of Korea (specifically to seek more adequate understanding and insight on perspectives and issues concerning reconciliation and reunification in Korea) following the visit of the ecumenical delegation...

(VOTE: 56-0-1)

B. 31.407-.451, Report of the GAMB and PA; OVT 16-86

1. That 31.407-.420, Korean Consultation Agreements, be adopted.

(VOTE: 56-0-1)

2. That 31.427-.430, Partnership Agreement between the PC (U.S.A.) and the Presbyterian Church in the Republic of Korea, be adopted.

(VOTED: 56-0-0)

3. That 31.431-.451, Statement on the Reunification of Korea, be adopted.

(VOTE: 56-0-1)

4. That no action be taken on OVT 16-86. (Adoption of B.3. above responds completely to this Overture.)

(VOTE: 58-0-0)

5. That the 198th General Assembly (1986) commend the Advisory Council on Church and Society, the General Assembly Mission Board, and the Program Agency for their initiative, creativity, and sensitivity in these negotiations.

(VOTE: 58-0-0)

IV. Partnership Relations

A. 32.114-.140, Report of the General Assembly Mission Board

1. That 32.117-.140, Mutual Mission Agreement Between the Presbyterian Reformed Church in Cuba and the Presbyterian Church (U.S.A.) be adopted.

(VOTE 58-0-0)

0336

mon criminals and has obtained indictments against them and is prosecuting them in a federal court of law.

27.095

6. Expresses deep concern about the ruling of Judge Earl H. Carroll to bar from consideration in the trial of the sanctuary workers a number of issues central to any reasonable determination of justice in the case, namely religious motivations, the situation of people in El Salvador and Guatemala, and the obligations of the United States government to protect political refugees as delineated in the Refugee Act of 1980 and international agreements such as the United Nations Protocol Relating to the Status of Refugees and the Geneva Convention Relating to the Treatment of Civilians in Times of War.

27.096

7. Reaffirms the protest of the 197th General Assembly (1985) against the clandestine infiltration of church meetings by United States government undercover agents without either warrants or judicial supervision; and affirms the participation of the Presbyterian Church (U.S.A.) in legal action to prohibit any future recurrence of this practice which constitutes a serious threat to the constitutional guarantees of religious freedom and the protection of privacy.

27.097

8. Calls upon the Immigration and Naturalization Service to honor our national commitments under the Refugee Act of 1980, the United Nations Protocol Relating to the Status of Refugees, and the Geneva Convention Relating to the Treatment of Civilians in Times of War, and thereby to observe the principle of "non-refoulement" of refugees from El Salvador and Guatemala which would prohibit returning these refugees to their own country under the present conditions.

27.098

9. Calls upon the President and the Department of Justice to insure that the Immigration and Naturalization Service adheres scrupulously to established laws and procedures that safeguard the rights and welfare of refugees.

27.099

10. Urges the Department of State to grant "extended voluntary departure" status to refugees from El Salvador and Guatemala, and to work with governments in Central America to help achieve greater protections of and better treatment for refugees within Central America.

27.100

11. Urges the Congress of the United States to pass legislation granting extended voluntary departure status to Salvadoran and Guatemalan refugees, which will protect these persons against being deported until it is determined by the United Nations High Commissioner on Refugees that it is safe for them to return to their own country.

27.101

12. Calls upon the present Administration to cease the harassment and prosecution of church workers engaged in humanitarian work with Central American refugees and to redirect its efforts, together with churches and other concerned groups, toward addressing in the most humane way the needs of refugee families and individuals in the country.

27.102

13. Encourages all governing bodies, particularly congregations, to study the plight of Central American refugees in the United States and the origins and the biblical basis of the ministry of sanctuary, and to develop an appropriate response to the needs that have brought this ministry into being.

27.103

14. Calls to the attention of governing bodies and members of the Presbyterian Church (U.S.A.) the continuing need for funds to support the defense of sanctuary workers on trial. Contributions can be sent to:

Treasurer, G.A.M.B.
Sanctuary Defense Fund, # 5-821-03
Presbyterian Church (U.S.A.)
341 Ponce de Leon Ave., N.E.
Atlanta, GA 30365
or to:
Mission Treasury Service
Sanctuary Defense, # 862511
Presbyterian Church (U.S.A.)
475 Riverside Drive, Rm. 905
New York, New York 10115

C. RESOLUTION ON RECONCILIATION AND REUNIFICATION IN KOREA

27.104

The Advisory Council on Church and Society submits the following background summary and resolution on Reconciliation and Reunification in Korea to the 198th General Assembly (1986) and recommends that the background summary be commended for study and the resolution be adopted.

God's reconciliation in Jesus Christ is the ground of the peace, justice, and freedom among nations which all powers of government are called to serve and defend. The church, in its own life, is called to practice the forgiveness of enemies and to commend to the nations as practical politics the search for cooperation and peace. This search requires that the nations pursue fresh and responsible relations across every line of conflict, even at risk to national security, to reduce areas of strife and to broaden international understanding. Confession of 1967 (9.45)

There are no quick or easy answers to the ambiguities and paradoxes of entangled good and evil in which we find ourselves. Fear must be overcome with faith, hate with trust, enmity with reconciliation, injustice with justice. In accepting this challenge we rely not in our own strength or shrewdness but in the surprising grace of God and are buoyed by the vision: "and people will come from east to west, and from north and south, and sit at table in the kingdom of God." (Lk. 13:29.) The promise of the Kingdom of God fulfills our hopes beyond the secular expectations of history. Our hope is in the Kingdom of God and not in any particular political system or solution. That hope, however, invigorates us for the particular political struggles in which approximations of justice can be achieved. "Peacemaking: The Believers' Calling," (*Minutes*, 192nd General Assembly, UPCUSA, 1980, p. 212; 121st General Assembly PCUS 1981, p. 474)

0337

Background

27.105

A divided Korea is one of the tragic legacies of World War II. Unlike Germany, Korea was not divided because it was a threat to anyone or because it was the enemy. In fact, Korea itself had been occupied for over thirty years by Japan. Though Japanese military forces used Korea as a supply base, the main military reality in Korea during the war was continuing Korean resistance to Japanese rule. In August 1945, the Soviet Union entered the war against Japan as had been previously agreed, sending troops into Korea. The war officially ended less than a month later. The events that followed in Korea flowed partly from prior agreement among the Allied powers and partly from expedient reaction by both the United States and the Soviet Union in the immediate situation. Whatever the intention and whenever it was formulated, the land and people of Korea were divided and remain so today.

27.106

As early as 1943, Korea was included in plans and agreements among the allies for dealing with "occupied territories" following the war. This apparently came to include an agreement at some point between the United States and Soviet Union, providing for a temporary trusteeship for Korea during which the Korean people ostensibly were to be prepared to take over the administration of their own country. Given the military situation on the ground as the war ended, the United States suggested to the Soviet Union a temporary division of Korea at the 38th Parallel, which the Soviet Union accepted. The United States was convinced of the high importance of the Korean peninsula to the security of the postwar Pacific and concerned over the possibility of a unilateral occupation of all of Korea by the Soviet Union, whose strategic interests in this peninsula lying on its eastern border were obvious.

27.107

This new dual occupation and trusteeship were bitterly opposed by the Korean people, who viewed it as an insulting and humiliating assertion that they were not capable of self-government. The two powers simply ignored the long history of Korean unity and independence and the recent struggle for independence from Japan. Popular opposition was exacerbated by the fact that United States military authorities largely ignored the leaders of the Patriotic Movement in Korea, who had already established a provisional government-in-exile, and also looked upon any expression of resistance to continued foreign occupation as evidence of a Soviet-backed attempt to control the entire peninsula.

27.108

The division quickly solidified as each emerging superpower moved to protect its own perceived strategic interests. The United States and the Soviet Union fostered the development of administrations in the southern and northern zones headed by leaders chosen for their compatibility with the respective goals of the occupying superpower. In 1948, after an abortive attempt to have a UN-sponsored election, the United States sponsored the establishment of the Republic of Korea (ROK) and unilaterally recognized it as the only lawful government in Korea. Dr. Syngman Rhee, an American-educated Korean supported by the United States, was elected by the Congress of the Republic of Korea to be the leader of the new nation. Mr. Kim Il Sung, long active in the Communist Party and sponsored by the Soviet Union, became the head of the Democratic People's Republic of Korea (DPRK). Korea's division was now sealed, and the "cold war" was well under way. Once again, the Korean people had been denied the opportunity for genuine self-determination.

27.109

Tension between "North Korea" and "South Korea," as the two governments quickly came to be known, was immediate and continuing. In June of 1950, North Korea invaded the south and the Korean War was on. United States forces and contingents from sixteen other countries fought with ROK forces as North Korean troops pushed down nearly the whole length of the peninsula. Driven back nearly all the way to the northern border, North Korean troops were joined by a large number of volunteers from the new People's Republic of China. No Soviet troops participated in the fighting, though the Soviet Union provided massive amounts of material to the DPRK.

27.110

In twelve months of intense fighting, then, virtually the entire peninsula was covered in a savage seesaw struggle that left a devastation seldom seen in war. Although a cease-fire was agreed to in 1951, during the twenty-four months of negotiation that followed, continued fighting resulted in more than one million additional casualties. The total number of human casualties, dead and wounded, in these three years of war are estimated at 6,350,267. Of these, 3,670,995 were Korean civilians; 1,599,609 were Korean military personnel; 921,836 were soldiers from the People's Republic of China; and 157,827 were United Nations military personnel.

27.111

Although an armistice accord was reached in July of 1953, an air of hostility has remained between the two Koreas, and the situation has been marked by constant tension and violent incidents along the demilitarized zone at the 38th Parallel. Both societies have been burdened by heavy military expenditures; the two Koreas support the fifth and sixth largest armies in the world, over a million troops ready for combat. Sustaining its original commitment to the Republic of Korea, the United States has continued to station its troops in that country and has equipped them with nuclear weapons. The Soviet Union has nuclear missiles nearby in its contiguous territory, targeted on the Republic of Korea. The result is an international flashpoint capable of igniting a global nuclear war between the United States and the Soviet Union.

27.112

Thus, the significance and impact of the division goes far beyond its tragic consequences on the Korean peninsula itself. It affects the economic, political, and military policy and relationships of the four major Pacific Powers—Japan, the People's Republic of China, the Soviet Union, and the United States. It complicates and

0338

penalizes Korean involvement in the new and dynamic pattern of economic power that is developing rapidly in the Pacific Basin region and represents a point of continuing instability and threat to those developments. The erosion of this particular dividing wall of hostility — movement toward Korean reconciliation and eventual reunification—would thus have powerful and positive benefit for the Korean people, for stable economic and political development of the region, and for world peace. It is imperative that the Christian community in the United States support in all appropriate ways the Korean Christians and other Koreans working toward the reunion that befits their cultural heritage. It is also imperative that the Christian community in the United States seek diligently to remove the external obstacles to the reconciliation of the peoples of the two Koreas, since so many of those obstacles arise from the perceived strategic interests of the United States in its global confrontation with the Soviet Union.

27.113

Progress toward reducing tensions is made very difficult because of at least two sets of dynamics which are at work, each complicating the other. The first set involves the two immediate parties, the two Koreas. Each in its own way has perpetuated the conflict and the division, hampering the development of even relatively normal relations and making pursuit of reconciliation and reunification seem almost impossible. Since 1948, profound differences have developed in their respective political and economic structures, although overall results have been similar in many ways.

27.114

Although the societies have developed following different models, both the Republic of Korea and the Democratic People's Republic of Korea have produced highly authoritarian political patterns. The Republic of Korea is now in its third fundamentally authoritarian government: Syngman Rhee, 1948-1960; Park Chun Hee, 1961-1980; Chun Doo Hwan, 1980-present. The last two have come from the military and all three have been staunchly supported by the United States. While clearly aligned with the Western capitalist bloc, the government of the Republic of Korea has demonstrated its independence from the United States in various ways. The Democratic People's Republic of Korea has had almost four decades of dictatorial rule by Kim Il Sung, now in his 70's, who is grooming his son, Kim Jong Il, for political succession. Although the Democratic People's Republic of Korea is clearly part of the communist world, and dependent in significant ways on the political patronage of the Soviet Union, it has sought with considerable success to build a self-reliant system with significant independence from both the Soviet Union and the People's Republic of China.

27.115

In economic terms, both north and south have developed significant industrial strength following the severe devastation of the war, but again following different models. The Republic of Korea, following a private entrepreneurial model, though with considerable government involvement, has had rapid economic growth, though much of it has been oriented to export industries. It has used external capital extensively, both governmental and private largely from the United States, and as a result has the largest external debt burden in Asia. Benefits from this development have been unevenly distributed, the labor movement has been severely suppressed, and the economy is heavily dependent on world financial and economic cycles.

27.116

The Democratic People's Republic of Korea followed a centrally planned command model, stressing heavy industrial development, economic and agricultural self-sufficiency, and limited reliance on outside investment or assistance. While this has engendered a high degree of economic autonomy and considerable growth, it has been achieved at the cost of a highly regimented, repressive society and an isolation which has limited access to new technology as well as to energy sources. While both economies carry a heavy burden of military costs, the relative burden may well be higher in the north because it receives little assistance from the Soviet Union or the People's Republic of China.

27.117

These divergent economic and political developments over the past forty years understandably are reflected in the educational, social, and cultural spheres of each society. Although the two Koreas still possess a common language and share a common historical past, they bring fundamentally different present realities to the search for a reconciled and reunited future.

27.118

The second set of complicating dynamics that makes progress toward reconciliation and reunification difficult flows from the fact that Korea is still a stage for the global conflict between the United States and the Soviet Union. In a sense and to some degree, Korean reconciliation and reunification are held hostage to the strategic interests of the two superpowers. From at least 1946 on, the United States has seen the Soviet Union as a serious and consistent threat to its world interests and a constant threat to international peace and stability. Even the triumph of the communist forces in China in 1949 and the involvement of Chinese troops in the Korean War were seen as evidence of the expanding power of the Soviets in Northeast Asia. The People's Republic of China, of course, developed its own separate identity that manifested visible areas of antagonism toward the Soviet Union and equally visible desire to normalize relations with the United States. The United States ultimately responded favorably and in fact exercised significant initiative to reestablish diplomatic and economic relations with the Peoples Republic of China, but has made no similar effort toward ending the stalemate on the Korean peninsula or toward the Democratic Peoples Republic of Korea. The reasons for that may well lie in continuing conviction of a need to resist Soviet expansion into the Pacific. United States military presence in Korea, after all, provides the United States with a barrier to any such expansion, on the mainland and not too distant from Soviet territory and installations. The Soviet Union obviously perceives the military presence of the United States in the Northeast Pacific, with bases in Japan and Korea, as a clear threat to its own national security and

0339

international interests.

27.119

The situation is further complicated by the fact that what began as a United Nations action to protect South Korea from an invasion by North Korea in 1950, has evolved into a protracted conflict in which the United States, still flying a United Nations flag, has concluded an alliance with one of the two parties to the division. This fact, in itself, effectively precludes the United Nations from other activity within its mandate which might contribute to the process of reconciliation and reunification. It is a matter of concern to all who support the work of the United Nations that any perpetuation of the conflict in Korea tends to serve the strategic interests of the superpowers rather than those of the Korean people or the United Nations, whose mandate calls it to be not only a peacekeeper but also a peacemaker.

The Church's Concern

27.120

The reason for the church's concerns regarding Korea are manifold. Two are basic. First, there is the desire for a permanent and lasting peace with justice in the region. As long as Korea remains in a state of unresolved conflict, with tensions exacerbated in the South by fear of invasion and in the North by fear of the United States nuclear presence, there remains the potential for a conflict that could trigger nuclear confrontation between the superpowers. All who share the concern for peace and justice must be working toward reconciliation by every possible means, including opposition to the continued militarization of the region, which exacerbates the tensions and increases the danger. Second, there is a genuine desire for the well-being of the Korean people, North and South, who have suffered far too long from a conflict for which they are not altogether responsible.

27.121

Some ten million people in Korea have been separated from each other because of the division of their country. It is imperative to seek ways to enable the reunion of families through the opening of borders and, by other means, to facilitate the kind of improved relations between the two parties that will contribute to the process of reconciliation and reunion. One of the facts that makes the efforts to reunite families more urgent, from a humanitarian perspective, is the poignant reality that many of those who were separated by the tragic war are rapidly growing so aged that if some opportunity of reunion does not occur soon, they will die before they are ever reunited with their loved ones.

27.122

The church is also concerned for the establishment of an environment in which the democratization and development of both societies could occur. The Korean people—South and North, together or separately—should have the opportunity to apply their skills, energies, and resources to building a better and freer life for all, rather than having them consumed by the demands of the militarized confrontation that now exists. As noted, the Pacific Basin—from Australia through the Philippines and Hong Kong to Korea and from the People's Republic of China through Taiwan and Japan to the United States—is emerging as a vibrant, growing arena of tremendous economic power. The full potential of Korean participation in that development is undermined by continued conflict and division, and the regional development is itself jeopardized by the inherent instability they represent.

27.123

In the face of such obstacles as have been noted, the church seeks signs of hope. It is important to note and to give thanks for the efforts that have been made, North and South, in the past six years, even when those efforts have been tentative or have been rebuffed. Both parties have made a number of initiatives, or explorations, toward softening the lines cast by the division. Many times those have been brought to nought by political events or by the fanning of suspicions of one party toward the other; nevertheless, those initiatives have continued. Even in the face of such inflammatory incidents as the shooting down of Korean Air Lines Flight 007 by Soviet fighter planes and the bomb assassination of ROK officials in Rangoon, there have been recent signs of hope. Devastating floods in South Korea in 1984 brought an offer of help from North Korea for the flood victims, an offer which was as unusual as the decision of South Korea to receive that aid from the North. Furthermore, early in 1985, talks were initiated regarding economic relations between North and South. Even more encouraging is the fact that as a result of arrangements made through the Red Cross, a limited cultural exchange and visitations among members of separated families involving fifty persons from each side took place in the fall of 1985. This is the first time in forty years that such an exchange has taken place.

27.124

One of the most encouraging initiatives is that taken by Christians in South Korea to make reconciliation a major commitment, especially the Presbyterian churches in Korea which have requested the cooperative support of the Presbyterian Church (U.S.A.) in that effort. Along with that, new evidence is emerging from North Korea of the existence of small numbers of Christians, meeting in homes—remnants which have survived over a long period of harsh suppression of religion. The emergence of that evidence itself is a reason to hope that there may be growing tolerance of religion in the North. In support of that, it should be noted that in 1983 there was, for the first time since 1950, the printing of a hymn book and a new translation of the New Testament. That was followed by the printing of a new translation of the Old Testament in the fall of 1984.

27.125

In view of these signs of hope, however small some of them may seem to be, it is surely a propitious moment for the Presbyterian Church (U.S.A.) and its members to respond with full support for our sisters and brothers in Korea in their efforts toward the reconciliation and reunification of the Korean people. It is surely also a propitious moment for the Presbyterian Church (U.S.A.) and its members to seek ways of changing the policies and practices of the United States in ways that will reduce bar-

0340

riers and facilitate progress toward reconciliation and reunification in Korea.

Resolution

27.126

Whereas, the Confession of 1967 declares: "God's reconciliation in Jesus Christ is the ground of the peace, justice and freedom among nations which all powers of government are called to serve and defend. The church, in its own life, is called to practice the forgiveness of enemies and to commend to the nations as practical politics the search for cooperation and peace"; and

27.127

Whereas, *Peacemaking: The Believers' Calling*, adopted by the General Assembly, speaks of bearing witness to Christ by nourishing the moral life of the nation for the sake of peace in the world and declares that by God's grace, we are agreed to work with all people who strive for peace and justice, thus serving as signposts of God's love in our broken world; and

27.128

Whereas, the division of the people of Korea into two antagonistic societies, the Republic of Korea and the Democratic People's Republic of Korea, continues to be a source of tension for the world and a tragedy for the Korean people; and

27.129

Whereas, the United States, as an original party to the division of Korea, as the principal military ally of the Republic of Korea and as one of its major trading partners, bears a particular responsibility and obligation to help reduce tensions and facilitate reconciliation; and

Whereas, the Presbyterian Church (U.S.A.) has a particular concern for peace, reconciliation, and justice for the Korean people, having celebrated in 1984, one hundred years of especially fruitful mission relations that spanned the opening of Korea to Western influences, long years of Japanese occupation, and the decades of division which have followed; and

Whereas, the 195th General Assembly (1983) affirmed its commitment to work, in the future, with the people of North Korea to develop potential mission opportunities and relations there in consultation with Korean church partners, to support the reunification of families, and to promote peace with justice and reconciliation for the people of the Korean peninsula; and

Whereas, the Christian Conference of Asia and the World Council of Churches have taken a particularly hopeful initiative in support of the reconciliation and reunification of the Korean people, convening a consultation at the Tozanso International Center near Tokyo, Japan, between October 29 and November 2, 1984, which brought together sixty-five church leaders from twenty nations around the world and called for the ecumenical Christian church to reaffirm the oneness of all people in Jesus Christ by working to make that unity visible in the life of the human community generally and Korea specifically;

Therefore be it resolved, that the 198th General Assembly (1986) of the Presbyterian Church (U.S.A.):

27.130

Offer its prayers of intercession for reduction of tension in the Korean peninsula and in all of Northeast Asia, for the removal of the military burden which is upon the people of North and South Korea, for the reconciliation of the two Koreas and their eventual reunification under peaceful, just conditions; and

27.131

Offer its prayers of repentance for the complicity of our own nation and even the church of which we are a part, in helping to create and perpetuate the tragic division and conflict that have beset the people of Korea.

27.132

Recognize the reality that this tragic division now requires creative steps for healing.

27.133

Commend ecumenical efforts to support and assist reconciliation in Korea by such bodies as the World Council of Churches, the World Alliance of Reformed Churches, the Christian Conference of Asia, the National Council of Churches in Korea, and the National Council of the Churches of Christ in the U.S.A. and affirm continued cooperation, support, and participation in such efforts by appropriate agencies and officials of the Presbyterian Church (U.S.A.).

27.134

Call upon the appropriate boards and agencies of the General Assembly of the Presbyterian Church (U.S.A.):

1. To encourage study and understanding of the history and circumstances leading to the division and conflict in Korea, of current developments in Korea and its regional context, and of the urgent need for reconciliation on both personal and societal levels.

2. To participate with and support the initiatives of Christians in Korea, especially those of the Presbyterian churches, that are directed toward reconciliation and reunification.

3. To make financial contributions, as appropriate, to agencies that are involved in family reunification endeavors.

4. To initiate a study of the means whereby the Presbyterian Church (U.S.A.) and its members might provide material and financial assistance for the rebuilding of churches in North Korea destroyed by the war, should the opportunity arise, and to invite the Presbyterian Church bodies in the Republic of Korea to join in the study.

27.135

The financial requirements for implementing the actions in this section would vary according to the particular means chosen, the level of priority assigned, and in some instances (aid to agencies) according to the opportunities available. All are functionally within ongoing directions and programs of mission agencies and could be accommodated in regular planning and budgeting processes.

27.136

Register our conviction as Christians in the United States that the following developments would contribute significantly to reconciliation and peace in the Korean peninsula:

1. Establishment of direct communications links bet-

0341

ween North and South Korea, including regular telecommunications and postal arrangements.

2. Establishment of family reunification centers under Red Cross or neutral United Nations agency control, with open access to both North and South for the location, verification, and facilitation of family contact and relations.

3. Establishment of exchange programs and activities in the cultural, athletic, artistic, and academic fields.

4. Establishment of trade relations.

5. Achievement of a formal treaty ending the Korean War, including a friendship and nonaggression pact between the Republic of Korea and the Democratic People's Republic of Korea.

6. Simultaneous full admission of the Republic of Korea and the Democratic People's Republic of Korea to the United Nations, not as an acquiescence to the division but as an important step toward the healing unification of the nation.

7. Diplomatic recognition of both existing Korean governments by those governments that now recognize only one of the two.

8. Mutual reduction of military forces and tensions along the demilitarized zone, with the possibility of a drawback accompanied by the placement of a neutral peacekeeping force.

9. A phased reduction of United States military forces as confidence is restored and other guarantees for peace in the region are assured.

27.137

Call upon the United States Government to seek to facilitate and provide support in all appropriate ways for the achievement of the conditions above, and specifically:

1. To share U.S. financial resources with the United Nations, the International Red Cross, and other agencies acceptable to both North and South Korea, which are working to assist in the reunification of Korean families, if requested.

2. To support and facilitate negotiations between North and South Korea for an enforceable and mutually verifiable reduction of military forces on the peninsula, including the question of United States military presence there, and for the increased cooperation and eventual reunification of the Korean people, without prejudice as to whether those negotiations take place at the level of two powers, three powers, four powers, or multipowers.

3. To initiate its own discussions with the Democratic People's Republic of Korea on ways to reduce tension and improve and normalize diplomatic and trade relations.

4. To seek to negotiate with the Soviet Union a moratorium on the introduction of new missiles in the region, including the Tomahawk, SS 20 and SS 25.

5. To consider a temporary suspension of large-scale military maneuvers in the Korean peninsula and the Northeast Asia region in an attempt to reduce tension and provide impetus to progress through the efforts called for in these recommendations.

27.138

Call upon the United Nations to undertake a major review of the Korean situation, exploring ways by which the United Nations can facilitate and assist the reconciliation process, including the possible transfer of the international peacekeeping role from the United States to a neutral peacekeeping team.

27.139

Request the Moderator, in consultation with appropriate agencies and councils of the General Assembly, to appoint a special committee of not more than ten Presbyterians to visit the Democratic People's Republic of Korea and the Republic of Korea specifically to seek more adequate understanding and insight on perspectives and issues concerning reconciliation and reunification in Korea. Assistance in planning and conducting the visitation shall be provided by members and staff of appropriate General Assembly agencies, in consultation with Presbyterian partner bodies in Korea. A full report of the findings, together with appropriate recommendations shall be made to the 199th General Assembly (1987) or the earliest succeeding General Assembly possible.

27.140

The financial requirements for such a special committee of the General Assembly of ten persons would be approximately $40,000, assuming that the committee has one organizational meeting and also completes the visit to North and South Korea by December 31, 1986. The total is based on a trip of approximately three weeks total duration, travel through Beijing to reach North Korea, and use of church-owned hostel facilities in South Korea. It also assumes travel following the end of the "high season" in September. The total does not reflect group discounts for travel and accommodations that might be available.

27.141

The budget of the Office of the General Assembly contains an item to support special committees authorized by General Assembly. The financial requirements for this particular committee would exceed the average estimated for a single committee because of the unique factor of travel to the two Koreas. Whether the costs would exceed the total amount budgeted for new special committees would depend upon how many others are authorized by the 198th General Assembly (1986).

27.142

Direct the Stated Clerk to communicate this resolution to the governments of the Republic of Korea and the Democratic People's Republic of Korea, the President of the United States, the Secretary of State of the United States, the Senate Committee on Foreign Relations, the House Committee on Foreign Affairs, the Secretary-General of the United Nations, the General Secretary of the World Council of Churches, the World Alliance of Reformed Churches, the Christian Conference of Asia, National Council of Churches of Korea, and appropriate church leaders in Korea.

27.143

The financial requirements for communication to such a small number of persons or groups (fifty at most) are negligible and are provided in the general budget of the

0342

Stated Clerk for correspondence.

D. RESOLUTION ON INDIA AND THE UNITED STATES: AN OPPORTUNITY FOR PEACEMAKING AND SATYAGRAHA

27.144

The Advisory Council on Church and Society submits the following introductory summary and resolution on India and the United States: An Opportunity for Peacemaking and Satyagraha to the 198th General Assembly (1986) and recommends that the introductory summary be commended for study and the resolution be adopted.

Introduction

27.145

Presbyterians and other Americans have some awareness of the influence that Mahatama Gandhi's life and teaching had on Martin Luther King, Jr. There is undoubtedly much less awareness that Gandhi acknowledged with gratitude the debt his own thought and witness owed to the New Testament. In a most unusual way, these interconnected currents of spiritual power rooted in Jesus of Nazareth, mediated through two remarkable leaders, have had enormous social and political impact over a narrow span of time in the two largest functional democracies in the world—though both men rejected the use of force as it is commonly understood and practiced. Each passionately believed in and lived a different kind of force. Many phrases have sought to capture its essence: soul force, assertive nonviolence, the power of love, speaking truth to power, self-suffering. Gandhi used the term satyagraha (sah-tyah'-grah-hah), literally "insistence on truth." For him, it combined truth, nonviolence, focus on simplicity and self-denial with the serene and constant confidence that nothing could withstand such force clearly and insistently manifested. Perhaps for the two nations and their people—India and the United States—there is new energy and new hope in a renewal of conscious interaction between Christian peacemaking and satyagraha, as each struggles with conflict and tension in their own borders and as they seek peaceful and fruitful relations with each other. Presbyterians have every reason to seek and support such interaction.

27.146

The Presbyterian Church has a long history of presence and mission involvement in India, which continues. Nevertheless, Indian Christianity remains unfamiliar to many, if not most, American Christians. India's Christian tradition commingles a multiplicity of streams, the earliest of which is said to have been introduced in India in the first century of the Christian era by the Apostle Thomas. The Protestant and Roman Catholic activity began essentially with the period of colonial rule.

27.147

The Indian Christian community, now with nineteen centuries of tradition in India and perhaps 21,000,000 members, is the third largest religious group in India (behind the overwhelmingly dominant 465 million Hindus and 65 million Muslims). Indian Christianity still remains a minority tradition, struggling for cohesiveness, identity, and a sense of mission in a difficult climate. It has provided ecumenical models for the rest of the Christian Church through its unity movements, creating the Church of South India in 1947 and the Church of North India in 1970. Its struggle to be both indigenous and universal is an important aspect of the contemporary ecumenical church and of concern to North American Christians. While Indian Christians continue to play a significant role in the ecumenical movement, India's governmental policy has put tight restrictions on permission for missionaries and fraternal workers to reside in India. This is a matter of concern to the world Christian community as a matter of religious liberty and a threat to significant relationships of Christian witness and service.

27.148

India's great theological gift to the United States and the world is the satyagraha tradition of Mohandas K. Gandhi. Gandhi's synthesis of Hindu and Christian insights bore fruit in Martin Luther King, Jr.'s synthesis of Gandhian and Christian social theologies of liberating change. In both of these liberating theological giants, conversation between religious traditions moved beyond dialogue to new syntheses of great creativity and became powerful engines of social change. These traditions have implicit impact on the nonviolent strategies of the Presbyterian peacemaking commitment. More formal exploration and dialogue between Gandhian strategies, King's strategies, and Presbyterian strategies could deepen the church's understanding of Shalom and its understanding of peacemaking as the believer's calling.

27.149

The nation and people of India are now in a period of great ferment and great expectation for positive change under new leadership committed to democratic economic and social development and progress toward peace. These current hopes, however, are shadowed by the tragic legacy of past conflicts and the continuing reality of internal conflict and regional tension confronting the Indian government and people. The strategic and economic interests of the United States, visible through both public and private institutions, have direct impact on the character and dimensions of these conflicts and on the prospects for resolving them. Presbyterian Christians in the United States, then, have particular responsibility for peacemaking and satyagraha in relations between India and the United States.

27.150

The relationship between the United States of America and India has been an abiguous one. The United States welcomed India's independence in 1947, which accelerated the worldwide decolonization movement. Recognizing shared traditions of British political theory and practice, these two former colonies of Great Britain are the world's largest practicing democracies. But the

0343

perience in which the committee listened to fellow Christians and to Muslims. The focus of the research is on the religious forces, negative and positive, as they affect evangelism, dialogue, and the social, cultural, economic, and political realities in these lands.

31.400

These first three phases of the study are to be completed in early 1986.

31.401

IV. *The final phase will center on the biblical, theological, and missiological foundations in our Reformed heritage for directing our witness, service, and presence in the contenporary Muslim world.* This fourth phase will provide policy guidance for the church as it rethinks its mission goals and ministries in the Islamic world.

31.402

One outcome of the work of the committee will be to develop data and analysis that can be shared as study materials, curricular resources, and information for sensitizing the church to the present Islamic world and our search to be faithful disciples of Jesus in the midst of it. The directions and policy orientations developed in the final phase will be brought to the 199th General Assembly (1987) for approval and adoption. The study materials developed in phases I, II, and III will be given to the Assembly for use through its various educational agencies.

31.403

The two years of meetings and research work by the committee has made some things clear already:

1. The Western world and the Muslim world are increasingly interdependent.

2. Although the Christian missionary movement has sought to bring a message of reconciliation it has generally incurred animosity among Muslims.

3. The belief that the world was moving toward a state of secularism in which people would be increasingly unconcerned with religious questions is unfounded. The Islamic world is going through deep revival of its faith, which is being expressed through social and cultural as well as political and economic action.

4. The Middle East political situation is directly affected by American and Christian attitudes. Our understanding of Islam and of the Christian communities that live within the Islamic world are a vital ingredient of our finding our way to the future.

5. Islam is a growing presence in the United States. It has developed an increasingly strong self-confidence and is involved as a vigorous missionary presence among us.

6. We have a link with Muslims, as we do with Jews, as children of Abraham. Do our shared beliefs about the patriarchs, prophets and Jesus himself provide a means of understanding or only a separation? Does our common monotheistic belief bind us to Muslims, or are we separated by the Christian doctrine of the Trinity? The biblical, theological and confessional dimensions of these questions need a more thorough analysis than has been given to them thus far.

7. Christians of the Third World who live in the midst of Islam have much to teach us about the possibilities and problems of living with the Muslim community and its faith.

31.404

We believe these realities call upon us to rethink our basic assumptions about our presence and activity among and with Muslims. We recognize that such rethinking is often a painful task. But we believe it is also an opportunity that God gives us to find the full measure of being faithful disciples.

31.405

As we seek to be true to our biblical mandates we believe it incumbent on us to come quickly to new responses to the presence and power of Islam in the world and of the challenge and opportunity that it poses to the church.

31.406

Background material will be made available from this study to those agencies of the church responsible for mission policies and educational programs. The General Assembly Mission Board and the Program Agency will provide study material to assist the churches in understanding the contemporary Muslim community.

H. Korean Presbyterian Church Consultations

1. *Report:*

31.407

On January 20-23, 1986, representatives of the Presbyterian Church of Korea met in consultation with delegates from the Program Agency and the General Assembly Mission Board to review the partnership in mission between the Presbyterian Church (U.S.A.) and the Presbyterian Church of Korea and set directions for the beginning of our second century in mission partnership together. The consultation reaffirmed the Mutual Agreement between the two churches and the Uniting Church of Australia adopted in 1982. Agreements were reached around four areas of crucial importance for our future mission work together:

a. A common theology of mission.

b. Korean-American ministry in the United States.

c. Patterns for partnership in mission.

d. Reunification on the Korean Penninsula as a mutual mission task (see separate report on this latter item).

Theology of Mission

31.408

The consultation recommended that the appropriate bodies in both churches affirm a common mission statement that will serve as a basis for the mission partnership between the two churches and as a guide for mission personnel representing these two churches. This statement is as follows:

> The mission of the church is its God-given task to proclaim the Word and its life, the Good News of Jesus Christ. The Good News of Jesus Christ touches and transforms every aspect of human life, personal and corporate. The healing and liberation of people in Christ is a sign of the breaking into the world of

God's reign. So evangelism as the church's mission includes personal renewal, congregational nurture and growth, social justice and peacemaking, among other aspects of the work of God's Spirit to lead us into new responsibilities in other times and places.

With thanksgiving to God, we recommend that this common affirmation of our mission be communicated to our respective denominations and be used in the recruitment, training, and job descriptions of our church leaders, both clergy and laity.

Korean and American Ministry

31.409

Common concern was expressed by both churches over the unique opportunity for mission and evangelism among recent Korean immigrants in the United States. It was agreed that both churches have responsibility and resources to offer in this ministry, and the two churches pledged to work together as partners in at least four major areas of concern:

31.410

a. In developing a sociocultural analysis of Korean communities in the United States which will serve as the basis for mission strategy.

31.411

b. In the education of second generation Koreans living in the United States. In this matter the Presbyterian Church of Korea agreed to provide resources and curriculum for such an educational program and to assist the Presbyterian Church (U.S.A.) in a variety of exchange programs to strengthen the capacity of second generation Korean-American clergy to minister effectively among new immigrants from Korea. The Presbyterian Church (U.S.A.) agreed to utilize the resources and curriculum provided by the Presbyterian Church of Korea and to invite Korean professors to take their six months sabbatical in the United States to assist in this ministry.

31.412

c. In developing a stronger relationship between the Presbyterian Church of Korea and Korean-American congregations of the Presbyterian Church (U.S.A.). It was agreed that the two churches would work together in programs of exchange between the two denominations and that they would commonly seek to provide a positive interpretation of both churches to their membership.

31.413

d. In doing everything possible to increase the opportunity for Korean-American churches to become full and active members of the Presbyterian Church (U.S.A.).

Partnership in Mission

31.414

As a follow-up to the 1982 Mutual Agreement several specific actions were taken to strengthen partnership in mission and to assure smooth operation of common mission programs:

31.415

a. The consultation reaffirmed the 1982 Mutual Agreement's provision that the Presbyterian Church of Korea will be responsible for naming members to serve on Boards of Trustees of institutions in positions previously appointed by the mission organizations of the Presbyterian Church (U.S.A.). In addition the consultation adopted the following statements:

It is the intent of the Presbyterian Church (U.S.A.) that any and all power which the Presbyterian Church (U.S.A.) has to select representatives to institutions related to the Presbyterian Church of Korea is transferred to the Presbyterian Church of Korea. Exception shall be made to this principle by the Presbyterian Church of Korea when necessitated by the special need of the institutions.

31.416

b. It was recommended that mutual exchange programs be increased, especially among the women of the two churches.

31.417

c. Considerable concern was expressed over the conflict in constitutional provisions of the Presbyterian (U.S.A.) and the Presbyterian Church of Korea regarding the ordination of women. Particular concern was expressed over the difficulty of women ministers of the Presbyterian Church (U.S.A.) being received into full membership in presbyteries of the Presbyterian Church of Korea. It was agreed that the Presbyterian Church of Korea and the Presbyterian Church (U.S.A.) would undertake a study of the issue of membership status of missionaries of the Presbyterian Church (U.S.A.) in judicatories of the Presbyterian Church of Korea, in order that a way may be found that both ordained men and women missionaries are treated in the same manner.

31.418

d. Regarding the sending of missionaries supported jointly by the Presbyterian Church of Korea and the Presbyterian Church (U.S.A.) to third countries, the following statement was adopted:

Joint support of missionaries by the Presbyterian Church of Korea and Presbyterian Church (U.S.A.) will be based on an agreement not only between the Presbyterian Church of Korea and the Presbyterian Church (U.S.A.) but also upon an agreement with a church in the country where the missionary will serve and in consultation with the regional ecumenical bodies and the World Council of Churches, as appropriate.

Reunification as a Mission Task

31.419

Representatives of the Presbyterian Church (U.S.A.), the Presbyterian Church of Korea, and the Presbyterian Church in the Republic of Korea met in a consultation to explore the issue of reunification in the Korean Peninsula as a mission task of high priority for all three countries. A "Statement on the Reunification of Korea" was adopted and recommended to the three General Assemblies for approval. (See following.)

31.420

Regret was expressed that the Uniting Church of Australia could not join the Presbyterian Church of Korea and the Presbyterian Church (U.S.A.) for this consultation. Since the Uniting Church is one of the partners to the 1982 Mutual Agreement, it was agreed to ask for their comments and concurrence prior to the implementation of any actions adopted in the consultation.

2. *Partnership Agreement between the Presbyterian Church in the Republic of Korea and the Presbyterian Church (U.S.A.):*

0345

31.421

[The Presbyterian Church (U.S.A.) for many years has appreciated informal relationships with the Presbyterian Church in the Republic of Korea and opportunities for mutual sharing and support. Delegates of the Program Agency and General Assembly Mission Board were pleased to meet with delegates of the Presbyterian Church in the Republic of Korea on January 22-23, 1986, to move toward a more formal relationship and to share together our concerns for mission and ministry.

31.422

[The Presbyterian Church in the Republic of Korea (PROK) came into being in 1954 as a separate church from the Presbyterian Church of Korea (PCK) as a result of a theological dispute at the 1953 General Assembly of the Presbyterian Church of Korea.

31.423

[The Presbyterian Church in the Rebulic of Korea has about 900 churches with over 250,000 church members and 1,200 professional church workers.

31.424

[In 1977 the Presbyterian Church in the Republic of Korea expressed its interest in establishing a mission relationship with the UPCUSA and the Moderator of the Presbyterian Church of Korea was invited to the General Assembly, along with the Moderator of PCK that year. Since 1977, the moderators of the Presbyterian Church of the Korea and Presbyterian Church in the Republic of Korea have been invited to our General Assembly meetings.

31.425

[The Presbyterian Church in the Republic of Korea has been a church with strong emphasis on prophetic ministries regarding human rights, economic justice, and concern for laborers and displaced people in society. It has endeavored to deal with the increasing phenomenon of dehumanization derived from all kinds of private corruption and social evils resulting from the modernization of cities of Korea. The church also has tried to be aware of the poor in various social problems causing poverty. (The Presbyterian Church in the Republic of Korea General Assembly in 1984 had as its theme "World Peace, National Reunification and Evangelization of all People.")

31.426

[The consultation recommended the following partnership agreement to the General Assemblies of the Presbyterian Church in the Republic of Korea and the Presbyterian Church (U.S.A.) for adoption.]

31.427

The General Assembly Mission Board and Program Agency recommend the adoption of the "Partnership Agreement between the Presbyterian Church in the Republic of Korea and the Presbyterian Church (U.S.A.)" by the 198th General Assembly (1986):

**PARTNERSHIP AGREEMENT BETWEEN
THE PRESBYTERIAN CHURCH IN THE REPUBLIC OF KOREA
AND THE PRESBYTERIAN CHURCH (U.S.A.)**

31.428

The Presbyterian Church in the Republic of Korea and the Presbyterian Church (U.S.A.) affirm a partnership in mission which is based on our understanding of God's love for the whole world revealed in Christ our Lord. We understand the church to be the worldwide body of Christ, within which we are called as equal members to become instruments of God's love and witnesses to God's Word of salvation for all people. It is our expectation that our partnership will help each of our churches better to understand and fulfill the role and mission of the church in the world.

31.429

We affirm a unity which is expressed in our sharing of the Sacraments of Baptism and Holy Communion. It is expressed in our shared commitment to the establishment of peace and justice and the fulfillment which we know as God's will for all people. We understand this unity in Christ to call both partners to develop relationships with still other churches in the full expression of the autonomy and integrity which we affirm for both churches. Indeed our partnership should foster broader patterns of church unity both in Korea and in the United States, even as it contributes to a deeper fellowship between the churches of our two nations.

31.430

Our partnership in mission will take many forms, but we look forward especially to:

1. a deepening of our fellowship through the exchange of information about our church life and through exchange visits by clergy and laity;

2. periodic consultations in Korea and in the United States with a view to strengthening each other's theological and faith resources for the mission in which we share; and

3. mutual participation in mission in both countries by a shared support of programs and exchanges of personnel within the limits of the financial and personnel resources available to each partner.

3. *Statement on the Reunification of Korea:*

31.431

The General Assembly Mission Board and Program Agency recommend adoption of the "Statement on the Reunification of Korea" by the Presbyterian Church of Korea, the Presbyterian Church in the Republic of Korea, and the Presbyterian Church (U.S.A.) by the 198th General Assembly (1986):

**STATEMENT
ON THE REUNIFICATION OF KOREA
BY
THE PRESBYTERIAN CHURCH OF KOREA
THE PRESBYTERIAN CHURCH IN THE REPUBLIC OF KOREA
THE PRESBYTERIAN CHURCH (U.S.A.)**

Occasion and Setting

31.432

Representatives of the Presbyterian Church of Korea

0346

(PCK), the Presbyterian Church in the Republic of Korea (PROK), and the Presbyterian Church (U.S.A.) give thanks that God has granted them the opportunity to meet January 22-23, 1986, at San Francisco Theological Seminary, San Anselmo, California, in a historic consultation on reunification of Korea.

Our Belief and Calling

31.433
We believe that peacemaking is an essential part of the mission and calling of our churches. We realize that the Peace of God is not the same as the peace of this world. Existentially the Cross is the point of intersection where the conflict between the powers of this world and the will of God is manifest.

31.434
The Cross provides the evidence of our redemption and salvation; the basis for resistance to the forces of oppression and injustice; the power of reconciliation; the imperative to love even our enemies; and the symbol of Christ's identification with those who suffer and the hope for their liberation.

Our Affirmations

31.435
Therefore, the Presbyterian Church in Korea (PCK), the Presbyterian Church in the Republic of Korea (PROK), and the Presbyterian Church (U.S.A.) make the following affirmations:

31.436
-We affirm the responsibility of our churches to pray and work for justice, reconciliation, and peace.

31.437
-We affirm the necessity for our churches to work in our respective societies to overcome the "enemy images," that perpetuate hostility and prevent the building of trust.

31.438
-We affirm that our three churches will make reconciliation and reunification of South and North Korea a priority for ministry and mission.

31.439
-We affirm the responsibility of our churches to educate their constituencies on the issues involved in Korean reunification.

31.440
-We affirm the autonomy of each church in working in its own way yet commit our churches to pray together, to consult and work together where possible in this ministry.

31.441
-We affirm our commitments to work together with our ecumenical partners as appropriate in this ministry.

31.442
-We commit ourselves, seperately and together, to work for and encourage exchange between Christians and others in South and North Korea and the United States of America.

31.443
-We affirm our commitment to learn from churches living and witnessing in different social systems.

31.444
-We affirm the commitment of our churches to support in all appropriate ways the witness and growth of the Christian Church in North Korea as our relations grow.

31.445
-We affirm the desirability of direct dialogue between Christians in South Korea and North Korea. The Presbyterian Church of Korea, the Presbyterian Church in the Republic of Korea, and the Presbyterian Church (U.S.A.) in consultation with our ecumenical partners will explore the possibility of such dialogue.

31.446
-We affirm the appropriateness of visits to North Korea by the Presbyterian Church (U.S.A.). When such visits are contemplated, the Presbyterian Church (U.S.A.) will inform and consult with the Presbyterian Church of Korea and the Presbyterian Church in the Republic of Korea.

31.447
-We affirm the desirability of the establishment of an Ad Hoc Committee on North Korea by the Presbyterian Church of Korea, the Presbyterian Church in the Republic of Korea, and the Presbyterian Church (U.S.A.) for the purpose of continuing dialogue and consultation on reunification, joint study, exchanging information, and facilitation visits to North Korea.

31.448
-We affirm the desirability of designating a Day of Prayer for Peace in Korea, and pledge our commitment to work toward a common date in our churches.

31.449
-We affirm the need for each of our churches to become strong advocates for effective policies for peace and reconciliation in Korea.

31.450
-We affirm the need for increasing peace education in each of our churches and urge that this concern be referred to the appropriate office in each church.

31.451
-We affirm our commitment to walk in humility with open minds, prepared to change our ways, fulfilling the ministry of reconciliation under the Lordship of Christ.

I. National Presbyterian Student Conferences: Celebration of the Lord's Supper

31.452
The General Assembly Mission Board and Program Agency recommend that the 198th General Assembly (1986) grant permission for the observance of the Sacrament of the Lord's Supper at the National Presbyterian Student Conferences to be held in Los Angeles, Kansas City, and Atlanta, December 28, 1986, through January 1, 1987.

0347

주 뉴 욕 총 영 사 관

주뉴욕(영) 700- 1727 1986. 7. 17.

수신 : 장 관

참조 : 미주국장, 정보문화국장

제목 : 미 장로교총회, 아국관계 결의안 채택

1. 86.6.10-7.8. 미네아폴리스에서 개최된 미국 장로교회 제 198차 총회에서 채택된 "한국 통일과 북한 선교에 관한 공동 결의안" Text 를 미 장로교총회로 부터 입수한바 별첨 송부합니다.

2. 동 결의안은 과거 2-3년간 WCC, 미국 NCC 와의 협의를 거쳐, 86.1. 한국기독교장로교 및 예수교 장로교, 미국 장로교 대표자들이 협의하여 작성된 것으로 금번 총회에서 정식 채택은 되었으나 대외 공식 발표문은 아니라 함을 첨언합니다.

3. 그밖에 상기 미 장로교총회의 특기사항은 다음과 같읍니다.

가. 장로교 총회장 선출 : 벤자민 N. Weir 목사
(3명의 후보중 한국출신 문광수 목사가 2위)

나. 장로교총회 기구 개혁안 통과

다. 한국 기독교장로회와 선교협약 관계 체결 (Partnership in Mission)

4. 한편 미 장로교 한인교회 협의회는 7.8. 당지에서 개최된 연차 정기총회에서 한국에 민주화, 직선제 개헌을 촉구하는 성명을 한.미 관계 요로에 전달키로 결의한것으로 당지 교포신문 (7.16일자 중앙일보)에 보도된바, 동 성명서 관계 확인 추보 예정임을 첨가합니다.

첨부 : 상기 결의안 1부. 끝.

선 결			결재(공람)		
접수일시	1986 7. 21	번호			
처리과		49464			

주 뉴 욕 총 영 사

0348

C. RESOLUTION ON RECONCILIATION AND REUNIFICATION IN KOREA

27.104

The Advisory Council on Church and Society submits the following background summary and resolution on Reconciliation and Reunification in Korea to the 198th General Assembly (1986) and recommends that the background summary be commended for study and the resolution be adopted.

God's reconciliation in Jesus Christ is the ground of the peace, justice, and freedom among nations which all powers of government are called to serve and defend. The church, in its own life, is called to practice the forgiveness of enemies and to commend to the nations as practical politics the search for cooperation and peace. This search requires that the nations pursue fresh and responsible relations across every line of conflict, even at risk to national security, to reduce areas of strife and to broaden international understanding. Confession of 1967 (9.45)

There are no quick or easy answers to the ambiguities and paradoxes of entangled good and evil in which we find ourselves. Fear must be overcome with faith, hate with trust, enmity with reconciliation, injustice with justice. In accepting this challenge we rely not in our own strength or shrewdness but in the surprising grace of God and are buoyed by the vision: "and people will come from east to west, and from north and south, and sit at table in the kingdom of God." (Lk. 13:29.) The promise of the Kingdom of God fulfills our hopes beyond the secular expectations of history. Our hope is in the Kingdom of God and not in any particular political system or solution. That hope, however, invigorates us for the particular political struggles in which approximations of justice can be achieved. "Peacemaking: The Believers' Calling," (*Minutes,* 192nd General Assembly, UPCUSA, 1980, p. 212; 121st General Assembly PCUS 1981, p. 474)

This resolution was adopted by the 198th General Assembly (1986) in Minneapolis with minor changes recommended by the Advisory Council on Church and Society. A list of changes is attached.

0349

Background

27.105

A divided Korea is one of the tragic legacies of World War II. Unlike Germany, Korea was not divided because it was a threat to anyone or because it was the enemy. In fact, Korea itself had been occupied for over thirty years by Japan. Though Japanese military forces used Korea as a supply base, the main military reality in Korea during the war was continuing Korean resistance to Japanese rule. In August 1945, the Soviet Union entered the war against Japan as had been previously agreed, sending troops into Korea. The war officially ended less than a month later. The events that followed in Korea flowed partly from prior agreement among the Allied powers and partly from expedient reaction by both the United States and the Soviet Union in the immediate situation. Whatever the intention and whenever it was formulated, the land and people of Korea were divided and remain so today.

27.106

As early as 1943, Korea was included in plans and agreements among the allies for dealing with "occupied territories" following the war. This apparently came to include an agreement at some point between the United States and Soviet Union, providing for a temporary trusteeship for Korea during which the Korean people ostensibly were to be prepared to take over the administration of their own country. Given the military situation on the ground as the war ended, the United States suggested to the Soviet Union a temporary division of Korea at the 38th Parallel, which the Soviet Union accepted. The United States was convinced of the high importance of the Korean peninsula to the security of the postwar Pacific and concerned over the possibility of a unilateral occupation of all of Korea by the Soviet Union, whose strategic interests in this peninsula lying on its eastern border were obvious.

27.107

This new dual occupation and trusteeship were bitterly opposed by the Korean people, who viewed it as an insulting and humiliating assertion that they were not capable of self-government. The two powers simply ignored the long history of Korean unity and independence and the recent struggle for independence from Japan. Popular opposition was exacerbated by the fact that United States military authorities largely ignored the leaders of the Patriotic Movement in Korea, who had already established a provisional government-in-exile, and also looked upon any expression of resistance to continued foreign occupation as evidence of a Soviet-backed attempt to control the entire peninsula.

27.108

The division quickly solidified as each emerging superpower moved to protect its own perceived strategic interests. The United States and the Soviet Union fostered the development of administrations in the southern and northern zones headed by leaders chosen for their compatibility with the respective goals of the occupying superpower. In 1948, after an abortive attempt to have a UN-sponsored election, the United States sponsored the establishment of the Republic of Korea (ROK) and unilaterally recognized it as the only lawful government in Korea. Dr. Syngman Rhee, an American-educated Korean supported by the United States, was elected by the Congress of the Republic of Korea to be the leader of the new nation. Mr. Kim Il Sung, long active in the Communist Party and sponsored by the Soviet Union, became the head of the Democratic People's Republic of Korea (DPRK). Korea's division was now sealed, and the "cold war" was well under way. Once again, the Korean people had been denied the opportunity for genuine self-determination.

27.109

Tension between "North Korea" and "South Korea," as the two governments quickly came to be known, was immediate and continuing. In June of 1950, North Korea invaded the south and the Korean War was on. United States forces and contingents from sixteen other countries fought with ROK forces as North Korean troops pushed down nearly the whole length of the peninsula. Driven back nearly all the way to the northern border, North Korean troops were joined by a large number of volunteers from the new People's Republic of China. No Soviet troops participated in the fighting, though the Soviet Union provided massive amounts of material to the DPRK.

27.110

In twelve months of intense fighting, then, virtually the entire peninsula was covered in a savage seesaw struggle that left a devastation seldom seen in war. Although a cease-fire was agreed to in 1951, during the twenty-four months of negotiation that followed, continued fighting resulted in more than one million additional casualties. The total number of human casualties, dead and wounded, in these three years of war are estimated at 6,350,267. Of these, 3,670,995 were Korean civilians; 1,599,609 were Korean military personnel; 921,836 were soldiers from the People's Republic of China; and 157,827 were United Nations military personnel.

27.111

Although an armistice accord was reached in July of 1953, an air of hostility has remained between the two Koreas, and the situation has been marked by constant tension and violent incidents along the demilitarized zone at the 38th Parallel. Both societies have been burdened by heavy military expenditures; the two Koreas support the fifth and sixth largest armies in the world, over a million troops ready for combat. Sustaining its original commitment to the Republic of Korea, the United States has continued to station its troops in that country and has equipped them with nuclear weapons. The Soviet Union has nuclear missiles nearby in its contiguous territory, targeted on the Republic of Korea. The result is an international flashpoint capable of igniting a global nuclear war between the United States and the Soviet Union.

27.112

Thus, the significance and impact of the division goes far beyond its tragic consequences on the Korean peninsula itself. It affects the economic, political, and military policy and relationships of the four major Pacific Powers—Japan, the People's Republic of China, the Soviet Union, and the United States. It complicates and penalizes Korean involvement in the new and dynamic pattern of economic power that is developing rapidly in the Pacific Basin region and represents a point of continuing instability and threat to those developments. The erosion of this particular dividing wall of hostility — movement toward Korean reconciliation and eventual reunification—would thus have powerful and positive benefit for the Korean people, for stable economic and political development of the region, and for world peace. It is imperative that the Christian community in the United States support in all appropriate ways the Korean Christians and other Koreans working toward the reunion that befits their cultural heritage. It is also imperative that the Christian community in the United States seek diligently to remove the external obstacles to the reconciliation of the peoples of the two Koreas, since so many of those obstacles arise from the perceived strategic interests of the United States in its global confrontation with the Soviet Union.

27.113

Progress toward reducing tensions is made very difficult because of at least two sets of dynamics which are at work, each complicating the other. The first set involves the two immediate parties, the two Koreas. Each in its own way has perpetuated the conflict and the division, hampering the development of even relatively normal relations and making pursuit of reconciliation and reunification seem almost impossible. Since 1948, profound differences have developed in their respective political and economic structures, although overall results have been similar in many ways.

27.114

Although the societies have developed following different models, both the Republic of Korea and the Democratic People's Republic of Korea have produced highly authoritarian political patterns. The Republic of Korea is now in its third fundamentally authoritarian government: Syngman Rhee, 1948-1960; Park Chun Hee, 1961-1980; Chun Doo Hwan, 1980-present. The last two have come from the military and all three have been staunchly supported by the United States. While clearly aligned with the Western capitalist bloc, the government of the Republic of Korea has demonstrated its independence from the United States in various ways. The Democratic People's Republic of Korea has had almost four decades of dictatorial rule by Kim Il Sung, now in his 70's, who is grooming his son, Kim Jong Il, for political succession. Although the Democratic People's Republic of Korea is clearly part of the communist world, and dependent in significant ways on the political patronage of the Soviet Union, it has sought with considerable success to build a self-reliant system with significant independence from both the Soviet Union and the People's Republic of China.

27.115

In economic terms, both north and south have developed significant industrial strength following the severe devastation of the war, but again following different models. The Republic of Korea, following a private entrepreneurial model, though with considerable government involvement, has had rapid economic growth, though much of it has been oriented to export industries. It has used external capital extensively, both governmental and private largely from the United States, and as a result has the largest external debt burden in Asia. Benefits from this development have been unevenly distributed, the labor movement has been severely suppressed, and the economy is heavily dependent on world financial and economic cycles.

27.116

The Democratic People's Republic of Korea followed a centrally planned command model, stressing heavy industrial development, economic and agricultural self-sufficiency, and limited reliance on outside investment or assistance. While this has engendered a high degree of economic autonomy and considerable growth, it has been achieved at the cost of a highly regimented, repressive society and an isolation which has limited access to new technology as well as to energy sources. While both economies carry a heavy burden of military costs, the relative burden may well be higher in the north because it receives little assistance from the Soviet Union or the People's Republic of China.

27.117

These divergent economic and political developments over the past forty years understandably are reflected in the educational, social, and cultural spheres of each society. Although the two Koreas still possess a common language and share a common historical past, they bring fundamentally different present realities to the search for a reconciled and reunited future.

27.118

The second set of complicating dynamics that makes progress toward reconciliation and reunification difficult flows from the fact that Korea is still a stage for the global conflict between the United States and the Soviet Union. In a sense and to some degree, Korean reconciliation and reunification are held hostage to the strategic interests of the two superpowers. From at least 1946 on, the United States has seen the Soviet Union as a serious and consistent threat to its world interests and a constant threat to international peace and stability. Even the triumph of the communist forces in China in 1949 and the involvement of Chinese troops in the Korean War were seen as evidence of the expanding power of the Soviets in Northeast Asia. The People's Republic of China, of course, developed its own separate identity that manifested visible areas of antagonism toward the Soviet Union and equally visible desire to normalize relations with the United States. The United States ultimately responded favorably and in fact exercised significant initiative to reestablish diplomatic and economic relations with the Peoples Republic of China, but has made no similar effort toward ending the stalemate on the Korean peninsula or toward the Democratic Peoples Republic of Korea. The reasons for that may well lie in continuing conviction of a need to resist Soviet expansion into the Pacific. United States military presence in Korea, after all, provides the United States with a barrier to any such expansion, on the mainland and not too distant from Soviet territory and installations. The Soviet Union obviously perceives the military presence of the United States in the Northeast Pacific, with bases in Japan and Korea, as a clear threat to its own national security and

0351

international interests.

27.119

The situation is further complicated by the fact that what began as a United Nations action to protect South Korea from an invasion by North Korea in 1950, has evolved into a protracted conflict in which the United States, still flying a United Nations flag, has concluded an alliance with one of the two parties to the division. This fact, in itself, effectively precludes the United Nations from other activity within its mandate which might contribute to the process of reconciliation and reunification. It is a matter of concern to all who support the work of the United Nations that any perpetuation of the conflict in Korea tends to serve the strategic interests of the superpowers rather than those of the Korean people or the United Nations, whose mandate calls it to be not only a peacekeeper but also a peacemaker.

The Church's Concern

27.120

The reason for the church's concerns regarding Korea are manifold. Two are basic. First, there is the desire for a permanent and lasting peace with justice in the region. As long as Korea remains in a state of unresolved conflict, with tensions exacerbated in the South by fear of invasion and in the North by fear of the United States nuclear presence, there remains the potential for a conflict that could trigger nuclear confrontation between the superpowers. All who share the concern for peace and justice must be working toward reconciliation by every possible means, including opposition to the continued militarization of the region, which exacerbates the tensions and increases the danger. Second, there is a genuine desire for the well-being of the Korean people, North and South, who have suffered far too long from a conflict for which they are not altogether responsible.

27.121

Some ten million people in Korea have been separated from each other because of the division of their country. It is imperative to seek ways to enable the reunion of families through the opening of borders and, by other means, to facilitate the kind of improved relations between the two parties that will contribute to the process of reconciliation and reunion. One of the facts that makes the efforts to reunite families more urgent, from a humanitarian perspective, is the poignant reality that many of those who were separated by the tragic war are rapidly growing so aged that if some opportunity of reunion does not occur soon, they will die before they are ever reunited with their loved ones.

27.122

The church is also concerned for the establishment of an environment in which the democratization and development of both societies could occur. The Korean people—South and North, together or separately—should have the opportunity to apply their skills, energies, and resources to building a better and freer life for all, rather than having them consumed by the demands of the militarized confrontation that now exists. As noted, the Pacific Basin—from Australia through the Philippines and Hong Kong to Korea and from the People's Republic of China through Taiwan and Japan to the United States—is emerging as a vibrant, growing arena of tremendous economic power. The full potential of Korean participation in that development is undermined by continued conflict and division, and the regional development is itself jeopardized by the inherent instability they represent.

27.123

In the face of such obstacles as have been noted, the church seeks signs of hope. It is important to note and to give thanks for the efforts that have been made, North and South, in the past six years, even when those efforts have been tentative or have been rebuffed. Both parties have made a number of initiatives, or explorations, toward softening the lines cast by the division. Many times those have been brought to nought by political events or by the fanning of suspicions of one party toward the other; nevertheless, those initiatives have continued. Even in the face of such inflammatory incidents as the shooting down of Korean Air Lines Flight 007 by Soviet fighter planes and the bomb assassination of ROK officials in Rangoon, there have been recent signs of hope. Devastating floods in South Korea in 1984 brought an offer of help from North Korea for the flood victims, an offer which was as unusual as the decision of South Korea to receive that aid from the North. Furthermore, early in 1985, talks were initiated regarding economic relations between North and South. Even more encouraging is the fact that as a result of arrangements made through the Red Cross, a limited cultural exchange and visitations among members of separated families involving fifty persons from each side took place in the fall of 1985. This is the first time in forty years that such an exchange has taken place.

27.124

One of the most encouraging initiatives is that taken by Christians in South Korea to make reconciliation a major commitment, especially the Presbyterian churches in Korea which have requested the cooperative support of the Presbyterian Church (U.S.A.) in that effort. Along with that, new evidence is emerging from North Korea of the existence of small numbers of Christians, meeting in homes—remnants which have survived over a long period of harsh suppression of religion. The emergence of that evidence itself is a reason to hope that there may be growing tolerance of religion in the North. In support of that, it should be noted that in 1983 there was, for the first time since 1950, the printing of a hymn book and a new translation of the New Testament. That was followed by the printing of a new translation of the Old Testament in the fall of 1984.

27.125

In view of these signs of hope, however small some of them may seem to be, it is surely a propitious moment for the Presbyterian Church (U.S.A.) and its members to respond with full support for our sisters and brothers in Korea in their efforts toward the reconciliation and reunification of the Korean people. It is surely also a propitious moment for the Presbyterian Church (U.S.A.) and its members to seek ways of changing the policies and practices of the United States in ways that will reduce bar-

0352

riers and facilitate progress toward reconciliation and reunification in Korea.

Resolution

27.126

Whereas, the Confession of 1967 declares: "God's reconciliation in Jesus Christ is the ground of the peace, justice and freedom among nations which all powers of government are called to serve and defend. The church, in its own life, is called to practice the forgiveness of enemies and to commend to the nations as practical politics the search for cooperation and peace"; and

27.127

Whereas, *Peacemaking: The Believers' Calling*, adopted by the General Assembly, speaks of bearing witness to Christ by nourishing the moral life of the nation for the sake of peace in the world and declares that by God's grace, we are agreed to work with all people who strive for peace and justice, thus serving as signposts of God's love in our broken world; and

27.128

Whereas, the division of the people of Korea into two antagonistic societies, the Republic of Korea and the Democratic People's Republic of Korea, continues to be a source of tension for the world and a tragedy for the Korean people; and

27.129

Whereas, the United States, as an original party to the division of Korea, as the principal military ally of the Republic of Korea and as one of its major trading partners, bears a particular responsibility and obligation to help reduce tensions and facilitate reconciliation; and

Whereas, the Presbyterian Church (U.S.A.) has a particular concern for peace, reconciliation, and justice for the Korean people, having celebrated in 1984, one hundred years of especially fruitful mission relations that spanned the opening of Korea to Western influences, long years of Japanese occupation, and the decades of division which have followed; and

Whereas, the 195th General Assembly (1983) affirmed its commitment to work, in the future, with the people of North Korea to develop potential mission opportunities and relations there in consultation with Korean church partners, to support the reunification of families, and to promote peace with justice and reconciliation for the people of the Korean peninsula; and

Whereas, the Christian Conference of Asia and the World Council of Churches have taken a particularly hopeful initiative in support of the reconciliation and reunification of the Korean people, convening a consultation at the Tozanso International Center near Tokyo, Japan, between October 29 and November 2, 1984, which brought together sixty-five church leaders from twenty nations around the world and called for the ecumenical Christian church to reaffirm the oneness of all people in Jesus Christ by working to make that unity visible in the life of the human community generally and Korea specifically;

Therefore be it resolved, that the 198th General Assembly (1986) of the Presbyterian Church (U.S.A.):

27.130

Offer its prayers of intercession for reduction of tension in the Korean peninsula and in all of Northeast Asia, for the removal of the military burden which is upon the people of North and South Korea, for the reconciliation of the two Koreas and their eventual reunification under peaceful, just conditions; and

27.131

Offer its prayers of repentance for the complicity of our own nation and even the church of which we are a part, in helping to create and perpetuate the tragic division and conflict that have beset the people of Korea.

27.132

Recognize the reality that this tragic division now requires creative steps for healing.

27.133

Commend ecumenical efforts to support and assist reconciliation in Korea by such bodies as the World Council of Churches, the World Alliance of Reformed Churches, the Christian Conference of Asia, the National Council of Churches in Korea, and the National Council of the Churches of Christ in the U.S.A. and affirm continued cooperation, support, and participation in such efforts by appropriate agencies and officials of the Presbyterian Church (U.S.A.).

27.134

Call upon the appropriate boards and agencies of the General Assembly of the Presbyterian Church (U.S.A.):

1. To encourage study and understanding of the history and circumstances leading to the division and conflict in Korea, of current developments in Korea and its regional context, and of the urgent need for reconciliation on both personal and societal levels.

2. To participate with and support the initiatives of Christians in Korea, especially those of the Presbyterian churches, that are directed toward reconciliation and reunification.

3. To make financial contributions, as appropriate, to agencies that are involved in family reunification endeavors.

4. To initiate a study of the means whereby the Presbyterian Church (U.S.A.) and its members might provide material and financial assistance for the rebuilding of churches in North Korea destroyed by the war, should the opportunity arise, and to invite the Presbyterian Church bodies in the Republic of Korea to join in the study.

27.135

The financial requirements for implementing the actions in this section would vary according to the particular means chosen, the level of priority assigned, and in some instances (aid to agencies) according to the opportunities available. All are functionally within ongoing directions and programs of mission agencies and could be accommodated in regular planning and budgeting processes.

27.136

Register our conviction as Christians in the United States that the following developments would contribute significantly to reconciliation and peace in the Korean peninsula:

1. Establishment of direct communications links bet-

0353

ween North and South Korea, including regular telecommunications and postal arrangements.

2. Establishment of family reunification centers under Red Cross or neutral United Nations agency control, with open access to both North and South for the location, verification, and facilitation of family contact and relations.

3. Establishment of exchange programs and activities in the cultural, athletic, artistic, and academic fields.

4. Establishment of trade relations.

5. Achievement of a formal treaty ending the Korean War, including a friendship and nonaggression pact between the Republic of Korea and the Democratic People's Republic of Korea.

6. Simultaneous full admission of the Republic of Korea and the Democratic People's Republic of Korea to the United Nations, not as an acquiescence to the division but as an important step toward the healing unification of the nation.

7. Diplomatic recognition of both existing Korean governments by those governments that now recognize only one of the two.

8. Mutual reduction of military forces and tensions along the demilitarized zone, with the possibility of a drawback accompanied by the placement of a neutral peacekeeping force.

9. A phased reduction of United States military forces as confidence is restored and other guarantees for peace in the region are assured.

27.137

Call upon the United States Government to seek to facilitate and provide support in all appropriate ways for the achievement of the conditions above, and specifically:

1. To share U.S. financial resources with the United Nations, the International Red Cross, and other agencies acceptable to both North and South Korea, which are working to assist in the reunification of Korean families, if requested.

2. To support and facilitate negotiations between North and South Korea for an enforceable and mutually verifiable reduction of military forces on the peninsula, including the question of United States military presence there, and for the increased cooperation and eventual reunification of the Korean people, without prejudice as to whether those negotiations take place at the level of two powers, three powers, four powers, or multipowers.

3. To initiate its own discussions with the Democratic People's Republic of Korea on ways to reduce tension and improve and normalize diplomatic and trade relations.

4. To seek to negotiate with the Soviet Union a moratorium on the introduction of new missiles in the region, including the Tomahawk, SS 20 and SS 25.

5. To consider a temporary suspension of large-scale military maneuvers in the Korean peninsula and the Northeast Asia region in an attempt to reduce tension and provide impetus to progress through the efforts called for in these recommendations.

27.138

Call upon the United Nations to undertake a major review of the Korean situation, exploring ways by which the United Nations can facilitate and assist the reconciliation process, including the possible transfer of the international peacekeeping role from the United States to a neutral peacekeeping team.

27.139

Request the Moderator, in consultation with appropriate agencies and councils of the General Assembly, to appoint a special committee of not more than ten Presbyterians to visit the Democratic People's Republic of Korea and the Republic of Korea specifically to seek more adequate understanding and insight on perspectives and issues concerning reconciliation and reunification in Korea. Assistance in planning and conducting the visitation shall be provided by members and staff of appropriate General Assembly agencies, in consultation with Presbyterian partner bodies in Korea. A full report of the findings, together with appropriate recommendations shall be made to the 199th General Assembly (1987) or the earliest succeeding General Assembly possible.

27.140

The financial requirements for such a special committee of the General Assembly of ten persons would be approximately $40,000, assuming that the committee has one organizational meeting and also completes the visit to North and South Korea by December 31, 1986. The total is based on a trip of approximately three weeks total duration, travel through Beijing to reach North Korea, and use of church-owned hostel facilities in South Korea. It also assumes travel following the end of the "high season" in September. The total does not reflect group discounts for travel and accommodations that might be available.

27.141

The budget of the Office of the General Assembly contains an item to support special committees authorized by General Assembly. The financial requirements for this particular committee would exceed the average estimated for a single committee because of the unique factor of travel to the two Koreas. Whether the costs would exceed the total amount budgeted for new special committees would depend upon how many others are authorized by the 198th General Assembly (1986).

27.142

Direct the Stated Clerk to communicate this resolution to the governments of the Republic of Korea and the Democratic People's Republic of Korea, the President of the United States, the Secretary of State of the United States, the Senate Committee on Foreign Relations, the House Committee on Foreign Affairs, the Secretary-General of the United Nations, the General Secretary of the World Council of Churches, the World Alliance of Reformed Churches, the Christian Conference of Asia, National Council of Churches of Korea, and appropriate church leaders in Korea.

27.143

The financial requirements for communication to such a small number of persons or groups (fifty at most) are negligible and are provided in the general budget of the

0354

ACCS

The Advisory Council on Church and Society
Presbyterian Church (U.S.A.)
475 Riverside Drive, Room 1020
New York, NY 10115
(212) 870-3028

Advice & Counsel Memorandum

> **One of the responsibilities of the Advisory Council on Church and Society is to "provide interpretation and counsel to the General Assembly during its consideration of the report of the advisory council and other recommendations for policy or action on matters of Christian social concern."**

SUGGESTED REVISIONS IN "RESOLUTION ON RECONCILIATION AND REUNIFICATION IN KOREA" (27.104-.143)

Continuing consultation with leaders of the Presbyterian Church of Korea leads the Advisory Council on Church and Society to recommend some changes in this resolution.

1. In paragraph 27.115:

   - delete the phrase "and as a result has the largest external debt burden in Asia." (first sentence at top of second column).

   - delete the word "severely" in the phrase "the labor movement has been severely suppressed." (final sentence in 27.115).

   Reason: The question of external debt owed by North and South Korea is quite complex. The statement as it stands does not take into account the large income earned by South Korean exports. Since the issue cannot be described completely, it is best to remove this brief reference.

2. In paragraph 27.116:

   - delete the word "repressive" in the phrase "highly regimented, repressive society" (middle of the paragraph) and add the words "and controlled" so that it reads "highly regimented and controlled"

   Reason: The word "controlled" better expresses the top to bottom organization that characterizes every aspect of the North Korean society.

3. In paragraph 27.137, point 3:

   - delete the words "its own" in the first line so that it reads:
     "3. To initiate discussions with the...."

0355

4. Add a phrase to point 5 in paragraph 27.137:

- "and to invite both North and South Korea to join in a similar suspension of military maneuvers that are interpreted as threatening to others."

Reason: Temporary suspension of military maneuvers could indeed reduce tensions, but only if they were mutually implemented by the two Koreas as well as the United States. This change will make that clear.

5. Add a recommendation between 27.138 and 27.139

- Commend the National Council of the Churches of Christ in the U.S.A. for its initiative in exploring the issues of Korean reconciliation and reunification and the preparation of a proposed policy statement on these issues; and urges appropriate agencies of the General Assembly to support the proposed visit of an ecumenical delegation to North and South Korea.

Reason: The Governing Board of the National Council of Churches gave first reading last month to a policy statement drafted by a small ecumenical team that included several Presbyterians. Commendation of this significant ecumenical leadership is appropriate, as is support for the larger ecumenical delegation the NCC proposes to sponsor later this year.

6. In present paragraph 27.139:

- delete the phrase "not more than ten" so that it now reads "a special committee of Presbyterians to visit"

Reason: It is not necessary to specify the number in a special committee. The number ten was used simply for calculating possible financial implications.

- delete the phrase "specifically to seek more adequate understanding and insight on perspectives and issues concerning reconciliation and reunification in Korea", and add "following the visit of the ecumenical delegation."

Reason: It is not necessary to specify the objective of the visit since it is clear from the context of the resolution. The Presbyterians' visit should come after the ecumenical visit to take advantage of insights gained and the experience of the Presbyterians who may participate in the ecumenical delegation.

A separate Presbyterian committee and delegation seems advisable to follow up the ecumenical experience. There are long and strong ties between the Presbyterians of Korea and those of the United States, meriting special focus and attention. The ecumenical and confessional dimensions of the church's life should not be seen as alternatives but as complementary.

6.11.86

0356

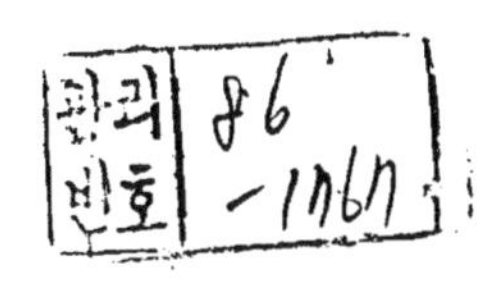

주 시 카 고 총 영 사 관

주시카고 700- 68 1986. 7. 24.

수신 장관

참조 미주국장

제목 미국 장로교회 총회

연 : 주시카고-61 (86.7.11.)

연호 미장로교 총회 한국관계 결의내용을 별첨과 같이 송부합니다.

첨부 : 상기 결의안 1부. 끝.

주 시 카 고 총 영 사

	결재		
86.7 5019			

예고문에 의거 일반문서로 재분류 1986 .02. 31 서명	

0357

C. RESOLUTION ON RECONCILIATION AND REUNIFICATION IN KOREA

27.104

The Advisory Council on Church and Society submits the following background summary and resolution on Reconciliation and Reunification in Korea to the 198th General Assembly (1986) and recommends that the background summary be commended for study and the resolution be adopted.

God's reconciliation in Jesus Christ is the ground of the peace, justice, and freedom among nations which all powers of government are called to serve and defend. The church, in its own life, is called to practice the forgiveness of enemies and to commend to the nations as practical politics the search for cooperation and peace. This search requires that the nations pursue fresh and responsible relations across every line of conflict, even at risk to national security, to reduce areas of strife and to broaden international understanding. Confession of 1967 (9.45)

There are no quick or easy answers to the ambiguities and paradoxes of entangled good and evil in which we find ourselves. Fear must be overcome with faith, hate with trust, enmity with reconciliation, injustice with justice. In accepting this challenge we rely not in our own strength or shrewdness but in the surprising grace of God and are buoyed by the vision: "and people will come from east to west, and from north and south, and sit at table in the kingdom of God." (Lk. 13:29.) The promise of the Kingdom of God fulfills our hopes beyond the secular expectations of history. Our hope is in the Kingdom of God and not in any particular political system or solution. That hope, however, invigorates us for the particular political struggles in which approximations of justice can be achieved. "Peacemaking: The Believers' Calling," (*Minutes*, 192nd General Assembly, UPCUSA, 1980, p. 212; 121st General Assembly PCUS 1981, p. 474)

Background

27.105

A divided Korea is one of the tragic legacies of World War II. Unlike Germany, Korea was not divided because it was a threat to anyone or because it was the enemy. In fact, Korea itself had been occupied for over thirty years by Japan. Though Japanese military forces used Korea as a supply base, the main military reality in Korea during the war was continuing Korean resistance to Japanese rule. In August 1945, the Soviet Union entered the war against Japan as had been previously agreed, sending troops into Korea. The war officially ended less than a month later. The events that followed in Korea flowed partly from prior agreement among the Allied powers and partly from expedient reaction by both the United States and the Soviet Union in the immediate situation. Whatever the intention and whenever it was formulated, the land and people of Korea were divided and remain so today.

27.106

As early as 1943, Korea was included in plans and agreements among the allies for dealing with "occupied territories" following the war. This apparently came to include an agreement at some point between the United States and Soviet Union, providing for a temporary trusteeship for Korea during which the Korean people ostensibly were to be prepared to take over the administration of their own country. Given the military situation on the ground as the war ended, the United States suggested to the Soviet Union a temporary division of Korea at the 38th Parallel, which the Soviet Union accepted. The United States was convinced of the high importance of the Korean peninsula to the security of the postwar Pacific and concerned over the possibility of a unilateral occupation of all of Korea by the Soviet Union, whose strategic interests in this peninsula lying on its eastern border were obvious.

27.107

This new dual occupation and trusteeship were bitterly opposed by the Korean people, who viewed it as an insulting and humiliating assertion that they were not capable of self-government. The two powers simply ignored the long history of Korean unity and independence and the recent struggle for independence from Japan. Popular opposition was exacerbated by the fact that United States military authorities largely ignored the leaders of the Patriotic Movement in Korea, who had already established a provisional government-in-exile, and also looked upon any expression of resistance to continued foreign occupation as evidence of a Soviet-backed attempt to control the entire peninsula.

27.108

The division quickly solidified as each emerging superpower moved to protect its own perceived strategic interests. The United States and the Soviet Union fostered the development of administrations in the southern and northern zones headed by leaders chosen for their compatibility with the respective goals of the occupying superpower. In 1948, after an abortive attempt to have a UN-sponsored election, the United States sponsored the establishment of the Republic of Korea (ROK) and unilaterally recognized it as the only lawful government in Korea. Dr. Syngman Rhee, an American-educated Korean supported by the United States, was elected by the Congress of the Republic of Korea to be the leader of the new nation. Mr. Kim Il Sung, long active in the Communist Party and sponsored by the Soviet Union, became the head of the Democratic People's Republic of Korea (DPRK). Korea's division was now sealed, and the "cold war" was well under way. Once again, the Korean people had been denied the opportunity for genuine self-determination.

27.109

Tension between "North Korea" and "South Korea," as the two governments quickly came to be known, was immediate and continuing. In June of 1950, North Korea invaded the south and the Korean War was on. United States forces and contingents from sixteen other countries fought with ROK forces as North Korean troops pushed down nearly the whole length of the peninsula. Driven back nearly all the way to the northern border,

0358

North Korean troops were joined by a large number of volunteers from the new People's Republic of China. No Soviet troops participated in the fighting, though the Soviet Union provided massive amounts of material to the DPRK.

27.110

In twelve months of intense fighting, then, virtually the entire peninsula was covered in a savage seesaw struggle that left a devastation seldom seen in war. Although a cease-fire was agreed to in 1951, during the twenty-four months of negotiation that followed, continued fighting resulted in more than one million additional casualties. The total number of human casualties, dead and wounded, in these three years of war are estimated at 6,350,267. Of these, 3,670,995 were Korean civilians; 1,599,609 were Korean military personnel; 921,836 were soldiers from the People's Republic of China; and 157,827 were United Nations military personnel.

27.111

Although an armistice accord was reached in July of 1953, an air of hostility has remained between the two Koreas, and the situation has been marked by constant tension and violent incidents along the demilitarized zone at the 38th Parallel. Both societies have been burdened by heavy military expenditures; the two Koreas support the fifth and sixth largest armies in the world, over a million troops ready for combat. Sustaining its original commitment to the Republic of Korea, the United States has continued to station its troops in that country and has equipped them with nuclear weapons. The Soviet Union has nuclear missiles nearby in its contiguous territory, targeted on the Republic of Korea. The result is an international flashpoint capable of igniting a global nuclear war between the United States and the Soviet Union.

27.112

Thus, the significance and impact of the division goes far beyond its tragic consequences on the Korean peninsula itself. It affects the economic, political, and military policy and relationships of the four major Pacific Powers—Japan, the People's Republic of China, the Soviet Union, and the United States. It complicates and penalizes Korean involvement in the new and dynamic pattern of economic power that is developing rapidly in the Pacific Basin region and represents a point of continuing instability and threat to those developments. The erosion of this particular dividing wall of hostility — movement toward Korean reconciliation and eventual reunification—would thus have powerful and positive benefit for the Korean people, for stable economic and political development of the region, and for world peace. It is imperative that the Christian community in the United States support in all appropriate ways the Korean Christians and other Koreans working toward the reunion that befits their cultural heritage. It is also imperative that the Christian community in the United States seek diligently to remove the external obstacles to the reconciliation of the peoples of the two Koreas, since so many of those obstacles arise from the perceived strategic interests of the United States in its global confrontation with the Soviet Union.

27.113

Progress toward reducing tensions is made very difficult because of at least two sets of dynamics which are at work, each complicating the other. The first set involves the two immediate parties, the two Koreas. Each in its own way has perpetuated the conflict and the division, hampering the development of even relatively normal relations and making pursuit of reconciliation and reunification seem almost impossible. Since 1948, profound differences have developed in their respective political and economic structures, although overall results have been similar in many ways.

27.114

Although the societies have developed following different models, both the Republic of Korea and the Democratic People's Republic of Korea have produced highly authoritarian political patterns. The Republic of Korea is now in its third fundamentally authoritarian government: Syngman Rhee, 1948-1960; Park Chun Hee, 1961-1980; Chun Doo Hwan, 1980-present. The last two have come from the military and all three have been staunchly supported by the United States. While clearly aligned with the Western capitalist bloc, the government of the Republic of Korea has demonstrated its independence from the United States in various ways. The Democratic People's Republic of Korea has had almost four decades of dictatorial rule by Kim Il Sung, now in his 70's, who is grooming his son, Kim Jong Il, for political succession. Although the Democratic People's Republic of Korea is clearly part of the communist world, and dependent in significant ways on the political patronage of the Soviet Union, it has sought with considerable success to build a self-reliant system with significant independence from both the Soviet Union and the People's Republic of China.

27.115

In economic terms, both north and south have developed significant industrial strength following the severe devastation of the war, but again following different models. The Republic of Korea, following a private entrepreneurial model, though with considerable government involvement, has had rapid economic growth, though much of it has been oriented to export industries. It has used external capital extensively, both governmental and private largely from the United States. Benefits from this development have been unevenly distributed, the labor movement has been suppressed, and the economy is heavily dependent on world financial and economic cycles.

27.116

The Democratic People's Republic of Korea followed a centrally planned command model, stressing heavy industrial development, economic and agricultural self-sufficiency, and limited reliance on outside investment or assistance. While this has engendered a high degree of economic autonomy and considerable growth, it has been achieved at the cost of a highly regimented, society and an isolation which has limited access to new technology as well as to energy sources. While both economies carry a heavy burden of military costs, the relative burden may well be higher in the north because it receives little assistance from the Soviet Union or the People's Republic of China.

0359

27.117

These divergent economic and political developments over the past forty years understandably are reflected in the educational, social, and cultural spheres of each society. Although the two Koreas still possess a common language and share a common historical past, they bring fundamentally different present realities to the search for a reconciled and reunited future.

27.118

The second set of complicating dynamics that makes progress toward reconciliation and reunification difficult flows from the fact that Korea is still a stage for the global conflict between the United States and the Soviet Union. In a sense and to some degree, Korean reconciliation and reunification are held hostage to the strategic interests of the two superpowers. From at least 1946 on, the United States has seen the Soviet Union as a serious and consistent threat to its world interests and a constant threat to international peace and stability. Even the triumph of the communist forces in China in 1949 and the involvement of Chinese troops in the Korean War were seen as evidence of the expanding power of the Soviets in Northeast Asia. The People's Republic of China, of course, developed its own separate identity that manifested visible areas of antagonism toward the Soviet Union and equally visible desire to normalize relations with the United States. The United States ultimately responded favorably and in fact exercised significant initiative to reestablish diplomatic and economic relations with the Peoples Republic of China, but has made no similar effort toward ending the stalemate on the Korean peninsula or toward the Democratic Peoples Republic of Korea. The reasons for that may well lie in continuing conviction of a need to resist Soviet expansion into the Pacific. United States military presence in Korea, after all, provides the United States with a barrier to any such expansion, on the mainland and not too distant from Soviet territory and installations. The Soviet Union obviously perceives the military presence of the United States in the Northeast Pacific, with bases in Japan and Korea, as a clear threat to its own national security and international interests.

27.119

The situation is further complicated by the fact that what began as a United Nations action to protect South Korea from an invasion by North Korea in 1950, has evolved into a protracted conflict in which the United States, still flying a United Nations flag, has concluded an alliance with one of the two parties to the division. This fact, in itself, effectively precludes the United Nations from other activity within its mandate which might contribute to the process of reconciliation and reunification. It is a matter of concern to all who support the work of the United Nations that any perpetuation of the conflict in Korea tends to serve the strategic interests of the superpowers rather than those of the Korean people or the United Nations, whose mandate calls it to be not only a peacekeeper but also a peacemaker.

The Church's Concern

27.120

The reason for the church's concerns regarding Korea are manifold. Two are basic. First, there is the desire for a permanent and lasting peace with justice in the region. As long as Korea remains in a state of unresolved conflict, with tensions exacerbated in the South by fear of invasion and in the North by fear of the United States nuclear presence, there remains the potential for a conflict that could trigger nuclear confrontation between the superpowers. All who share the concern for peace and justice must be working toward reconciliation by every possible means, including opposition to the continued militarization of the region, which exacerbates the tensions and increases the danger. Second, there is a genuine desire for the well-being of the Korean people, North and South, who have suffered far too long from a conflict for which they are not altogether responsible.

27.121

Some ten million people in Korea have been separated from each other because of the division of their country. It is imperative to seek ways to enable the reunion of families through the opening of borders and, by other means, to facilitate the kind of improved relations between the two parties that will contribute to the process of reconciliation and reunion. One of the facts that makes the efforts to reunite families more urgent, from a humanitarian perspective, is the poignant reality that many of those who were separated by the tragic war are rapidly growing so aged that if some opportunity of reunion does not occur soon, they will die before they are ever reunited with their loved ones.

27.122

The church is also concerned for the establishment of an environment in which the democratization and development of both societies could occur. The Korean people—South and North, together or separately—should have the opportunity to apply their skills, energies, and resources to building a better and freer life for all, rather than having them consumed by the demands of the militarized confrontation that now exists. As noted, the Pacific Basin—from Australia through the Philippines and Hong Kong to Korea and from the People's Republic of China through Taiwan and Japan to the United States—is emerging as a vibrant, growing arena of tremendous economic power. The full potential of Korean participation in that development is undermined by continued conflict and division, and the regional development is itself jeopardized by the inherent instability they represent.

0360

27.123

In the face of such obstacles as have been noted, the church seeks signs of hope. It is important to note and to give thanks for the efforts that have been made, North and South, in the past six years, even when those efforts have been tentative or have been rebuffed. Both parties have made a number of initiatives, or explorations, toward softening the lines cast by the division. Many times those have been brought to nought by political events or by the fanning of suspicions of one party toward the other; nevertheless, those initiatives have continued. Even in the face of such inflammatory incidents as the shooting down of Korean Air Lines Flight 007 by Soviet fighter planes and the bomb assassination of ROK officials in Rangoon, there have been recent signs of hope. Devastating floods in South Korea in 1984 brought an offer of help from North Korea for the flood victims, an offer which was as unusual as the decision of South Korea to receive that aid from the North. Furthermore, early in 1985, talks were initiated regarding economic relations between North and South. Even more encouraging is the fact that as a result of arrangements made through the Red Cross, a limited cultural exchange and visitations among members of separated families involving fifty persons from each side took place in the fall of 1985. This is the first time in forty years that such an exchange has taken place.

27.124

One of the most encouraging initiatives is that taken by Christians in South Korea to make reconciliation a major commitment, especially the Presbyterian churches in Korea which have requested the cooperative support of the Presbyterian Church (U.S.A.) in that effort. Along with that, new evidence is emerging from North Korea of the existence of small numbers of Christians, meeting in homes—remnants which have survived over a long period of harsh suppression of religion. The emergence of that evidence itself is a reason to hope that there may be growing tolerance of religion in the North. In support of that, it should be noted that in 1983 there was, for the first time since 1950, the printing of a hymn book and a new translation of the New Testament. That was followed by the printing of a new translation of the Old Testament in the fall of 1984.

27.125

In view of these signs of hope, however small some of them may seem to be, it is surely a propitious moment for the Presbyterian Church (U.S.A.) and its members to respond with full support for our sisters and brothers in Korea in their efforts toward the reconciliation and reunification of the Korean people. It is surely also a propitious moment for the Presbyterian Church (U.S.A.) and its members to seek ways of changing the policies and practices of the United States in ways that will reduce barriers and facilitate progress toward reconciliation and reunification in Korea.

Resolution

27.126

Whereas, the Confession of 1967 declares: "God's reconciliation in Jesus Christ is the ground of the peace, justice and freedom among nations which all powers of government are called to serve and defend. The church, in its own life, is called to practice the forgiveness of enemies and to commend to the nations as practical politics the search for cooperation and peace"; and

27.127

Whereas, *Peacemaking: The Believers' Calling*, adopted by the General Assembly, speaks of bearing witness to Christ by nourishing the moral life of the nation for the sake of peace in the world and declares that by God's grace, we are agreed to work with all people who strive for peace and justice, thus serving as signposts of God's love in our broken world; and

27.128

Whereas, the division of the people of Korea into two antagonistic societies, the Republic of Korea and the Democratic People's Republic of Korea, continues to be a source of tension for the world and a tragedy for the Korean people; and

27.129

Whereas, the United States, as an original party to the division of Korea, as the principal military ally of the Republic of Korea and as one of its major trading partners, bears a particular responsibility and obligation to help reduce tensions and facilitate reconciliation; and

Whereas, the Presbyterian Church (U.S.A.) has a particular concern for peace, reconciliation, and justice for the Korean people, having celebrated in 1984, one hundred years of especially fruitful mission relations that spanned the opening of Korea to Western influences, long years of Japanese occupation, and the decades of division which have followed; and

Whereas, the 195th General Assembly (1983) affirmed its commitment to work, in the future, with the people of North Korea to develop potential mission opportunities and relations there in consultation with Korean church partners, to support the reunification of families, and to promote peace with justice and reconciliation for the people of the Korean peninsula; and

Whereas, the Christian Conference of Asia and the World Council of Churches have taken a particularly hopeful initiative in support of the reconciliation and reunification of the Korean people, convening a consultation at the Tozanso International Center near Tokyo, Japan, between October 29 and November 2, 1984, which brought together sixty-five church leaders from twenty nations around the world and called for the ecumenical Christian church to reaffirm the oneness of all people in Jesus Christ by working to make that unity visible in the life of the human community generally and Korea specifically;

Therefore be it resolved, that the 198th General Assembly (1986) of the Presbyterian Church (U.S.A.):

27.130

Offer its prayers of intercession for reduction of tension in the Korean peninsula and in all of Northeast Asia, for the removal of the military burden which is upon the people of North and South Korea, for the reconciliation of the two Koreas and their eventual reunification under peaceful, just conditions; and

27.131

Offer its prayers of repentance for the complicity of our own nation and even the church of which we are a part, in helping to create and perpetuate the tragic division and conflict that have beset the people of Korea.

27.132

Recognize the reality that this tragic division now requires creative steps for healing.

27.133

Commend ecumenical efforts to support and assist reconciliation in Korea by such bodies as the World Council of Churches, the World Alliance of Reformed Churches, the Christian Conference of Asia, the National Council of Churches in Korea, and the National Council of the Churches of Christ in the U.S.A. and affirm continued cooperation, support, and participation in such efforts by appropriate agencies and officials of the Presbyterian Church (U.S.A.).

27.134

Call upon the appropriate boards and agencies of the General Assembly of the Presbyterian Church (U.S.A.):

1. To encourage study and understanding of the history and circumstances leading to the division and conflict in Korea, of current developments in Korea and its regional context, and of the urgent need for reconciliation on both personal and societal levels.

2. To participate with and support the initiatives of Christians in Korea, especially those of the Presbyterian churches, that are directed toward reconciliation and reunification.

3. To make financial contributions, as appropriate, to agencies that are involved in family reunification endeavors.

4. To initiate a study of the means whereby the Presbyterian Church (U.S.A.) and its members might provide material and financial assistance for the rebuilding of churches in North Korea destroyed by the war, should the opportunity arise, and to invite the Presbyterian Church bodies in the Republic of Korea to join in the study.

27.135

The financial requirements for implementing the actions in this section would vary according to the particular means chosen, the level of priority assigned, and in some instances (aid to agencies) according to the opportunities available. All are functionally within ongoing directions and programs of mission agencies and could be accommodated in regular planning and budgeting processes.

27.136

Register our conviction as Christians in the United States that the following developments would contribute significantly to reconciliation and peace in the Korean peninsula:

1. Establishment of direct communications links between North and South Korea, including regular telecommunications and postal arrangements.

2. Establishment of family reunification centers under Red Cross or neutral United Nations agency control, with open access to both North and South for the location, verification, and facilitation of family contact and relations.

3. Establishment of exchange programs and activities in the cultural, athletic, artistic, and academic fields.

4. Establishment of trade relations.

5. Achievement of a formal treaty ending the Korean War, including a friendship and nonaggression pact between the Republic of Korea and the Democratic People's Republic of Korea.

6. Simultaneous full admission of the Republic of Korea and the Democratic People's Republic of Korea to the United Nations, not as an acquiescence to the division but as an important step toward the healing unification of the nation.

7. Diplomatic recognition of both existing Korean governments by those governments that now recognize only one of the two.

8. Mutual reduction of military forces and tensions along the demilitarized zone, with the possibility of a drawback accompanied by the placement of a neutral peacekeeping force.

9. A phased reduction of United States military forces as confidence is restored and other guarantees for peace in the region are assured.

27.137

Call upon the United States Government to seek to facilitate and provide support in all appropriate ways for the achievement of the conditions above, and specifically:

1. To share U.S. financial resources with the United Nations, the International Red Cross, and other agencies acceptable to both North and South Korea, which are working to assist in the reunification of Korean families, if requested.

2. To support and facilitate negotiations between North and South Korea for an enforceable and mutually verifiable reduction of military forces on the peninsula, including the question of United States military presence there, and for the increased cooperation and eventual reunification of the Korean people, without prejudice as to whether those negotiations take place at the level of two powers, three powers, four powers, or multipowers.

3. To initiate its own discussions with the Democratic People's Republic of Korea on ways to reduce tension and improve and normalize diplomatic and trade relations.

4. To seek to negotiate with the Soviet Union a moratorium on the introduction of new missiles in the region, including the Tomahawk, SS 20 and SS 25.

5. To consider a temporary suspension of large-scale military maneuvers in the Korean peninsula and the Northeast Asia region in an attempt to reduce tension and provide impetus to progress through the efforts called for in these recommendations, and to invite both North and South Korea to join in a similar suspension of military maneuvers that are interpreted as threatening to others.

0362

27.138

Call upon the United Nations to undertake a major review of the Korean situation, exploring ways by which the United Nations can facilitate and assist the reconciliation process, including the possible transfer of the international peacekeeping role from the United States to a neutral peacekeeping team.

Commend the National Council of Churches of Christ in the U.S.A. for its initiative in exploring the issues of Korean reconciliation and reunification and the preparation of a proposed policy statement on these issues; and urges appropriate agencies of the General Assembly to support the proposed visit of an ecumenical delegation to North and South Korea.

27.139

Request the Moderator, in consultation with appropriate agencies and councils of the General Assembly, to appoint a special committee of Presbyterians to visit the Democratic People's Republic of Korea and the Republic of Korea following the visit of the ecumenical delegation. Assistance in planning and conducting the visitation shall be provided by members and staff of appropriate General Assembly agencies, in consultation with Presbyterian partner bodies in Korea. A full report of the findings, together with appropriate recommendations shall be made to the 199th General Assembly (1987) or the earliest succeeding General Assembly possible.

27.140

The financial requirements for such a special committee of the General Assembly of ten persons would be approximately $ assuming that the committee has one organizational meeting and also completes the visit to North and South Korea by December 31, 1986. The total is based on a trip of approximately three weeks total duration, travel through Beijing to reach North Korea, and use of church-owned hostel facilities in South Korea. It also assumes travel following the end of the "high season" in September. The total does not reflect group discounts for travel and accommodations that might be available.

27.141

The budget of the Office of the General Assembly contains an item to support special committees authorized by General Assembly. The financial requirements for this particular committee would exceed the average estimated for a single committee because of the unique factor of travel to the two Koreas. Whether the costs would exceed the total amount budgeted for new special committees would depend upon how many others are authorized by the 198th General Assembly (1986).

27.142

Direct the Stated Clerk to communicate this resolution to the governments of the Republic of Korea and the Democratic People's Republic of Korea, the President of the United States, the Secretary of State of the United States, the Senate Committee on Foreign Relations, the House Committee on Foreign Affairs, the Secretary-General of the United Nations, the General Secretary of the World Council of Churches, the World Alliance of Reformed Churches, the Christian Conference of Asia, National Council of Churches of Korea, and appropriate church leaders in Korea.

27.143

The financial requirements for communication to such a small number of persons or groups (fifty at most) are negligible and are provided in the general budget of the

0363

정 리 보 존 문 서 목 록					
기록물종류	일반공문서철	등록번호	21113	등록일자	1994-10-04
분류번호	701	국가코드	US	보존기간	영구
명 칭	문익환 목사 구속관련 미국 반응, 1986				
생 산 과	북미과	생산년도	1986~1986	담당그룹	북미국
내용목차					

0001

관리 번호 86-657

외 무 부 착신전문

번 호 : USW-1285 일 시 : 603141441 종 별 : 지급

수 신 : 장 관 (미북)

발 신 : 주 미 대사

제 목 : 문익환목사 근황

연 : USW-0548

CONGRESSIONAL FRIENDS OF HUMAN RIGHTS MONITORS 는 2월초 문익환목사의 10 일간 구금 소식과 관련,유감의 뜻을 표명하면서 아국내 평화적 인권운동의 허용을 희망하는 내용의 별첨 서한을 본직에게 보내왔는바,회시자료 송부바람

첨부:상기서한

(대사 김경원)

예고:86.12.31까지

MARCH 3,1986

DEAR MR. AMBASSADOR:

WE WRITE TO EXPRESS OUR CONCERN OVER THE RECENT DETENTION OF REV.MOON IK HWAN.IT IS OUR UNDERSTANDING THAT REV.MOON,A WELL-KNOWN HUMAN RIGHTS ADVOCATE,WAS ARRESTED ON JANUARY 31ST,1986,AND SENTENCED TO TEN DAYS IMPRISONMENT.

THE CONGRESSIONAL FRIENDS OF HUMAN RIGHTS MONITORS IS A BI-PARTISAN ORGANIZATION OF 22 SENATORS AND 108 MEMBERS OF THE HOUSE OF REPRESENTATIVES ORGANIZED TO SUPPORT THE WORK OF HUMAN RIGHTS MONITORS AROUND THE WORLD.WE SUPPORT REV.MOON'S HUMAN RIGHTS MONITORING ACTIVITIES AND HIS ASSISTANCE TO POLITICAL PRISONERS AND THEIR FAMILIES,AND WE REGRET HIS RECENT IMRPISONMENT.WE RESPECTFULLY REQUEST THAT ALL KOREAN HUMAN RIGHTS MONITORS BE PERMITTED THEIR PEACEFUL AND HUMANITARIAN ACTIVITIES IN KOREA.

미주국 차관실 1차보 정문국 청와대 안 기 총리실

PAGE 1

86.03.15 09:33
외신 2과 통제관

0002

THANK YOU FOR CONVEYING OUR CONCERN ABOUT THIS IMPORTANT MATTER TO YOUR GOVERN

MENT.

RESPECTFULLY

REP. TONY HALL SEN.DAVE DURENBERGER

REP. JAMES JEFFORDS SEN. DANIEL PATRICK MOYNIHAN

0003

PAGE 2

관리번호 86-672

0004

기 안 용 지

분류기호 문서번호	미북 700-867	(전화 :)	시 행 상 특별취급
보존기간	영구·준영구. 10. 5. 3. 1.	장 관	
수 신 처 보존기간			
시행일자	1986. 3. 18.		

보조기관	국 장	전결	협조기관	문 서 통 제 (검열 1986.3.18 외무부 보안담당관)
	심의관			
	과 장			발 송 인 (발송 1986.3.18 외무부)
기안책임자	이기철			

경 유 수 신 참 조	국가안전기획부장, 법무부장관	발신명의	
제 목	문익환목사 구금		

예고문 의 (86.12.31)

미 상원의원 22명과 하원의원 108명으로 구성된 미의회내 인권단체인 Congressional Friends of Human Rights Monitors는 2월초 문익환 목사의 10일간 구금소식에 대한 유감 표명과 함께 ~~관련인사~~ 동인의 자유로운 활동을 요청하는 별첨 서한을 주미대사에게 송부하여 왔는바 동 서한에 대한 회신자료를 당부로 지급 송부하여 주시기 바랍니다.

첨 부 : 동 서한 사본 1부. 끝.

1505-25(2-1) 일(1)갑 85. 9. 9. 승인

190㎜×268㎜ 인쇄용지 2급 60g/㎡ 가 40-41·1985. 10. 29.

March 3, 1986

Dear Mr. Ambassador:

We write to express our concern over the recent detention of Rev. Moon Ik Hwan. It is our understanding that Rev. Moon, a well-known human rights advocate, was arrested on January 31st, 1986, and sentenced to ten days imprisonment.

The Congressional Friends of Human Rights Monitors is a bi-partisan organization of 22 Senators and 108 members of the House of Representatives organized to support the work of human rights monitors around the world. We support Rev. Moon's human rights monitoring activities and his assistance to political prisoners and their families, and we regret his recent imprisonment. We respectfully request that all Korean human rights monitors be permitted their peaceful and humanitarian activities in Korea.

Thank you for conveying our concern about this important matter to your government.

Respectfully

Rep. Tony Hall
Sen. Dave Durenberger
Rep. James Jeffords
Sen. Daniel Patrick Moynihan

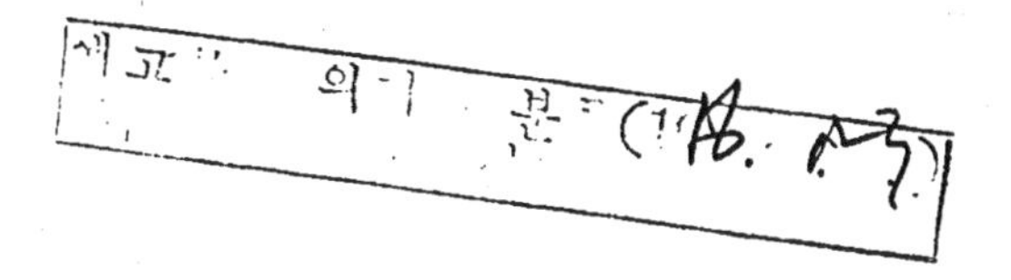

0005

林

국 가 안 전 기 획 부

국미 400- 1137　　962-6837　　19 86. 3. 27.

수 신: 외무부장관

참 조: 미주국장

제 목: 자료 송부

1. 미북 700-867(86.3.18) 관련 사항입니다.

2. 86.2월초 문익환 목사의 10일간 구금과 관련, 귀부에서 요청한 자료를 첨부와 같이 송부합니다.

첨부: 문익환 목사 주요 행적등 관련 자료 1부. 끝.

선 결		07513	결재(공람)		
접수일시	1986. 3. 29				
처리과					

발수송 No. 1986. 3. 27 국가안전기획부

국 가 안 전 기 획 부 장

행-22 83. 8. 1　　0006

0007

문익환목사 신원사항및 주요행적

1. 신원사항

- 출 생 지 : 함북 화령
- 주 소 : 서울 도봉구 수유 2동 527-30
- 생년월일 : 1918. 6. 16생 (67세)
- 주요 학경력

-. 43. 3	일본 신학대졸
-. 47. 3	한신대졸
-. 50. 3	미 프린스턴 신학교 수료
-. 50.4 - 53.3	유엔군 군속 통역관
-. 55.4 - 68.3	한신대 교수및 한빛교회 목사
-. 65.4 - 66.3	미 유니온 신학대졸
-. 68.4 - 76.3	대한 성서공회 번역실장
-. 84.10-85.3	민주통일 국민회의 (민통국) 의장
-. 85.3 - 현	민주통일 민중운동연합 (민민련) 의장

1

0008

o. 전과 : 3범

-. 77. 3 명동사건 관련 징역 5년

* 77.12.31 형집행정지 석방

-. 78.11.24 긴급조치 위반 형집행정지 취소, 재수감

* 79.12.8 석방

-. 80.7.9 김대중 내란음모사건 관련 구속, 징역 15년

(2차에 걸쳐 5년으로 감형)

* 82.12.24 형집행정지 석방 (잔여형기 2년 7개월)

o. 가족관계

-. 부 문재린목사 (85.12.28 사망)

* 문재교회인 한빛교회와 수도교회 설립

-. 모 김신묵 (90세) 권사

-. 처 박용길 (66세) 장로, 반체제 활동중

-. 자 문호근 (40세) : 연출가, 서독유학

문의근 (35세) : 시카고은행 서울지점 근무

문성근 (32세) : 한라건설 근무

\- 2 -

* 제 : 문동환 (64세), 한신대 교수 (복직교수)

제수 : 문혜림 (50세, 미국인)

2. 즉심조치 배경

º 문익환은 김대중 내란 음모사건에 관련 구속 (80.7.9)되었다가 82.12.24 당국의 은전으로 석방 되었음에도

- 계속 주변 문제인물들에 둘러싸여 대정부 극렬활동을 주도하면서 소위 양심 민주세력의 지주로 자처하고 인권운동가인양 선전하고 있으나

- 실상은 목회활동에 전념해야할 목사로서 소속교회도 없이 "민주통일 민중운동연합" 이라는 정치성 불법단체를 조직하여 직업적으로 반정부 활동만을 일삼고 있는자로

º 그는 목사라는 신분을 악용, 마치 목사가 치외법권적인 신성불가침한 존재로 착각하고 있기나한듯 범법행위를 수없이 자행해왔는 바

- 이로인해 당국의 제재를 받게되면 인권 또는 종교탄압으로

호도하는등 파렴치한 행위와 악선전을 펴고있어

- 이와같은 실상을 잘알고 있는 대다수 교계 인사들로 부터는 위선적이고 자기도취에 빠진 정치목사라는 낙인과 함께 지탄과 배척의 대상이 되고 있는자임.

o. 더구나 그는 "선통일 후민주" "고려연방제"라는 환상적 통일론과 "폭력에 의한 정부전복 선동", "미군철수"등 북괴의 주장에 동조하는 무책임한 발언마저 서슴치 않음으로서 실정법에 위반된 사례가 허다 (# 1 주요발언및 법적 검토내용 참조) 하였으나

- 한국정부는 문익환이 성직자인점을 감안, 그의 범법행위에 대해 실정법으로 다스리지 않고 관용으로 대해왔던 것이나
- 최근 들어서는 더욱 기승을 부려 헌정질서를 문란케 하는등 더이상 방치할수 만은 없는 상태에 이르렀음.

o. 따라서 한국정부는 부득이 헌정을 극도로 문란케 하는 위법행위를 기도할시 사태예방 차원에서 몇차례 자가 보호조치를 한 경우가 있을뿐이며

-. 86.1.29 악랄한 대정부 비판내용의 불순유인물과 개헌선동 스티카를 제작 배포한 혐의로 즉심에 회부 (구류 10일)된것도 이와같은 맥락에서 이해될 수 있는것이나

-. 이는 형사상의 구속 또는 구금과는 엄연히 구별되는 경범죄 처벌법 (유언비어 유포)을 적용한 것으로 오히려 그의 범법 행위에 비해 지나치게 경미한 조치라 할 수 있으며

-. 또한 그가 주장하는 인권운동이나 종교탄압과는 전혀 무관한 것임을 간과해서는 안될것임.

(# 2 최근 주요동향 참조)

행-29 83. 8. 1

5

0011

1

주요 발언 및 법적 검토내용

가. 국가보안법 위반

[발언내용]

o. 우리가 살길은 이북과 손잡고 4대강국을 몰아내야 한다 (83.3.31)

o. 이나라의 통일에 걸림돌이 되고있는것이 미군의 주둔이다 (83.4.18)

o. 고려연방제는 무조건 거절할 일이 아니다 (84.2.16)

o. 이북의 3자회담을 반대하는 이유를 모르겠다

o. 남북의 젊은이는 무릎을 맞대고 많은 이야기를 해야하며 공산주의 책자를 읽어야 한다 (85.10.31)

o. 현정권의 안보를 위협하는것은 김일성이 아니라 현정부 자체

속에 있는 내부 모순이요 부패다 (85.11.24)

[검토의견]

정부의 통일정책에 대한 의구심을 불러 일으키고 북괴의 주장에 동조한것은 국가보안법 제 7조 1항 (반국가단체 찬양고무, 7년 이하의 징역)에 저촉되나 애매한 표현으로 수사 재판과정에서 법 적용에 애로

나. 국가모독죄 구성

[사 례]

o. "국민을 죽여놓고 대통령이 되니 하나도 자랑할 수 없다"
(83.4.19 기념예배 설교중)

o. 현정부 정통성 부정내용의 긴급 민주선언 낭독 배포 (83.5.31)

o. 국가원수 비방내용의 "제 2 긴급민주선언" 배포 (83.6.18)

o. 레이건방한 반대및 현정부 비판 시국선언문 낭독 배포 (83.11.3)

o. 미 CBS 기자와 인터뷰시 "수사기관에서 수차 고문, 용공조작" 운운 (85.11.4)

[검토의견]

현정부를 군사독재, 광주학살 폭력정권으로 비방하는 내용을 외신이나 외국인에 전파 보도케하는 행위는 형법 제 104조의 2 제 2항 (국가모독죄 - 7년이하 징역)에 해당되나 여타 문제중요인들의 우회적인 유사한 사례 빈번으로 특정인에 국한한 법적용은 보복행위라는 오해소지 다분

다. 집회및 시위에 관한 법률 위반

[사 례]

o. "외채정권 규탄 범국민대회" 안내전단 배포 (85.10.3)

o. 민청련 농성해산시 범국민적인 투쟁 선동 (85.10.17)

o. 혜화동성당 "용공및 고문사례 보고대회" 주도 (85.11.3)

[검토의견]

o. 현저히 사회적 불안을 야기시킬 우려가 있는 집회및 시위의 선전, 선동행위에 해당

0015

ㅇ 집시법 제 14조 제 2항및 제 3조 제 3항 위반 (집회및 시위금지 -5년이하의 징역 또는 200만원이하 벌금)되나 극렬한 저항없이 현장에서 순응하는 태도를 보여 법적용에 다소 무리

라. 경범죄 처벌법 위반

[사 례]

ㅇ 민민연 회보 "민중의 소리" 발행겸 편집인 (84.10)

ㅇ 인혁당사건은 엉터리이며 억울한 누명을 쓰고 죽었다 (85.3.1)

ㅇ 7년 단임을 강조하고 있으나 누가 그것을 믿는가. 진짜 빨갱이는 정부쪽에 다있다 (85.10.31)

ㅇ 정부는 궁지에 몰리게 되면 간첩, 용공으로 몰아부치고 있다 (85.11.6)

[검토의견]

뚜렷한 근거도 없이 허위사실을 왜곡 전파하는등의 불손행위를 자행하는것은 국가나 사회의 안녕질서를 해치거나 사회를 불안하게할 우려가 있는 사실을 거짓으로 꾸며 퍼뜨린것으로 경범죄 처벌법 제 1조 제 44항 (유언비어 날조 유포)에 해당

9

2

최근 주요 동향

- 85.10.22 남북관계에 대해 "북한의 남침은 불가능하며 김정일은 무력통일을 추구하지 않는다"고 언동

- 85.10.31 NCC 목요예배 설교시 "진짜 빨갱이는 정부쪽에 다있고 남북의 젊은이가 직접 대화를 해야하며 공산주의 서적을 많이 읽어야 한다"고 선동적 발언

- 85.12. 4 충북민협 주최 시국대책 특별기도회시 "민중해방만이 민족을 구원하는 길이며 현정권은 남북분단을 국민억압및 정권유지 수단으로 활용하고 있다"고 왜곡발언

- 86. 1. 9 민청연 전의장 김근태 2차 공판시 문제인물 40여명과 함께 방청권도 없이 입정하려다가 제지당하자 고함을 지르는등 추태, 소란야기

- 86. 1.14 외교구락부에서 김영삼과 면담시 "민추협과 신한당은 민민연과 연대활동을 강화해야한다"고 자신의 정치적

형-29 ·.. 8. .

10

0016

노선 표명

o. 86. 1.21 악랄한 대정부 비판내용의 개헌선동 불순유인물및 스티카 제작, 배포

* 이와관련 즉심에 회부되어 구류 10일 수감

o. 86. 2.25 각하의 3당대표 회담과 관련 "89년 개헌은 사기극이며 국민을 우롱하는 처사"라고 왜곡 비난

o. 86.3.10 홍제동성당 노동절 행사시 "여러분은 필리핀의 민주화 승리를 잘알고 있으므로 겁내지 말고 개헌서명에 참여 하라"고 선동적 발언.

형-29 83. 8. 1

0017

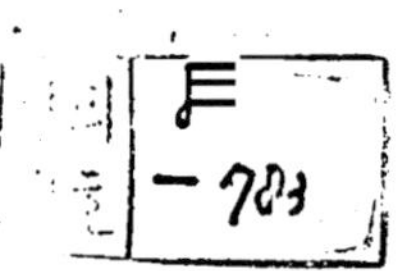

0018

기 안 용 지

분류기호 문서번호	미북 700-1086	(전화 :)	시 행 상 특별취급	
보존기간	영구·준영구. 10. 5. 3. 1.	장 관		
수 신 처 보존기간				
시행일자	1986.4.3.			
보조기관 국 장	전결	협조기관		문 서 통 제
심의관				
과 장				
기안책임자	이기철			발 송 인
경 유 수 신 참 조	주미대사	발신명의	북 미 과	발송 1986. 4. 4 외무부
제 목	문익환 목사 구금			

예고 : 의 (88.12.31)

대 : USW-1285 (86.3.14)

대호 문익환 목사의 구금과 관련 국가안전기획부에서 보내온 자료를 별첨 송부하니, Congressional Friends of Human Rights Moritors 측에 귀직 명의로 적의 회신~~작성 발송하시기~~ 바랍니다.

첨 부 : 동 자료 사본 1부. 끝.

1505-25(2-1) 일(1)갑
85. 9. 9. 승인

190mm×268mm 인쇄용지 2급 60g/m²
가 40-41·1985. 10. 29.

관리 번호 86-1224

발 신 전 보

번 호 : PII-0001 일 시 : 60523 2200 전보종별 :

수 신 : 주 P.I.I. 공관장 대사·총영사(주미대사 제외)

발 신 : 장 관 (미북)

제 목 : 문익환 목사 구속~~영장 신청~~

서울 시경은 5.23(금) 민통련의장 문익환 목사가 지난 5.20 하오 서울 대학교 급진좌경 조직이 개최한 불법집회에 참석하여 과격시위를 선동한 사실이 밝혀짐에 따라 집회 및 시위에 관한 법률위반 혐의로 동인에 대한 구속영장을 서울지검에 신청하였음을 아래와같이 발표하였고 이에따라 동인 구속영장이 발부되었는바, ~~하였는 바,~~ 동 요지를 중심으로 주재국 정부 및 교민들로부터 문의가 있을~~시~~ 때 동인 구속의 당위성을 설명바람.

발표요지

1. 동인은 상기 서울대학교 학생집회에 참석하여 급진 좌경학생들이 북괴 대남방송("한국 민족 민주전선 구국의 소리방송")으로 부터 인용, 제작한 좌경용공 유인물 '해방선언'의 내용이 오히려 온건하다는 등의 주장을 하면서 과격시위를 선동

2. 아울러 "미국이 이승만 정권과 박정희 정권을 뒷받침하고 현 정권을 지원하여 우리의 자유를 짓밟고 민주주의를 가로 막고 있다"고 선동함으로써 집회에 모였던 학생들은 반미

보안 통제

앙 고 재	86년 5월 23일	북미과	기안자		과 장	심의관	국 장	제1차관보	차 관	장 관
									전결	

외신과	접수자	통 제

0019

구호를 외치며 격렬한 시위를 전개

3. 동인의 강연도중 하오 3시 20분경 농대 원예과 1년생 이동수 군이 학생회관 4층 옥상에서 온몸에 신나를 끼얹고 불을 ~~부쳐~~ 붙여 투신했으며, 순간 분위기가 소란해지자 동인은 강연을 중단하고 황급히 잠적

4. 아울러 동인은 21일 대구 계명대학 학생집회에 참석하여 "노동자, 농민, 학생을 포함한 모든 민중 세력들의 헌신적인 투쟁으로 억압과 착취아래 신음하며 죽어가는 민중을 해방시켜 그들이 주권자로서 복권되는 민중 민주의 시대를 열자" 는등 과격시위를 충동하는 성명서를 낭독 (차관)

예고 : 86.12.31.일반.

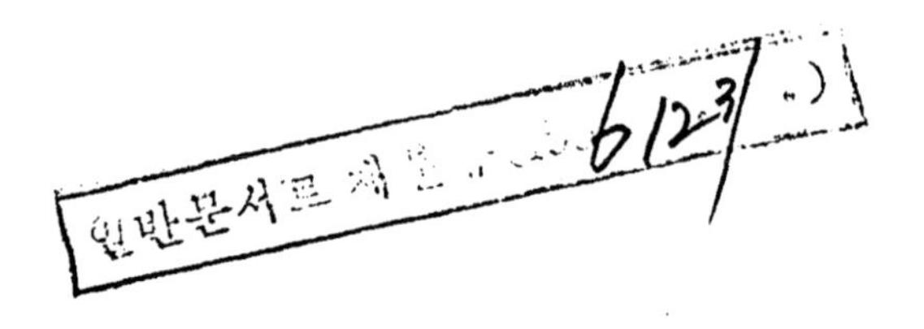

0020

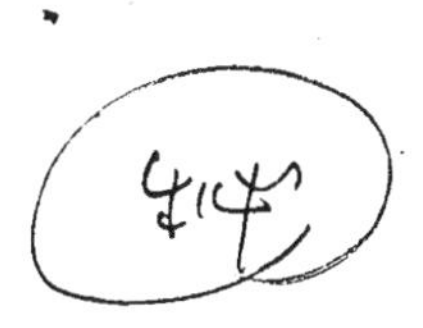

文益煥牧師 拘束關聯

豫 想 狀 況 및 對 策

1986. 5. 23.

0021

1. 豫 想 状 況

<野 圈>

○ 新 韓 黨

△ 民主勢力에 對한 政治的 弾圧으로 看做, 黨公式會議, 代弁人 声明 等을 通해 即刻 釈放促求

△ 内務委 仁川騷擾事件 調査小委 証人採択 貫徹 企図

△ 文公委(5.26~5.27)召集時 同事件의 政治争点化 最大 浮刻 및 國會 真相 調査小委 構成主張

0022

○ 民推協

△ 政府批難声明發表 및 新韓黨과 連繫,

弁護人團 構成 等으로 政治問題化 企図

△ 民憲研 (理事長 : 金鍾完) 等 金大中系

中心으로 大大的인 抗議篭城 劃策

△ 民國連 記者會見(4.29) 以後 不便한 關係가

된 在野問題圈과 再結束契機 活用 企図

<宗 教>

○ NCC는 文益煥 救命에 一糸不乱하게 即刻

對応치는 않을 것이나 人權委 또는 木曜祈禱

會時 "人權弾圧" 云云 等으로 輿論喚起 劃策

○ 所属教團인 基長에서는 抗議声明發表(5.22)

에 이어 傘下教會에 救命祈禱會 開催 促求

牧會書信 等 發送

○ 또한 EYC 等 極烈青年團体에서는 文益煥을 새로운 民衆指導者로 浮刻, 學園·勞動·宗教 및 在野가 總 連帯하는 契機로 活用 企図

<學 園>

○ 學園騷擾關聯 直接的인 導火線이 되지는 않을 것이나 部分的으로는 "民主人士 弾圧"으로 規定, 對政府 鬪争時 이슈化 予想

○ 特히 서울大 一部 過激學生, 民統聯의 對政府 抗議鬪争에 同参 可能性 不無

-3-

0024

○ 또한 民民闘·自民闘 核心分子들과 民統聯 等 在野問題圈과의 理念的 連繫闘争 契機 造成 憂慮

<言 論>

○ 各社는 文益煥의 對學園 煽動行爲에 對해 大体로 批判的 論調展開

○ 다만 東亜 等 一部 野傾紙는 文益煥 支持者들의 對政府 誹謗事實 浮刻報道 等을 通해 拘束을 過度한 措置로 誤導 시킬 可能性 多分

0025

<在野問題圈>

○ 民統聯에서는 5.22,19:00부터 加盟團體 會員 等 40余名이 獎忠洞所在 事務室에서 文益煥 釋放要求 抗議籠城中

○ 民統聯 4個支部(서울,慶北,慶南,江原)와 全北民協,忠南民協 等 一部地方 問題圈 團體에서도 同調籠城 等 救命活動 加勢豫想

○ 民統聯 老·少壯間 反目拂拭과 더불어 더욱 極烈化 促進

<美國務省 및 海外言論機關 等>

○ 美國務省 및 駐韓美大使館은 一旦 文益煥을 政治煽動家로 評價하면서도 國內의 反響 및 罪目,適用法規 處罰程度와 그 過程을 注視하면서 必要時 民主發展 沮害要因 憂慮表明

○ 一部 在美 不純僑胞, 文益煥 救命위한 對政府 批判示威 企圖

○ 美NCC 等 海外宗教團體 및 國際人權團體, 人權弾壓 主張, 救命電文 發送 等으로 對韓 壓力 加重

○ 文益煥 裁判過程 等 關聯狀況에 對한 競爭的 取材 및 報道로 海外의 對韓批判 輿論 惡化 加速 作用

0027

2. 對 策 方 案

가. 基 本 方 向

○ 拘束 妥當性 輿論 喚起 弘報에 注力

○ 國內外 輿論 先導層에 對한 事前理解 促求로 波及影響 極少化

○ 有關機關 業務分擔으로 效率的 對處

○ 裁判過程 等 同事件과 關聯한 否定的 要素 報道抑制

나. 部處別 對策

部處別	對 處 方 案
文公部	<弘 報> ○ 內 信 △ 關聯記事 作成을 為한 參考 資料提供(脫法的 行脚 等)

0028

部處別	對 處 方 案
	△ 文益煥 牧師 拘束 不可避性을 뒷받침하는 論理 開發
	※ 刑 確定前 當局의 公式的 報道資料 提供은 逆機能을 勘案, 愼重 檢討
	○ 外 信
	△ 常駐 外信 브리핑 實施
	△ 現地 言論은 該 海外公報官을 通해 理解 提高
	<報 道 調 整>
	○ 文益煥 批判內容 確大報道
	○ 文益煥 同情的 論調 및 當局措置 批判事項 抑制
	○ TV 報道는 톤다운(一方的 罵倒보다는 事實伝達에 充實)

部處別	對處方案
文公部 (安企部, 治安本部 協調)	<宗教人 醇化> ○ 事前에 拘束의 不可避性 理解促求 △ 基長總會 任員

對象者	職責	擔當機關
韓相晁	總會長	安企部
兪炳燦	副會長	〃
李千洙	書記	治安本部
朴炯圭	教社委員長	安企部
金祥根	總務	治安本部
13個老會長		各道警局長

部處別	對 處 方 案
	△ NCC任員

對象者	職 責	擔當機關
金知吉	會 長	安企部
朴鍾基	副會長	治安本部
林 沃	〃	安企部
金昭暎	總 務	〃
袁用垠	教社委員長	文公部
趙容述	人權委員長	治安本部
琴榮均	木曜禮拜委員長	〃

部處別	對 處 方 案
	△ 其他 健全宗教 指導者
外務部	① 主要 駐韓外國公館(美·日·英·加·호주)에 拘束背景資料 配布 또는 브리핑

部処別	對　處　方　案
民正黨	○ 野圈人士의 學園煽動自制 声明 또는 論評 ○ 内務委의 文益煥 証人 採択 不容 ○ 文公委에서 文益煥 關係 實相暴露 (政府側 資料 支援下) ○ 宗教人들과의 對話活動 强化

0033

86. 5. 23

文益煥(民統聯議長) 搜査内容

(報道案)

0034

発表 計劃

○ 発表日時 : 5. 23. 午前 中

○ 報道日時 : 5.23 夕刊 1版用 부터 (放送 12:00).

○ 発表形式 : 市警 記者室에서 資料配布

0035

文益煥(民統聯議長) 捜査内容

서울시경은 민통련 의장 문익환 목사 (68)의 신병을 21일 대구시경으로부터 인수받아 이틀동안 집중적인 조사를 한결과 문씨가 지난 20일 하오 서울대학교 급진좌경 학생 조직인 자민투 등이 교내 아크로폴리스광장에서 개최한 불법 집회에 참석하여 2,000여명의 학생들에게 과격 시위를 선동한 사실을 밝혀내고,

23일 상오 집회 및 시위에 관한 법률위반 혐의로 구속영장을 서울지검에 신청했음.

경찰조사결과 문씨는 지난 5일 서울대학교 총학생회 간부로부터 동교의 소위 "5월제" 집회에서 강연해 달라는 요청을 받고 20일 하오 3시 동 집회에 참석하여 급진 좌경 학생들이 북괴대남 방송인 "한국 민족 민주 전선 구국의 소리방송" 으로부터 "양키용병 전방입소 반대" 등의 내용의 인용 제작한 좌경용공 유인물 「해방선언」 의 내용이 오히려 온건하다는 등의 주장을 하면서

0036

과격 시위를 선동한 사실이 드러났음.

문씨는 이날 불법집회에 참석하기 위해 19일밤 강연초청을 한 학생과 전화를 약속한 장소에서 만나 함께 잠을 잔뒤 20일 새벽 4시에 기상, 버스편으로 서울대학교 앞까지 가, 7시경 교내로 잠입하여 8시간동안 학생회관 건물등에 은신해 있다가 집회에 참석했음.

문씨는 학생들의불법 집회 장소에서 학생들 틈에 연좌하고 있을때 이를 발견한 서울대 이상의 학생처장으로부터 학생들을 자극할 우려가 있으니 강연을 하지 말고 곧 퇴거 해 달라는 요구를 받았음에도 이를 거부하고 선동적인 강연을 자행했음.

문씨가 이날 강연에서 " 2년 후면 70이 되는 문익환보다 여러분들이 더 과격할것으로 생각했는데[해방선언] 을 읽어 보았더니 어쩌면 그렇게 온건하냐 " 고 힐난하고, " 미국 사람들이 이승만 정권과 박정희 정권을 뒷받침하고 현 정권을

0037

지원하여 우리의 자유를 짓밟고 민주주의를 가로막고 있다"! 고

선동하자 집회에 모였던 학생들은 [미제타도] 등 반미 구호를

외치며 격렬한 시위를 벌이기 시작했음.

문씨가 또 " 민주주의가 뭔데 한번밖에 살수 없는 귀중한 생명을

그 앞에 내 놓는단 말이예요.

민주주의가 뭔데 김세진군과 이재호군이 바로 이 앞에서 얼마전에

자기 몸에 불을 지르고 죽었느냐 말이예요 " 라면서 강연을 계속

하고 있을때인 이날 하오 3시 20분경 이동수(농대 원예과 1년 23세)

군이 아크로폴리스 광장 앞에 있는 학생회관 4층 옥상에서 온몸에

신나를 끼얹고 불을 부쳐 투신했으며 순간 분위기가 소란해지자

문씨는 강연을 중단하고 황급히 서울대학 뒷문으로 자취를 감췄음.

문씨는 이날 밤늦게 택시를 대절하여 21일 0시 10분경 대구에

도착, 여관에 투숙했다가 아침 9시경 계명대 후문으로 들어가

총학생회 사무실에서 4시간동안 숨어앉아 성명서를 작성하고 또

0038

다시 참석하여, " 노동자, 농민, 학생을 포함한 모든 민중

세력들의 헌신적인 투쟁의 대열에 서서 싸워나가자, " 고 선동적인

인사말을 한다음 " 억압과 착취아래 신음하며 죽어가는 민중을

해방시켜 그들이 주권자로서 복권되는 민중 민주의 시대를 열자"

고 과격 시위를 충동하는 성명서를 낭독했음.

0039

참 고 사 항

0 문씨는

- 80년 5월 국가보안법 위반죄등으로 징역 15년을 선고 받고, 2차에 걸쳐 5년으로 감형, 82년 12월 24일 형집행 정지 결정으로 석방되었음.
- 86년 1월 유언비어 날조 유포죄로 구류 10일을 받았음.
- 85년 3월부터 86년 5월까지 전후 18회에 걸쳐 서울대, 연세대, 경북대, 전남대, 전북대, 강원대, 성대, 건국대, 홍익대 등의 불법집회에 참석, 학교측의 사전 경고에도 불구 급진 좌경적인 학생 시위를 상습적으로 선동해왔음.

0040

86 . 5 . 23 .

民統聯議長 文益煥 不法示威煽動 搜查報告

－ 安保長官 會議資料 －

0041

目　　次

0042

民統聯議長 文益煥 不法示威煽動 捜査報告

概　　要

民主統一 民衆運動聯合 議長 文益煥은
86.5.20 15:00 서울大에서 2,000餘名의 學生을
相對로 不法集會를 煽動하는 等 85.3 以來 前後
18回의 學內講演으로 示威煽動 恣行

人的事項

本　籍 : ■■■■■■■■

住　居 : 서울市 道峰區 水踰2洞 527-30

文 益 煥 牧師 滿68才 (1918. 6. 1生)

※ 生活程度

不動産, 家屋 4,000萬원

子女들 支援 月50萬원으로 生活

0043

○ 前科關係

(1) 76.3 緊急措置 9號 違反으로 拘束, 1977年 2月 大法院에서 懲役 5年 資格停止 5年

(2) 78.3.3 大統領 緊急措置 違反으로 立件 1979.12.11 서울地檢에서 公訴權無

(3) 78.10.17 大統領 緊急措置 違反으로 立件

(4) 80.6.22 大法院에서 戒嚴法, 國家保安法 違反으로 懲役 15年,

81.1.24 懲役 10年으로 減刑

82.3.3 懲役 5年으로 減刑

82.12.24 刑執行停止 處分, 殘餘刑期 2年 7月

(5) 84.12.8 出版物 名譽毁損으로 立件 處分未詳

85.12.12 名譽毁損 被訴로 서울地檢 搜査中

(6) 86.1.31 流言蜚語 捏造 流布嫌疑 拘留 10日

○ 學·經歷

(1) 1947 韓國神學校 3年卒業

(2) 1954 美國 프리스톤 神學校 卒業

0044

2

(3) 1955 ~ 1968 年 韓國神學大學 教授

(4) 1968 ~ 1976 年 新舊教 共同 舊約聖書公約 翻譯官

(5) 1978 ~ 韓國人權運動協議會 副會長

(6) 1980.1 ~ 5 月 民主主義와 民族統一을 爲한 國民聯合 中央常任委員長

(7) 1985.3 ~ 現在까지 民主統一 民衆運動聯合 議長

搜査狀況

1. 서울大 等 不法示威 常習煽動

○ 5.5 서울大 總學生會 幹部로부터 所謂 "5月祭" 集會에서의 講演要請을 받고 20日 15:00 同 集會에 參席, 急進左傾學生들이 北傀對南放送 "韓國 民族 民主 전선 救國의 소리放送"으로부터 "양키傭兵 前方入所 反對" 等의 內容을 引用 製作한 左傾容共 油印物 「解放宣言」의 內容이

오히려 穩健하다는 等의 主張을 하면서
過激示威를 煽動한 事實 確認

△ 5.19 밤 講演招請을 한 學生과 約束場所에서 만나 함께 1泊한後 20日 새벽 4時에 起床, 버스便으로 서울大學校앞까지 가 7時頃 校內로 潛入, 8時間동안 學生會舘 建物 等에 隱身

△ 15:00 學生들틈에 連坐하고 있는 文氏를 發見, 서울大 李상익 學生處長이 學生들을 刺戟할 憂慮가 있으니 講演을 中止, 退去要求를 했음에도 이를 拒否, 煽動的인 講演 恣行
"2年후면 70이 되는 文益煥보다 여러분들이 더 過激할 것으로 생각했는데, 「解放宣言」을 읽어보니 어쩌면 그렇게 穩健하냐"고 힐난하고
"美國사람들이 李承晩 政權과 朴正熙 政權을 뒷받침하고 現政權을 支援하여 우리의 自由를 짓밟고 民主主義를 가로막고 있다"

"民主主義가 뭔데 한번밖에 살수없는 貴重한
生命을 그앞에 내놓는단 말이예요.
民主主義가 뭔데 金世鎭과 李載虎 君이 바로
이 앞에서 얼마전에 자기 몸에 불을 지르고
죽었느냐 말이예요"라면서 講演을 하고 있을때
15:20頃 李東洙(農大 園藝科1年 23才)가
學生會舘 4層 屋上에서 焚身 投身으로 騷亂해
지자 講演을 中斷, 서울大 後門으로 자취를
감춤

△ 同日 밤늦게 택시를 대절 21日 00:10頃
大邱에 到着, 旅舘에 投宿했다가 아침 9時頃
啓明大 後門으로 潛入, 總學生會 事務室에
4時間동안 숨어 있다가 12:30頃 2,000餘名이
모인 不法學生集會에 參席,
"勞動者, 農民, 學生을 包含한 모든 民衆勢力
들의 獻身的인 鬪爭의 隊列에 서서 싸워나가자!
抑壓과 搾取아래 신음하며 죽어가는 民衆을

5

0047

解放시켜 그들이 主權者로서 復權되는 民衆

民主의 時代를 열자"고 過激示威를 衝動하는

聲明書를 朗讀했음

○ 其他 學內不法集會時 煽動的 講演 18回 恣行

△ 85年: 崇田大(3.28), 서울大(4.15), 延大(4.16),

慶熙大(5.10), 慶北大(5.28), 全南大(6.5),

全北大(6.6), 江原大(6.12), 建國大(7.3),

成大(9.27), 群山大(11.1) 等 11個大學

△ 86年: 高大(4.13), 成大(4.30), 高大附屬專門大

(5.8), 全州大(5.9), 漢陽大(5.13),

建國大(5月中旬), 弘益大(5月中旬)

等 7個大

2. 李東洙 焚身自殺과 關聯與否

○ 文은 전혀 面識關係나 關聯이 없다고 否認,

責任感은 느낀다고 陳述

0048

6

○ 高大 柳龔泉(食品工學4, 23才)의 關聯與否

文牧師와 面識없음

△ 京畿高 同期(81年卒)로서 5.19 22:00

집修理(페인트칠)에 必要하니 신나를 사다

달라고 하여 翌日 09:00 2ℓ(1,500원)

사다주었을 뿐 嫌疑無

△ 柳君의 陳述

李東洙는 3修로 서울農大에 進學,, 2學年때

學科를 바꾸겠다고 言動한적은 있으나 自殺기미

不發見, 自尊心 强하고 內性的, 對話적고

執着力 强함

現實批判的 示威에 同調하는 傾向

3. 民統聯의 仁川事態 關聯事項

— 民統聯에서 主動했음을 大體로 是認 —

○ 4.30 18:00頃 民統聯事務室에서 傘下 各

地方別 代表·議長團·實務陣 20餘名이 集合,

7

0049

플래카드・스피커 等의 準備와 動員 및 進行 順序 等 協議

○ 追後에 示威를 하였다는 報告받았음

4. 民統聯의 主義主張

全民衆 勢力을 動員하여 民主憲法 爭取運動을 展開, 獨裁政權인 現政府를 물리치고 새로운 民主政府 樹立

措 置

不法集會 參加 및 不法示威 煽動(集會 및 示威에 關한 法律 第3條3項 및 第14條1項)으로 拘束 搜査

0050

※ 拘束後의 豫想反應

〈肯定的 側面〉

○ 常習 不法示威煽動에 對한 政府의 强力한 措置 意志 表現으로 一罰百戒의 效果

○ 在野 不純團體에 對한 制動·牽制·萎縮 效果

○ 民統聯의 求心點 瓦解契機

〈否定的 側面〉

○ 宗教界, 民統聯 加入團體 會員 等의 聲明書 發表, 籠城 其他 激烈한 反撥豫想

○ 新民黨, 學園街 等의 民主化 彈壓이라는 새로운 爭點化

0051

※ 刑執行停止 取消 再收監의 境遇

— 別般의 期待效果는 없고 副作用만 招來 憂慮 —

○ 學園事態 煽動에 對한 膺懲이라는 焦點흐려짐

○ 報復印象을 주어 國內·外 輿論 惡化憂慮

○ 戒嚴法에 의한 刑이므로 說得力 不足

○ 金大中 等 他刑執行停止者와 衡平問題 抬頭

向後 搜査計劃

1. 86.5.7 美 타임스誌 東京支局長과의 會見 等 最近의 國家冒瀆行爲 關聯 集中追窮

2. 仁川事態 關聯 및 背後操縱勢力 關係

3. 民統聯의 諸般 不法作態, 油印物 分析, 國家保安法 適用與否 等

0052

民統聯議長 文益煥 連行調査에 따른 關聯動向

○ 民 統 聯

5.22 19:15 同聯合事務室에서 桂勳悌・李昌馥・林采正 등 20餘名이 모여 民統聯 加盟 23個團體 共同名義의 「文益煥議長과 良心囚 救出을 爲한 斷食籠城에 들어가면서」題下 油印物을 配布하고 籠城을 標榜하며 殘留中

○ 基長 教社委員會(委員長 朴炯圭)

5.22 16:00 ~ 17:00間 基長 總務室에서 朴炯圭・金祥根・朴容吉 등 7名이 모여 「緊急 教社委員會」를 開催한後 韓國・東亞日報 등 內信記者들에게 「聲明書」를 配布

〈油印物 要旨〉

△ 「文益煥議長과 良心囚 救出을 爲한 斷食籠城에 들어가면서」(5.22 民統聯 加盟23個團體, 8切兩面)

0053

11

• 文益煥議長·殺人的拷問을 當한 勞動者·學生 그리고 1,300餘名의 良心囚를 團結된 鬪爭으로 救出하자

• 이救出 運動은 軍事獨裁打倒와 民主政府樹立을 爲한 全民衆的 鬪爭으로 發展시키자

△ 「聲明書」(5.22 朴炯圭名義, 16切1面筆耕)

• 文牧師를 李東洙 焚身自殺과 聯關시키는 것은 民主主義를 爲한 學生들의 도전을 감당하지 못하는 責任을 在野民主勢力에 轉嫁시키려는 상투적 手法이다

• 政府와 言論이 그의 活動을 政治宣傳으로 歪曲報道, 陰害하는 것은 不當하고 遺憾스런 일이다

0054

12

「문익환」 구속 참고 자료

0055

목 차

0056

I 「문익환」의 발언내용

1. 민중론적 혁명사상과 투쟁 선동

- 민주열망이 부산 미문화원 방화사건으로 나타났다.
  (83.5.31, 긴급 민주선언문)

- 폭력으로 존재하는 현정부는 폭력으로 망할 것임을 경고한다.
  (83.6.25, 광주 기도회 설교)

- 민주주의 국가는 데모가 있기때문에 존재의의가 있으며,
  데모를 화끈하게 해야한다.
  (84.4.15, 청계피복 근로자 신광웅 결혼 주례)

  * 신랑 부친은 주례의 느닷없는 정치발언에 쇼크받아 졸도,
    서울대병원에 후송

- 학생들이 돌을 던지는 것은 폭력이 아니고, 경찰이 페퍼포그를
  쏘는 것이 폭력이다. (84.5.17, 해남읍 교회 광주사태 추모예배)

- 옛날이나 지금이나 민중은 노동력을 착취당하고 있다.
  학원과 노동자, 농민이 민주화 달성, 노동악법을 개정키 위해
  뭉쳐야 한다. (84.11.10, 광주 한빛교회 전태일 추도예배)

- 진정한 민주주의를 위해서는 집권층이 물러나고 민중민주주의가
  되어야 한다. (85.3 학내집회시)

/ 0057

ㅇ 민중 민주주의가 곧 민족통일이다. (85.3, 학내집회시)

ㅇ 통일은 처음부터 끝까지 민중의 일이며 우리의 목적지는 민족 민중 해방이다. (85.9.17 장준하10주기 출판기념회 강연시)

ㅇ 민중을 외면하는 것은 정치가 아니다. 우리나라 근로자는 4년째 세계에서 가장 혹사당하고 있다. (85.10.28, 수원 교동교회 인권예배)

ㅇ 민중 해방만이 민주주의의 실현이며 민족을 구원하는 길이다. (85.12.4, 청주 제일교회 초청 강연시)

ㅇ 농민들은 현실에서 소외되고 있으니 민주화와 민족통일을 위해 농민운동을 가속화 해야 한다.
(86.3.13 의정부 YMCA 다락원 연설)

ㅇ 우리나라의 민중들의 고난이 극도에 달하여 있는바 민중의 고난을 하루속히 해소할 수 있는 길은 민주화의 실현밖에 없다.
우리모두 나라를 걱정하는 마음과 민중의 고통을 함께 나누는 마음이 충만될 때 민주화의 봄은 오고야 만다.
(86.3.29 갈릴교회 예배)

0058

2

2. 통일문제와 대북한 관계

- 이북의 공산주의에 있어서 이데올로기는 빵이요, 이남의 민주주의 이데올로기는 자유인데, 자유없는 빵이 아니라 자유있는 빵이 있으면 공산주의도 괜찮다. 이북에 있는 공산주의자들도 자유있는 빵이면 괜찮다.
  자유있는 빵이든, 빵있는 자유이든 똑같다.
  (83.4.18 KSCF 주최 4.19 기념예배)

- 쏘련은 북한민족에게 무기를 주어 남한 민족을 죽였고, 미국은 남한민족에게 무기를 주어 북한민족을 죽였다.
  (83.6.24 전주남문교회 설교)

- 국민의 지지를 받는 정부라면 김일성이 주장하는 통일원칙을 받아들인다해도 두려워할 것이 없다.
  (83.6.25 목포 연동교회 설교)

- 통일을 위해서는 김일성은 아측의 교차승인제를, 아측은 북괴의 고려연방제를 받아들여야 한다.
  (84.1.23, 인천 동인교회 해고근로자 위한 기도회 설교)

- 고려연방제는 무조건 거절할 일이 아니다.
  (84.2.16, 온양 제일교회 초청 강연)

0059

3

ㅇ 이북의 3자회담을 반대하는 이유를 모르겠다.
(84.2.20 부여 동남교회 초청 강연)

ㅇ 북한 방위비는 17억불에 불과하므로 무력남침은 불가능하다.
(85.10.22, 경찰서 연행 조사)

ㅇ 남북의 젊은이는 무릎을 맞대고 많은 이야기를 해야하며,
공산주의 책자를 읽어야 한다.
(85.10.31, 목요예배)

0060

4

3. 주한미군 철수 주장

- 우리가 살길은 이북과 손잡고 4대강국을 몰아내야 한다. 같은 동족인데도 미국.일본보다도 북한을 더 미워하니 우리에게 희망의 빛이 보이지 않는다.
  (83.3.31, 한빛교회 설교)

- 이 나라의 통일에 걸림돌이 되고 있는것이 미군의 주둔이다. 이 나라를 통일하기 위해서는 미군이 철수해야 한다. 만약 내가 대통령이 되어 국민의 절대적인 지지를 받고 있다면 미군 나가라고 할꺼다.
  (83.4.18 KSCF 주관 4.19 기념예배 설교)

  * 4.27 14:00 북괴는 평양방송과 통혁당 방송에서 "문익환이 남조선을 강점하고 있는 미제 침략군의 철수를 요구했다"고 인용 보도하는 한편, 서울 및 경기일원에 문익환 석방요구 삐라 살포

- 외국군 주둔의 필요성이 없어지면 철수하는 것이 원칙이다. 3천만의 지지가 있으면 미군주둔없이도 이북의 남침을 물리칠 수 있다. (83.5.16 향린교회 강연)

- 이북이 핵무기가 있건 없건간에 남한은 소련의 핵공격 표적이 된다. (85.1.19 마산 카톨릭회관 강연)

0061

5

4. 서울대학교 강연요지 (86.5.20)

- 새벽에 관악에 들어온 것은 이땅의 민주화를 외치고 있는 젊은이들과 만나기 위한 것이다.

- 김세진과 이재호는 민주를 위해 싸웠고, 수년전에는 광주에서 많은 사람들이 목숨을 걸고 투쟁하였다.

- 한달에 10만원 미만의 월급을 받는 근로자가 1,000만명을 넘는데, 이것은 이땅에 민주가 없기 때문이다.

- 「해방선언」이 용공으로 매도됐는데 내가 읽어보니 오히려 너무 온건하더라

0062

6

Ⅱ. 「문익환」의 범법행위

1. 「문익환」의 법적지위 (형집행 정지중)

- 문익환은 76.3 명동사건에 연루된 것을 비롯하여 80.5 김대중 내란음모 사건 등에 관련 구속되었다가 82.12.24 정부 당국의 은전으로 석방, 현재 형집행 정지중에 있음.
  (잔형기 2년 7월)

2. 과거 범법관계 (전과 3범)

<명동사건>

- 77.3.22 명동사건 관련, 징역 5년 자격정지 5년
- 77.12.31 형집행정지 출감

사건 개요

- 76.3.1 명동성당에서 신구교 합동 3.1절 기념미사를 개최하고 반정부적 선동내용이 수록된 "민주구국선언문" 낭독, 배포
- 김대중, 문익환 등 18명 위법처리 (구속 11, 불구속 7)

0063

7

<NCC 금요기도회 사건>

- 78.12.8 형집행정지 취소 재수감(금요기도회 개헌주장)
- 79.12.8 긴급조치 해제로 석방

사건 개요

- 78.10.13 NCC회관에서 100여명 참석리에 개최된 "구속된 모든 양심범의 석방을 위한 기도회"시 설교를 통해
- 민중을 경제적 파탄으로 몰아넣어 생존권과 인권을 무너뜨린 현 정권은 물러나야 한다.
  등 대통령 긴급조치 9호 위반

<김대중일당 내란음모사건>

- 81.1.23 김대중 일당 내란음모사건으로 징역15년
  (81.8.15 징역 10년으로 감형, 82.3.3 징역 5년으로 특별 감형)
- 82.12.24 형집행정지 석방(특사) : 잔형기 2년 7월

사건 개요

- 김대중 등과 공모 10.26 사태를 악용
  - 김대중의 지원세력으로 국민연합, 민주헌정동지회 등을 결성, 80.3.26-80.5.16간 불법적 정치집회 및 사조직을 동원, 학원데모를 폭력화시켜 민중봉기 유도
  - 광주사태 배후조정으로 정부전복을 위한 내란음모
    (구속 36명, 불구속 2명, 훈방 2명)

0064

8

3. 기타 참고사항 (서울대 잠입경위)

5.19 19:00 민통련 사무실에서 서울대 총학생회 성명미상 간부로 부터 전화연락 받고 모처(진술 거부)에서 학생 2명과 동숙

5.20 04:00 기상

07:00 총학생회 간부 2명과 시내 버스편으로 서울대 정문에 도착, 단독 교내 잠입, 산책

10:30 아크로 폴리스 광장에서 학생들이 제공한 도시락으로 아침식사

11:00 총학생회 사무실에 은신
-14:00

14:15 학생들과 함께 아크로폴리스 광장에 입장, 연좌

14:52 이상익 학생처장이 불법행사임을 주지코 강연중지를 설득하였으나 거절

15:05 학생 1,000여명 참석리에 개최된 초청강연회에서
-15:20 "광주민중항쟁의 민족사적 조명"제하 강연도중

15:20경 이동수(원예1)가 분신투신 직후 강연을 듣고있던 학생 1,000여명이 기배치된 경찰에 투석등 시위가 유발 학생 20여명이 "문목사를 지켜라"며 둘러싸서 학생회관 건물내에 은신, 도피

19:30 대구 계명대 총학생회 초청 강연회에 참석차 동학생회 간부 1명과 함께 대구로 내려감.

0065

9

III. 문익환 인적사항 및 경력

1. 인적 사항

- 생년월일 : 1918.6.1생 (68세)
- 원 적 :
- 본 적 :
- 주 소 : 서울 도봉구 수유동 527-30
- 직 업 : "민통련" 의장
  갈릴리교회 목사

2. 학 력

- 37.4 만주용정 광명중학교 졸업
- 43.10 일본 동경신학대학 신학부 5년 중퇴
- 47.9 한국신학대학 신학과 졸업
- 55.5 미 프린스톤신학대학원 수료 (신학석사)
- 66.3 미 뉴욕 유니온신학대학 졸업
  (* 상기 2개대학에서 「해방신학」 전공)

0066

10

3. 주요 경력

- 37.4 만주 조양천 국민학교 교사
- 44.7 만주 신경중앙교회 전도사
- 47.4 경북 구미교회 전도사
- 49.6 을지로 장로교회 전도사
- 49.7 목사 안수
- 55.9 연세대 신과대 전임강사
- 55.10-69.2 서울중앙교회, 중부교회, 한빛교회 목사
- 56.4-75.2 한국신학대 교수
- 75. 8~ 갈릴리교회 목사

0067

11

4. 문제단체 가입경력

- 74.11 민주회복 국민의회 발기인
- 75.7 민주주의 국민연합 결성주동
- 78.12 한국교회사회선교협의회 부회장
- 80.2 김대중 복권을 위한 시도지부 결성주동
- 80.4 민청복권 대책협의회 지도요원
- 80.4 국민연합 중앙상임위원회 위원장
- 83.3 전태일 기념건립 추진위원회 위원장
- 85.3 민주통일 민중운동 연합 (민통련) 의장

0068

12

朴

秘

文益煥 牧師

面 談 資 料

86. 5. 23.

0069

[목 차]

행-29 83. 8. 1

0070

1. 서울대 불법집회 참석 학생시위선동

가. 시위선동

ㅇ 문익환 목사는 5.20 새벽에 "5월제" 축제에 참석차 교내에 잠입 은신타가 학생들과 같이 아크로폴리스 광장에서 연좌시 이상익 학생처장이 목격하고 불법행사임을 주지시켜 퇴거토록 설득 했으나 이를 거절하고

ㅇ 15:05-15:20간 학생 1,000여명에게

- 새벽에 관악에 들어온것은 이땅의 민주화를 외치고 있는 젊은이들과 만나기 위한 것이다
- 김세진과 이재호는 민주를 위해 분신하며 싸웠고 수년전에는 광주에서 2,000여명이라는 많은 사람들이 목숨을 걸고 투쟁하였다
- 민주화와 통일을 가로막는게 누구인가, 미국이 자국의 이익만 생각하며 이승만, 박정희, 000정권을 뒷받침해 준것이 한반도의 통일을 가로 막았다
- 학생들이 주장하고 있는 "해방선언"이 용공으로 매도됐는데 내가 읽어보니 너무 온건하더라
- 몸에 멍이들어 폭폭썩어들어가는 육체를 갖고 한달에 10만원 미만의 월급을 받는 근로자가 1,000만명이 넘는데 이것은 이땅에 민주가 없기 때문이다

등 언동을 하면서 학생시위를 선동

* 집시법 제 14조 3항(불법집회 참가) 및 동법 제3조 2항 (시위선동) 위반

나. 서울대 잠입, 시위선동후 도피행적

ㅇ 5.20. 07:00 서울대학생 2명(명미상)과 서울대에 도착, 교내 잠입

ㅇ 10:30 아크로폴리스 광장에서 학생들이 제공한 도시락으로 아침식사

ㅇ 11:00-14:00 총학생회 사무실에 은신

ㅇ 14:15 학생들과 함께 아크로폴리스 광장에 입장, 연좌

ㅇ 14:52 이상익 학생처장이 학생들과 연좌중인 것을 목격하고
불법행사임을 주지시킨후 퇴거를 설득하였으나 거절

ㅇ 15:05-15:20간 아크로폴리스 광장에서
서울대 5월제 준비위원회 (위원장 : 정진영, 국문4) 주최
행사시 학생 1,000여명에게
"광주 민중항쟁의 민족사적 조명"제하로 선동중

ㅇ 15:20 행사장과 약 100미터 떨어진 학생회관 4층에서
이동수 (24, 원예1)의 분신 투신자살로
학생 1,000여명의 극렬 시위사태를 유발

ㅇ 문익환은 학생시위로 혼란한 틈을 이용,
학생회관 건물내에 은신 잠적하였다가 19:30 택시편으로
대구 계명대 총학생회 초청 강연회에 참석차 대구로 도피

행-29 83. 8. 1

2

0072

2. 대구 계명대 초청강연회, "성명서" 발표사항

o 5.21. 12:50-13:05간 대구 계명대 노천강당에서 1,500여명 참석리에 개최된 총학생회 초청 강연회에서 "올바른 역사의식과 올바른 현실의식" 제하로 강연예정 이었으나

o 서울대 불법집회에서 시위선동후 도피하여 경찰에서 수배하자, 강연대신에 "한국의 민주화와 민족통일을 염원하고 지지하는 전국민과 해외의 모든 인사에게 드리는 말씀"제하

- 어제 장렬하게 산화한 이동수 열사는 살아야하고
  이 늙은 문익환이가 죽어야하나 욕스럽게 살아 남았다

- 이땅의 온갖 형태의 독재를 종식시키고 억압받는 민중을 해방시켜
  민중.민주화 시대를 열자

- 독재로 인해 생긴 민족의 분열, 상대적 관계를 해소하고
  평화로운 민주사회를 건설하기 위하여 자주적인 민족으로 화해의 길을
  걷자

- 한국의 민주화와 민족통일의 길을 가로막는 외세를 배격하고
  민족자주의 길을 열자

- 민중 민주주의가 곧 민족통일이라는 신념으로 민족분단을 극복하고
  민족통일의 길을 열자

- 민주화와 민족통일을 위해서 생명을 바쳐 이동수의 희생이 헛되이
  하지않고 거룩한 뜻을 빛내자

- 나는 이땅의 민중세력의 하나로서 새시대를 여는 투쟁의 대열에서
  마지막 피 한방울까지 바칠것도 아울러 다짐한다

등 내용의 성명서 낭독

3. 인천 소요사건 "민통련" 관련사항

ㅇ 4.25경 "민주통일 민중운동 연합" 사무실에서 문익환은 여익구(40세, 민불연 의장, 수배), 서동석(32세, 민불연 집행위장, 구속) 등에게 개헌추진 결성대회가 거듭될수록 대중의 정치가 고조되고 있으므로 5.3 인천대회에 참석하라고 지시

* 서동석 진술

ㅇ 5.1 민통련 사무실에서 중앙집행위원 및 지역단체 대표자 연석회의를 개최, 23개 가맹단체가 총동원하여 신민당 인천행사시 별도로 시민대회를 개최한 후 가두시위를 모의

ㅇ 5.2. 15:00 민통련 서울지부는 동 사무실에서 양성우(43세, 서울지부 부의장), 심순봉(30세, 회원), 이남희(36세, 서울지부 간사), 홍순우(31세, 서울지부 사무국장)등 10여명이 회합

- 신민당 인천대회는 재야 인사들에 의한 임시 민중정부 수립계기가 될 수도 있다
- 시위현장을 주도하고 시위대를 유도, 주안역 돌파로 최우선 목표로하고 여의치 않을시 주안1동 성당에서 철야농성에 들어간다
- 메카폰 등 시위준비물은 이미 인천에 준비되어 있다

등 민통련 주도 시위계획 모의

행-29 83. 8. 1

4

0074

○ 5.3 민통련 간부 장기표, 조춘구, 박계동, 정동년(전원 수배)등이
민통련 회원 200여명을 중앙성당으로 집결시켜
사전 준비한 깃발, 플래카드, 피켓, 불순유인물 등을 손수레에 적재,
인천 시민회관 앞으로 인솔, 극렬시위 주동

○ 민중 불교연합 간부 여익구(수배), 서동석(구속)등은

- 인천 사회운동 연합 이호웅(수배) 동 집행국장 이우재(수배)등과, 연계, 인천시위 모의

- 동 여익구는 4.28 성대 민불련 회원 김승진 (정외3, 구속)등에게 회원 다수 동원, 인천시위 참가 지시후

- 5.3 인천시위에 직접 가담 주동

- 5.3 인천 노동자 연합(인노련) 회장 양승조(수배)에게 "주안성당에 시위용 깃발, 플래카드 등이 준비되었으니 시위에 가담하라"고 지시

동 박병무는 인노련 회원 김중성 (수배)등 80여명과 시위 적극 가담

행-29 83. 8. 1

0075

4. 문익환 목사의 신원성향

가. 신원사항

o 인적사항

본적 : [redacted]
주소 : 서울 도봉구 수유2동 527-30
직업 : 민주통일 민중운동연합 의장 (갈릴리교회 목사)
문 익 환 68세

o 주요 학.경력

47. 9 한국 신학대학 신학과 졸업
55. 5 미 프린스톤 신학대학원 졸업 (신학 석사)
66. 3 미 뉴욕 유니온 신학대학 졸업
56.4-75.2 한국 신학대학 교수
85. 3 민주통일 민중운동연합(민통련) 의장

o 가족사항

모 김 신 묵 (90세) : 한빛교회 권사
처 박 용 길 (66세) : 한빛교회 장노
자 문 호 근 (40세) : 연출가 서독유학중
" 문 의 근 (35세) : 시카고은행 서울지점 근무
" 문 성 근 (32세) : 연극배우

o 전 과 (3범)

- 77.3 명동사건 관련 징역5년, 자격정지5년, 형집행정지 석방
- 78.11 형집행정지 취소 재수감 (긴급조치 위반)
- 80.7 김대중 사건 관련 징역10년 (5년 감형)

* 82.12.24 형 집행정지 석방 (잔형기 2년7월)

나. 성 향

- 문익환 목사 (68세, 민통련 의장)는
  47.9 한국신대 신학과를 졸업후, 55.5 미 프리스턴 신학대학원,
  66.3 미 유니온 신학대학에서 각 해방신학을 전공한 좌경사상을 지닌
  환상적 이상주의자로

- 한신대 교수로 재직시인 74.11 소위 민주회복 국민회의 발기인으로
  참여함을 계기로 본격적인 반정부활동에 가담하기 시작하여
  정치목사로 지탄의 대상이 되고 있으며

- 교계 운동권에서 조차 그의 용공사상, 과격한 반정부 활동에 대해
  견제하는 등 등을 돌리게 되자
  85.3 재야 반정부 과격인사들로 민통련을 결성, 재야단체의 대표로
  자처하고

- 최근에는 반정부 성향인 친 제 문동환 (64세, 한신대 교수) 마저
  무분별하고 과격한 정치활동을 만류하고 있으나
  이를 듣지않아 반목 관계에 있으며

- 문익환은 그간 민중 민주주의 건설을 주장하면서
  북괴 주장과 유사한 발언을 서슴없이 발설하여 왔는데
  "선 통일, 후 민주화", "고려연방제 찬성", "미군 철수 주장"등이
  그의 용공성향을 단적으로 말해 주고 있음.

행-29 83. 8. 1

5. 주요 불순동향

○ 83.3.31 한빛교회 주일예배 설교시

- 우리가 살길은 이북과 손잡고 4대 강국을 몰아내야 한다
  같은 동족인데도, 미국.일본보다 북한을 더 미워하니 희망의 빛이
  보이지 않는다고 언동

○ 83.4.18 KSCF 및 가톨릭 대학생 연합회 주최 4.19 기념예배시

- 이나라 민족통일에 중대한 걸림돌이 되고 있는것이 미군 주둔이다

- 이나라가 통일이 되기 위해서는 미군이 철수해야 한다 고 언동

○ 83.8.23 필리핀 대사관 앞에서 예춘호 등 김대중 추종세력 20명과 "아퀴노" 암살사건 항의 시위 주도

○ 83.10.24 성남 둔전교회 초청강연시

- 한국은 미국의 핵무기가 있기 때문에 소련의 핵공격 목표가 되고 있다고 언동

○ 85.3.1. 10:10-10:30간 흥사단 건물앞 노상에서 민청련 등 6개 단체 공동으로 소위 "3.1해방절" 기념식을 주도
"독재정권은 물러가라"등 불순구호 제창 시위 선동

○ 85.4.12. 10:00 민통련 사무실에서 내외신 기자회견을 통해

- 미국은 한반도를 영구 분단시켜놓고 힘의 우위를 통한
  긴장완화를 단행하여

- 그들의 세계전략 일환으로 한국문제를 이용하고 있다고 발표

행-29 83. 8. 1

0078

o 85.5.10. 10:00-10:20 민통련 사무실에서

UPI, AP, 고또통신 등 4개 외신을 초치,

"레이건 미국 대통령에게 보내는 공개 서한"제하 회견에서

- 미국은 역사적으로 한국의 "우방"임을 강조하면서

- 독재와 부정으로 민중의 지탄을 받던 이승만,박정희 정권을 승인했다고 발표

o 85.5.19-5.20 민통련 사무실에서

소위 "광주 민중항쟁 기념기간"을 맞이하여

- 미국은 광주학살 방조로 사과하라 등 요구코 농성

o 85,9.27. 14:00 성대 학내에서 '분단의 극복과 한민족 생존의 길"
주제 강연 (학교당국 미승인행사)을 하고자

동일 09:20경 후문을 이용, 잠입하다가 적발 퇴거

o 85.10.31. 18:00-19:40간 기독교회관 대강당에서 개최된

제 30차 목요예배에서 설교시

- 북의 3자 회담을 반대하는 이유를 모르겠다

- 남북의 젊은이는 무릎을 맞대고 많은 이야기를 해야하며

공산주의 책자를 읽어야 한다 고 용공발언

○ 86.1.19 민통련 홍보국 간사 박계동(34세)에 지시하여

- 개헌투쟁 선동 내용의 "군사독재 물리치고 민주헌법 쟁취하라"제하 등 3종 불순유인물을 각 5,000부씩제작 문제권에 배포한 혐의로 즉심에 회부

  * 1.31 경범죄 처벌법 제1조 44호(유언비어 날조) 위반혐의로 구류10일, 유치명령 10일 선고

○ 86.4.20. 15:30-17:30간 충주 중부교회에서 개최된 4.19 기념예배시

- 미국이 한국에 핵무기를 배치하는 것은 한국 방위보다 일본을 방위하기 위한 것이다 라고 언동

○ 86.5.14. 20:00-22:10 전주 금암교회에서 개최된 광주사태 제 6주기 추모연합 예배시

- 슐츠 미 국무장관이 방한하여 또다시 군사정권을 지지하고 갔다

- 그가 현정권을 지지하고간 이면에는 현정권이 미국에 막대한 이권을 넘겨 주었기 때문이다 라고 언동

6. 김대중 사건 관련 사항

가. 범죄개요

- o 10.26 사태후 반정부 단체인 "국민연합" 중앙상임 위원장, "한국정치범 동지회" 회장 등으로 추대되어
  김대중 정치세력 기반을 구축하기 위해 80.1-3간 불법집회 개최 주도

- o 80.4.2 자가에서 이신범(전 서울대생)에게
  "지금이야말로 학생들이 계엄해제를 주장하고 이를 행동화할 시기이다"
  라고 언동, 학생 폭력 시위 선동

- o 80.5.12 북악 파크 호텔에서 김대중, 이문영, 예춘호, 장기표,
  심재권등과 회합, "국민연합"이 민주화 촉진 국민운동을 주도하고
  학생들을 선동, 폭력적 극한 상황을 유발, 정부전복을 추구, 내란음모

나. 사건 처리사항

- o 80. 7. 9 구속
- o 80. 7.31 구속 기소
- o 80. 9.17 1심 (육본 보통군법회의) : 징역 20년
- o 80.11. 3 2심 (육본 고등군법회의) : 징역 15년
- o 81. 1.23 3심 (대법원) : 상고기각 형 확정
- o 81. 1.23 특별감형 : 징역 15년 징역 10년
- o 82. 3. 3 특별감형 : 징역 10년 징역 5년
- o 82.12.24 년말 특사 (형집행정지) 석방

* 현재 형집행정지중 (잔형 2년 7월)

7. 김병오 등 서울대 불법집회 가담 시위 선동사건 처리상황

가. 사건 개요

○ 민추협 부간사장 김병오(51세)등 재야 정치인 6명은 85.11.21. 13:20-15:30간 서울대 도서관 앞에서 재경대생 2,000여명이 참가한 가운데 개최된 전학련 (의장 : 오수진, 성대 행정4 제적) 주최 소위 "군부독재 종식과 헌법 철폐에 대한 범국민 대토론회"에 가담

○ 김병오, 한영애 (44세, 신민당 민권국장), 이 협 (56세, 민헌연 인권위원장)등 3명은 단상 연설을 통해

- 현 군사독재 정권은 12.12쿠데타, 광주학살의 피를 딛고 이룩된 반민중 정권이므로 타도되어야 한다 - 민주화를 위해 여러분과 같이 생명을 걸고 싸우겠다는 신념으로 이자리에 왔다

등 극렬 불순발언으로 학생들에게 대정부 투쟁 선동

○ 서호석(50세, 민추협 인권국장), 유성효(36세, 민추협 선전부 차장), 이종남(67세, 민노추 위원장)등은 단상에 앉아 학생 시위 고무 격려

* 집시법 제 3조 1항 4호 (사회불안 야기)및 동 3조 2항 (시위선동) 위반

나. 사건 처리 사항

- 85.11.23 김병오(51세, 민추협 부간사장)등 5명 구속
- 85.11.29 이종남(67세, 민노추 위원장) 구속 집행 정지 석방
- 85.12.2 유성효(31세, 민추협 선전부 차장) 구속
- 85.12.12 서울 형사지법에 기소
  * 김병오 등 5명 구속, 이종남 불구속
- 86.1.30-5.17간 9차 공판 진행
- 86.5.21 1심 선고
  * 서울 형사지법 3단독 정덕흥 판사

선 고 형 량

- 피고인 : 김병오, 징역1년(구형 : 징역3년)
- 피고인 한영애, 이 협 : 징역10월, 집유2년(구형 : 징역2년)
- 피고인 서호석, 유성효 : 징역8월, 집유2년 (구형 : 징역2년)
- 피고인 이종남 : 징역6월, 집유2년(구형 : 징역 1년)

한국의 민주화와 민족통일을 염원하고 지지하는 전국민과 해외의 모든 인사들에게 드리는 말씀

이 나라의 민주화의 마지막 한 걸음을 남기고 최후의 투쟁을 하고 있는 노동자, 농민 학생을 포함하는 모든 민중세력들의 헌신적인 투쟁의 대열에 서서 자그마한 힘이나마 보태려고 싸워오다가 어제 나는 나의 생애 최대의 충격을 받았읍니다. 나의 강연 도중에 또다시 한 젊은 생명이 민중·민주의 제단에 바쳐졌읍니다. 민주화와 민족통일을 비는 민주제단에 바쳐졌읍니다.

어제 장렬하게 산화한 이동수열사는 살았어야 하고 이 늙은 문익환이가 죽었어야 합니다. 그런데 그는 갔고 나는 또 욕스럽게 살아 남았읍니다. 그러나 나는 욕스럽게 살아 남은 나의 목숨을 이동수열사가 죽음으로 주장한 일을 이루는 과업에 불살라 바칠 것입니다. 그것은 첫째는 이땅에서 온갖 형태의 독재를 종식시키고 억압과 착취 아래서 신음하며 죽어가는 민중을 해방시켜 그들이 주권자로 복권되는 민중·민주의 시대를 여는 일입니다. 둘째로 독재로 인해서 생긴 민족의 분열, 상극, 적대관계를 해소하고 전민족이 정의롭고 평화로운 민주사회를 건설하기 위해서 자주적인 민족으로 하나되는 화해의 길을 여는 일입니다. 세째, 한국의 민주화와 민족통일의 길을 가로막는 외세를 배격하고 민족자존의 길을 여는 일입니다. 네째, 민중민주주의가 곧 민족통일이라는 신념으로 민족분단의 비극을 극복하고 민족통일의 길을 여는 일입니다. 다섯째, 세계분쟁의 불씨가 되어 있는 우리의 조국을 세계평화의 터전으로 만드는 일입니다. 여섯째, 이렇게 함으로 이 나라의 민주화와 민족통일을 위해서 생명을 바친 이동수열사에 이르는 모든 애국민주인사들의 희생을 헛되이 하지 않고 그 거룩한 뜻을 이루어 그들의 희생을 길이 빛내는 일입니다.

마지막으로 어떤 방식의 자결도 더 이상 없기를 간곡히 당부하면서 나는 이땅의 민중세력의 하나로서 새시대를 여는 투쟁의 대열에서 나의 마지막 피 한방울까지 바칠 것도 아울러 다짐합니다.

1986년 5월 21일

민주·통일민중운동연합

의장 문 익 환

008

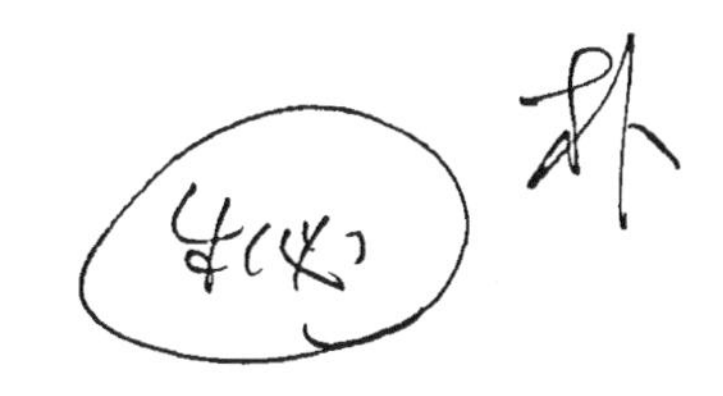

-文益煥 拘束에 따른-
国内外 弘報 措置計劃

1986. 5. 23

文 化 公 報 部

0085

拘束處理의 必要性

ㅇ 現在는 仁川소요사건 및 서울大生(李東洙)의 焚身自殺사건과 관련, 社會에 대한 ~~[redacted]~~ 조치 必要한 狀況
- 만약, 事件責任에 대한 구체적 ~~[redacted]~~ 조치가 없을 경우, "民主化 문제는 政府에 責任있다"는 輿論攻勢 대두 우려

ㅇ 日刊紙(東亞, 朝鮮, 京鄕)에서도 文益煥에 대한 批判이 自發的으로 일어나고 있음.
- 文을 處罰않을 경우, 政府가 도리어 野의 攻勢에 말려들 우려

ㅇ 따라서, 서울大生의 焚身이 文益煥의 선동으로 고무되었다는 事實 强調 필요

0086

1

弘報論旨（強調事項）

〈國內弘報〉

- 文益煥이 서울大生 분신을 結果的으로 선동·고무 - 人間 존엄 파괴를 間接使族
- 文의 民衆·左傾思想과 牧會者로서의 異端性 부각
- 文은 진정한 "民主化" 沮害의 張本人
- 刑執行停止中인者로서 再收監조치의 適法性

〈海外弘報〉

- 서울大에 잠입, 煽動
- 文은 刑執行停止中인者이므로, 이번의 犯法行爲로 再收監
- 文의 이번 서울大 煽動은 5.21 大學生의 釜山美文化院 사건과 같은 脈絡（對美弘報）
- 文의 煽動은 "韓國의 民主化"를 도리어 沮害

008

2

弘報措置計劃

<國內弘報>

ㅇ 言論 報道

- 報道 참고자료 作成, 言論社 제공(別添)

· 文益煥의 發言중심으로 左傾思想 증점해부(但, 司法措置 前이므로 資料중심 제작)

- 言論社 自體 取材유도, 支援

· 인터뷰 對象者 選定등 取材지원

· 文의 左傾性등 부각

* TV 報道는 事實報道 정도로 취급

ㅇ 社會團體 활용 批判輿論 조성

- "失鄕民 護國運動協議會"(會長 張忠植)등 社會團體 활용

- 機關紙 號外(또는 傳單)제작, 配付

* 在美 僑胞團體에도 送付, 輿論化 유도

0088

3

<海外弘報>

ㅇ 駐韓外信 대상 브리핑(5.23)

- 外信記者클럽에서 事件發表

- 檢察 담당검사

ㅇ 外信報道資料 작성 配布

- "文益煥 拘束 참고자료"(國.英文)

- 常駐 및 訪韓外信 대상 배포

ㅇ 外信대상 文公長官 오찬說明會 개최(來週)

- "韓國의 民主化" 主題

ㅇ 訪韓 TV 取材班 活用, "韓國民主化" 重点取扱 유도

- 美 PBS-TV 取材팀 訪韓계기(6月), 急進左傾實相, 閣下의 民主化 노력등 取材반영

. 有名 뉴스 쇼프로인 MacNeil/Lehrer News Hour에 放映

ㅇ 在外 公報官의 現地 言論活動 展開

- 弘報指針 시달 및 KPS 자료 打電(5.23)

- 現地 主要言論과 적극 접촉, "韓國의 民主化" 설명 記事化

0089

4

〈宗教對策〉

ㅇ 中道 및 保守系 有力 教役者 대상 說明간담회 개최

- 各 宗教團體別 그룹 說明會

  · 文公長官·次官·宗務室長 주관 실시

  · 說教·講論등 口傳弘報 및 寄稿등 活動 유도

- 5.23(金): 佛教宗團 代表者 6名 面談(長官)

  成均館 指導部 5名 간담회(宗務室長)

* 來週 계속해서 接觸

ㅇ 宗教紙 寄稿 확대

- 改新教 및 佛教紙등 대상

- 有力 教役者 및 平信徒 寄稿 게재 유도

- 社說, 企劃記事 유도(代表, 編輯長 접촉)

  · 宗教人의 政治活動, 左傾思想 비판

ㅇ 保守 重鎭教役者의 日刊紙 寄稿, 인터뷰 주선

0090

5

ㅇ WCC, 국제사면위등 海外 연계활동 對應

- 有力 保守 教團長 및 基督實業人會등 名義의 文益煥 규탄 書信 발송

- 有力 教役者의 海外 僑胞宗教紙 기고 유도

. 6.2 訪韓예정인 吳운철牧師 一行등 활용

- 各種 國際宗教行事 참가자를 통한 事件 説明

. 美 장로교 총회 (6月, 美國)등

ㅇ 文益煥 관련 急進勢力 主動 不純集會 저지, 차단 (關係機關과 협조)

0091

6

관리 번호	86 -1222

WAN-0081, WST-0477, WSA-0230, WAK-0030, WCG-0369, WNY-0707, WHL-0120, WHU-0075, WLA-0695,

발 신 전 보

번 호: 일 시: 60523 2200 전보종별:

수 신: 주 미 각총영사 /대사/총영사 (주미대사, 주아가나총영사 제외)

발 신: 장 관 (미북)

제 목: 문익환 목사 구속영장 신청

서울 시경은 5.23(금) 민통련의장 문익환 목사가 지난 5.20 하오 서울 대학교 급진좌경 조직이 개최한 불법집회에 참석하여 과격시위를 선동한 사실이 밝혀짐에 따라 집회 및 시위에 관한 법률위반 혐의로 동인에 대한 구속영장을 서울지검에 신청하였음을 아래와같이 발표하였고 이에따라 동인 구속영장이 발부되었는바, 적절한 기회에 ~~하였는 바~~, 귀 동요지를 중심으로 귀지 언론 및 유력고포 인사들에게 동인구속의 당위성을 설명하고 결과 보고 바람.

WAN-
WSA-
WCG-
WHL-
WHU-
WLA-
WST-

발표요지

1. 동인은 상기 서울 대학교 학생집회에 참석하여 급진 좌경학생들이 북괴 대남방송("한국 민족 민주전선 구국의 소리방송")으로부터 인용, 제작한 좌경용공 유인물 '해방선언'의 내용이 오히려 온건하다는 등의 주장을 하면서 과격시위를 선동

2. 아울러 "미국이 이승만 정권과 박정희 정권을 뒷받침하고 현 정권을 지원하여 우리의 자유를 짓밟고 민주주의를 가로막고 있다"고 선동함으로써 집회에 모였던 학생들은 반미

보안 통제	(서명)

앙 고 재	86 년 5 월 23 일	북미과	기안자		과 장	심의관	국 장	제1차관보	차 관	장 관
			(서명)		(서명)		(서명)	(서명)	전결	(서명)

외신과	접수자	통 제
	(서명)	

0092

구호를 외치며 격렬한 시위를 전개

3. 동인의 강연도중 하오 3시 20분경 농대 원예과 1년생 이동수 군이 학생회관 4층 옥상에서 온몸에 신나를 끼얹고 불을 ~~부착~~ 붙여 투신했으며, 순간 분위기가 소란해지자 동인은 강연을 중단하고 황급히 잠적

4. 아울러 동인은 21일 대구 계명대학 학생집회에 참석하여 "노동자, 농민, 학생을 포함한 모든 민중 세력들의 헌신적인 투쟁으로 억압과 착취아래 신음하며 죽어가는 민중을 해방시켜 그들이 주권자로서 복권되는 민중 민주의 시대를 열자" 는등 과격시위를 충동하는 성명서를 낭독 (차관)

예고 : 86.12.31.일반.

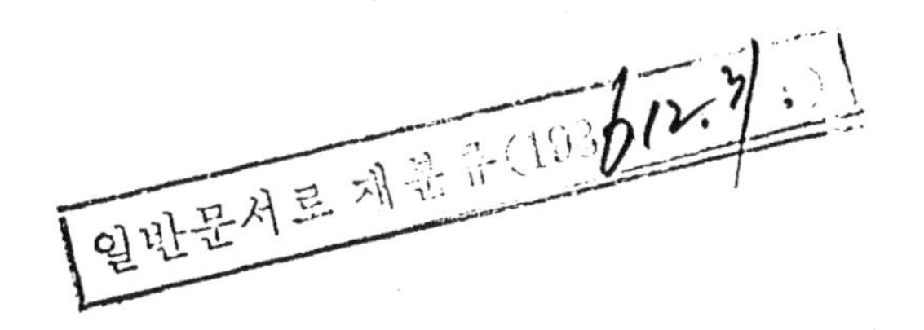

관리 번호	86 -1523

발 신 전 보

번 호 : WUS-2112 일 시 : 60523 2200 전보종별 : 지 급

수 신 : 주 미 대사 · 총영사

발 신 : 장 관 (미북)

제 목 : 문익환 목사 구속 ~~통보 관련~~

서울 시경은 5.23(금) 10:30 민통련의장 문익환 목사가 지난 5.20 하오 서울 대학교 급진좌경 조직이 개최한 불법집회에 참석하여 과격시위를 선동한 사실이 밝혀짐에 따라 집회 및 시위에 관한 법률 위반 혐의로 동인에 대한 구속영장을 서울 지검에 신청하였음을 아래요지로 발표하였고 이에따라 동일 구속영장이 발부되었는바, ~~아래와같이 발표 하였는 바,~~ 적절한 기회에 동요지를 중심으로 국무성 관계요로 및 ~~주요~~ 주요 의회인사, 언론, 유력 교포 인사들에게 동인구속의 당위성을 설명하고 결과 보고 바람.

발표요지

1. 동인은 상기 서울 대학교 학생집회에 참석하여 급진 좌경학생들이 북괴 대남방송("한국 민족 민주전선 구국의 소리방송")으로 부터 인용, 제작한 좌경용공 유인물 '해방선언'의 내용이 오히려 온건하다는 등의 주장을 하면서 과격시위를 선동

2. 아울러 "미국이 이승만 정권과 박정희 정권을 뒷받침하고 현 정권을 지원하여 우리의 자유를 짓밟고 민주주의를 가로막고 있다"고 선동함으로써 집회에 모였던 학생들은 반미

보안 통제	(서명)

앙 고 재	86 년 5월 23일	북미과	기안자		과 장	심의관	국 장	제1차관보	차 관	장 관
			(서명)		(서명)		(서명)	(서명)	전결	(서명)

외신과	접수자	통 제
	(서명)	

0094

구호를 외치며 격렬한 시위를 전개

3. 동인의 강연도중 하오 3시 20분경 농대 원예과 1년생 이동수 군이 학생회관 4층 옥상에서 온몸에 신나를 끼얹고 불을 붙여 투신했으며, 순간 분위기가 소란해지자 동인은 강연을 중단하고 황급히 잠적

4. 아울러 동인은 21일 대구 계명대학 학생집회에 참석하여 "노동자, 농민, 학생을 포함한 모든 민중 세력들의 헌신적인 투쟁으로 억압과 착취아래 신음하며 죽어가는 민중을 해방시켜 그들이 주권자로서 복권되는 민중 민주의 시대를 엽자" 는등 과격시위를 충동하는 성명서를 낭독 (차관)

예고 : 86.12.31.일반.

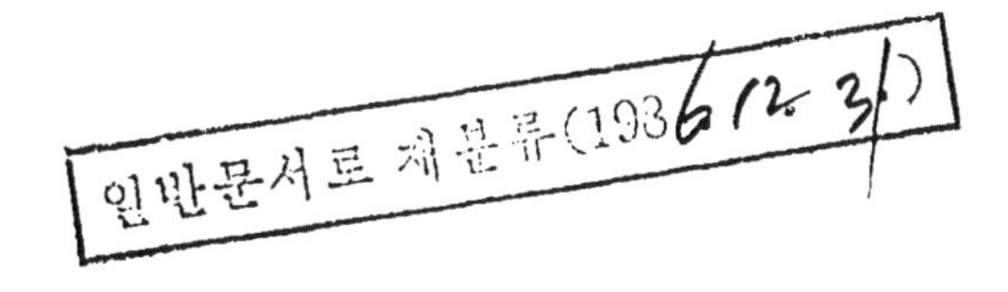

0095

관리번호 86-1260

외 무 부 착 신 전 문

번 호 : USW-2633 일 시 : 605231904 종 별 :

수 신 : 장 관 (미북)

발 신 : 주 미 대사

제 목 :

대: WUS-2112

1.김삼훈 참사관은 금 5.23.(금) ISOM 한국과장과의 오찬시 대호 문목사 구속의 당위성을 설명함.

2. 동과장은, 주한미대사관으로부터 보고를 받았다고 하면서, 일응 아국정부의 조치에 대해 이해를 표시하면서도, 그동안 아국정부가 잘 대처해 왔는데 반해, 금번 구속으로 미국내 여론 및 국제여론의 악화를 우려하지 않을수 없다는 반응이었음.

3. 동과장은 문목사의 연설이나 행동은 FREEDOM OF SPEECH 라는 민주주의 원칙에서 볼때 미국민들이 이를 구속사유가 되는것으로 이해하려고 하지 않을 것이라고 하면서, 일단 향후 며칠간의 언론동향에 신경을 쓰는듯 하였음.

4. 또한 동 과장은, 문목사의 구속으로 과격학생의 데모가 없어지거나 줄어들것으로 기대하느냐고 반문하기도 하였는바, 김 참사관은 문목사의 선동으로 과격학생 데모에 나쁜영향을 준것이 사실이며, 이는 분명히 실정법 위반이므로 법과질서 유지의 책임이 있는 정부는 법적조치를 취할수 밖에 없다고 말하였음.

(대사 김경원-차관)

예고 : 1986.12.31. 일반

일반문서로 재분류(1986.12.31.)

미주국 차관실 1차보 정문국 청와대 안 기

PAGE 1

86.05.24 10:41
외신 2과 통제관

0096

C 外

NNNN

경찰 대변인, 문익환목사의 폭력 反美, 反政府 학생시위 선동 혐의 發表

YK0849

230731 :PM-KOREA

SOUTH KOREAN POLICE CHARGE DISSIDENT FOR INCITING VIOLENCE

BY OH ILSON

SEOUL, MAY 23, REUTER - POLICE TODAY CHARGED A LEADING SOUTH KOREAN DISSIDENT FOR INCITING A VIOLENT ANTI-U.S., ANTI-GOVERNMNENT CAMPUS DEMONSTRATION DURING WHICH A STUDENT SET FIRE TO HIMSELF AND LEAPED OFF A BUILDING.

REVEREND MOON IK-HWAN, 68, LEADER OF THE UNITED MINJUNG (MASSES) MOVEMENT FOR DEMOCRACY AND UNIFICATION, COULD FACE A MAXIMUM PENALTY OF SEVEN YEARS JAIL ON CHARGES OF VIOLATING LAWS BANNING ILLEGAL PROTESTS AND OF INCITING STUDENT VIOLENCE.

A HORTICULTURE FRESHMAN, LEE DONG-SU, SET FIRE TO HIMSELF ON TUESDAY AT THE STATE-RUN SEOUL NATIONAL UNIVERSITY DURING A SPEECH BY MOON AT A MEMORIAL RALLY CALLING FOR GREATER DEMOCRACY AND THEN PLUNGED OFF A ROOF TO HIS DEATH SHOUTING +GO AWAY, U.S. IMPERIALISTS+.

A POLICE SPOKESMAN TOLD FOREIGN JOURNALISTS MOON URGED THE STUDENTS TO RISE AGAINST THE UNITED STATES, WHICH HE SAID WAS IMPEDING DEMOCRACY AND FREEDOM BY SUPPORTING DICTATORSHIPS SINCE THE SOUTH KOREAN GOVERNMENT WAS ESTABLISHED IN 1948.

THE DEMANDS OF MOON AND RADICAL SOUTH KOREAN STUDENTS WERE +VIRTUALLY IDENTICAL+ TO THOSE OF COMMUNIST NORTH KOREA TRYING TO ALIENATE WASHINGTON FROM SEOUL, THE SPOKESMAN SAID. THE KOREAS HAVE BEEN ENEMIES SINCE THE 1950-1953 KOREAN WAR.

THERE ARE ABOUT 40,000 U.S. TROOPS BASED IN THE SOUTH, AND SOUTH KOREAN RADICALS ACCUSE WASHINGTON OF POLITICAL AND ECONOMIC DOMINATION.

MORE 0IS GM JF

0097

230736 :PM-KOREA =2 SEOUL

LEE COMMITTED SUICIDE IN PROTEST AGAINST POLICE WHO MOVED ONTO THE CAMPUS AND SURROUNDED STUDENTS DURING MOON'S SPEECH. THE STUDENTS THEN ATTACKED POLICE AND DURING THE FRACAS MOON SLIPPED AWAY BUT GAVE HIMSELF UP THE FOLLOWING DAY.

POLICE ACCUSED MOON OF FANNING PROTESTS AGAINST PRESIDENT CHUN DOO HWAN'S GOVERNMENT AND THE UNITED STATES FOR SUPPORTING HIM.

THEY ALSO ACCUSED MOON'S GROUP OF MASTERMINDING A PROTEST BY ABOUT 10,000 PEOPLE IN INCHON EARLY THIS MONTH BUT HAVE NOT CHARGED THE PRESBYTERIAN MINISTER OF DIRECT INVOLVEMENT.

NO ONE WAS KILLED IN INCHON BUT MORE THAN 100 POLICE OFFICERS AND CIVILIANS WERE INJURED AND MANY GOVERNMENT FACILITIES DAMAGED. THE VIOLENCE WAS DESCRIBED AS THE WORST SINCE A 1980 CIVIL UPRISING IN THE SOUTHWEST CITY KWANGJU IN WHICH 193 PEOPLE WERE KILLED, ACCORDING TO THE OFFICIAL COUNT.

ON WEDNESDAY, IN A FRESH ANTI-AMERICAN PROTEST, 21 STUDENTS BRIEFLY OCCUPIED THE U.S. CULTURAL CENTRE IN THE SOUTHEAST PORT PUSAN BEFORE BEING OVERPOWERED BY RIOT POLICE.

ABOUT 60 PEOPLE BEGAN AN INDEFINITE HUNGER STRIKE YESTERDAY AT THE UNITED MINJUNG MOVEMENT HEADQUARTERS IN SEOUL, DEMANDING THE RELEASE OF MOON AND WHAT THEY CALLED MORE THAN 1,300 JAILED DISSIDENTS, A SPOKESMAN SAID. MOON WAS ARRESTED ON WEDNESDAY.

POLICE SAID THEY HAD PUT ABOUT 130 RADICAL STUDENT LEADERS UNDER HOUSE ARREST TO PREVENT A MAJOR CAMPUS RALLY TODAY.

REUTER OIS GM JF

0098

관리번호 86-1260

金(朴)
要約

주 미 대 사 관

미국(정)700-151　　　　1986. 5. 23.

수신 : 장 관

참조 : 미주국장

제목 : 문익환 목사 구금

대 : 미북 700-1086 (86.4.3)

문익환 목사 구금에 관한 Congressional Friends of Human Rights Monitors 의 본직앞 서한에 대하여 별첨과 같이 회신하였음을 보고합니다.

첨부 : 상기 회신 사본 1 부. 끝.

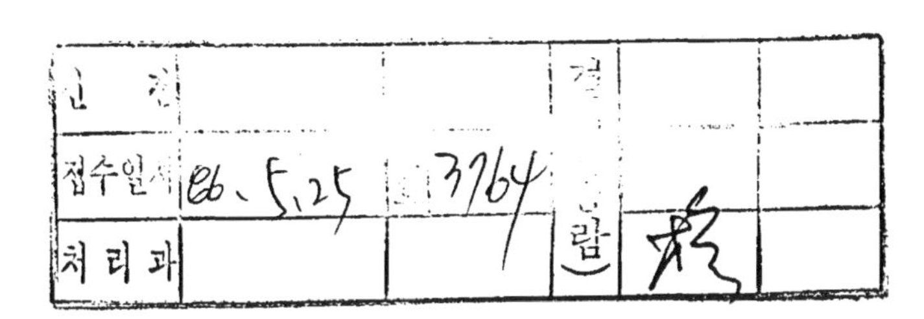

분 류			결 재 람		
접수일시	86.5.25	3764			
처 리 과					

주 미 대 사

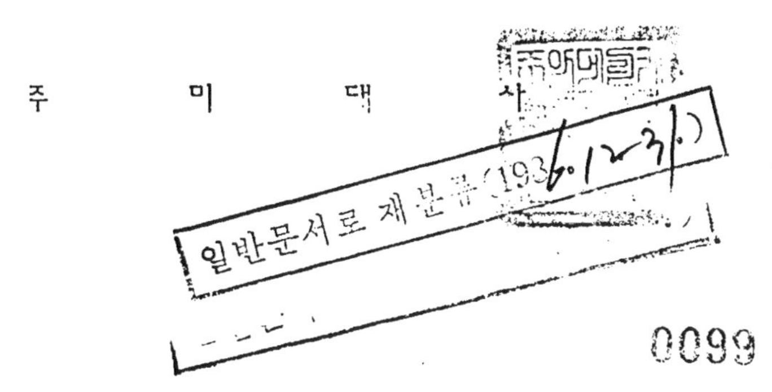

0099

THE AMBASSADOR

EMBASSY OF THE REPUBLIC OF KOREA
WASHINGTON, D. C.

May 21, 1986

The Honorable
Tony Hall
United States House of Representatives
Washington, D.C. 20515

Dear Congressman Hall:

I would like to acknowledge the receipt of your letter dated March 3, 1986 expressing your concern over the detention of Rev. Moon, Ik Hwan.

Rev. Moon was sentenced to ten days detention by a summary court on January 29, 1986 on charges of producing and circulating seditious printed materials and stickers. The ten-day detention, however, did not have anything to do with the suppression of the human rights movement or religion.

Please be assured that the Korean Government continues to respect peaceful and humanitarian activities as long as such activities do not resort to violence.

Sincerely yours,

Kyung-Won Kim

0100

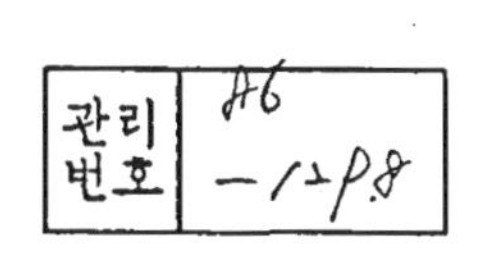

원본

외 무 부 착신전문

번 호 : USW-2658　　　　일 시 : 605281641　　　　종 별 : 지급

수 신 : 장 관 (미북)

발 신 : 주 미대사

제 목 : 문익환목사 구속

대: WUS-2112,AO-38,39

연: USW-2633

1.작 5.27 RICHARD SCHIFTER 국무성 인권 차관보실은 본직과의 면담희망의사를 표명해온바 있어,내주중 오찬형식으로 만나고자하는바,미측의 주된 관심사항은 고문 및 문목사 구속사건이 아닌가 사료됨.

2.대호로 문목사 구속관련 사항을 통보받았는바, FREEDOM OF SPEECH 라는 미국적 사고기준에서 이해하려는 미국인들을 효과적으로 납득시키기위하여는 연설이 선동적이었다는 포괄적인점 이외에 가급적 실정법위반의 구체적 사유 특히 폭력사용 또는 음모와 관련 법규내용등을 자세히 설명해주는것이 필요하다고 사료함.

이와관련,본직의 대국무성 접촉시등 참고코자하니 가급적 자세한 내용을 전문 회보 바람.

3.문목사 구속관련,반정부인사들에 의한 국무성앞 데모설이 있으며,또한 인권단체 및 일부 종교계인사들에 의한 비판 여론 형성 시도가 예견됨을 첨언함

(대사 김경원-차관)

예고:86.12.31일반

일반문서로 재분류(1986.12.31.

미주국　차관실　1 차보　2 차보　정문국　청와대　안 기

PAGE 1

86.05.29 09:28
외신 2과 통제관

0101

관리 번호 86 - 1305

朴 (室)

외 무 부 착신전문

번 호 : USW-2684 일 시 : 60529 1831 종 별 : 긴급

긴 급

수 신 : 장 관(해신,미북,정문)

발 신 : 주 미 대사

제 목 : 보도지침 요청

2

1. NYT 의 KEN WILLS 기자는 KOREA INSTITUTE FOR HUMAN RIGHTS(김대중계 교포 반정부단체) 및 NORTH AMERICAN COALITION FOR HUMAN RIGHTS IN KOREA(미국인 반한 단체)로부터 다음 내용에 대한 PRESS RELEASE 를 접하고 기사 작성을 위해 당관에 이에 대한 확인 및 논평을 요구해 왔는 바 지침 긴급 회시바람.

가. 문익환 구속(지침 기접수)

나. 계훈제등 재야권 인사 구속과 고문 주장(전기 고문,고추가루 고문등)

다. 5명의 운동권 학생 구속, 고문 주장

라. 14명의 신문, 잡지 발행인 구속

2. 동인의 기사는 5.30 마감 예정이라 하는 바 전항 지침 긴급 회시바람

(대사 김경원)

예고: 86.12.31.일반

일반문서로 재분류(1986.12.31.)

문공부 차관실 1차보 미주국 정문국 청와대 안기

PAGE 1

86.05.30 08:05
외신 2과 통제관

0102

관리 번호

발 신 전 보

번 호 : WUS-2204 일 시 : 60531 1800 전보종별 :

수 신 : 주 미 대사 · 총영사

발 신 : 장 관 (미북)

제 목 : 문익환 목사 구속

대 : USW-2658

대호 문익환목사 관련 설명자료는 관계기관에 요청중인바

~~가급적 내주 초에 경찰측 수사결과 통보 위계임.~~ 입수되는대로 통보예정임

예고 : 86.12.31.일반.

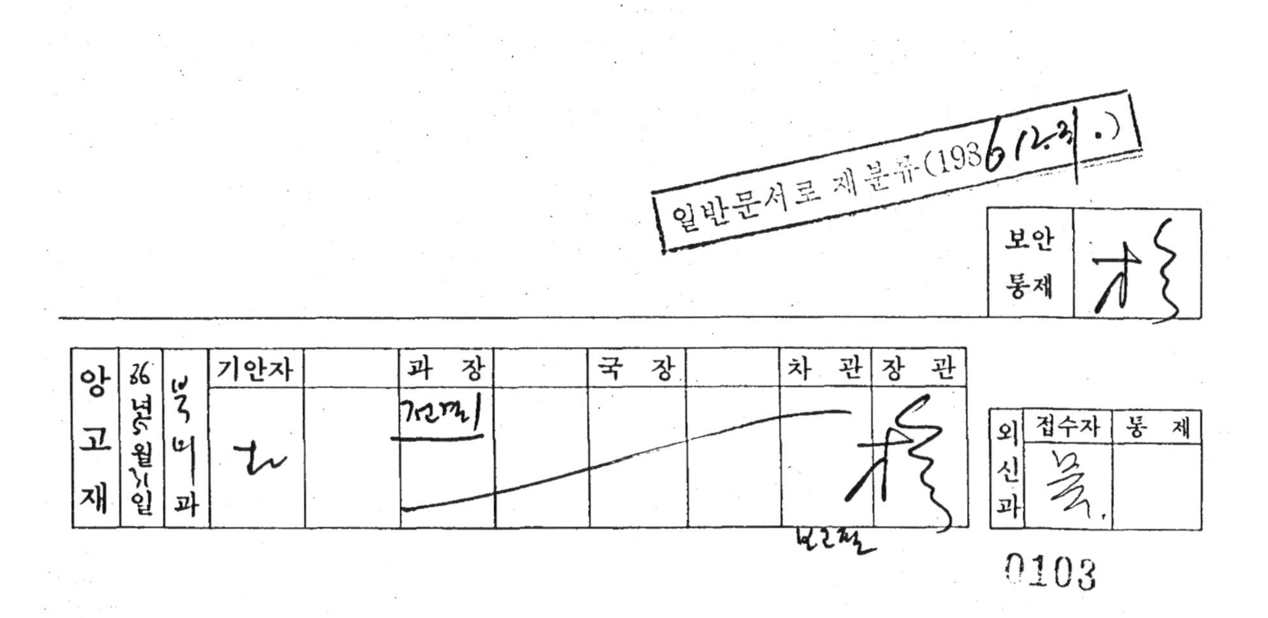

일반문서로 재분류(1986.12.31.)
보안 통제
앙 고 재
86년 5월 31일
북미과
기안자
과 장
국 장
차 관
장 관
외신과
접수자
통 제

0103

관리번호	86-1318

010

기 안 용 지

분류기호 문서번호	미북 700-(898)	(전화 :)	시행상 특별취급	
보존기간	영구·준영구. 10. 5. 3. 1.	장 관		
수신처 보존기간		(서명)		
시행일자	1986. 6. 2.			
보조기관 국 장	전결	협조기관		문서통제
심의관				
과 장	(서명)			
기안책임자	박인국			발송인
경유 수신 참조	법무부장관 검찰국장	발신명의	발수송 1986. 6. 3 외무부	검인 외무부
제 목	문익환목사 구속 관련자료 요청			

5.29 주미대사는 Richard Schifter 미국무성 인권담당차관보로부터 최근 국내문제와 관련한 면담요청을 받고 동 차관보와의 면담중 거론될것으로 예상되는 문익환 목사 구속에 대한 효과적인 설명을 위해 문목사의 구체적인 실정법위반사항 및 해당 법규 내용등 관련자료를 송부하여 줄것을 요청하여 왔는 바, 문목사 구속과 관련한 정부입장의 효율적 홍보를 위해 동 설명자료를 당부로 지급 송부하여 주시기 바랍니다. 끝.

예고 : 86.12.31.일반.

1505-25(2-1) 일(1)갑
85. 9. 9. 승인

190㎜×268㎜ 인쇄용지 2급 60g/㎡
가 40-41·1985. 10. 29.

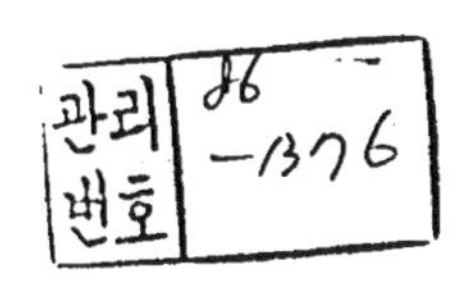

법 무 부

검삼700-132 ~~6688~~ (503-7055) 1986. 6. 3.

수신 외무부장관

참조 북미과장

제목 자료회신

1. 귀부 북미-전통 (86. 6. 3)과 관련입니다.

2. 민주통일 민중운동 연합의장 문익환목사 구속관련 설명자료를 별첨과 같이 송부합니다.

첨부 : 문익환목사 구속관련 설명자료 1부. 끝.

법 무 부 장

0105

문익환 목사 구속 관련 설명자료

1. ㅇ 피의자

문익환 (67세, 민주통일 민중운동 연합의장)

2. ㅇ 죄 명

집회및 시위에 관한 법률위반

3. ㅇ 범죄개요

가.
(1) 서울대 불법시위 선동사건

ㅇ '86. 5. 20. 07:00 미리 서울대에 은밀히 잠입

ㅇ 15:00경 서울대 "5월제" 행사로 학생 2,000여명이 참석한 가운데, "광주민중항쟁의 역사적 재조명" 이라는 제하의 강연을 하면서,

ㅇ "내 나이 70인데 과격하다면 젊은 여러분이 더 과격하여야 할 것 아니냐, 해방선언을 읽어 보았더니 젊은이들이 어쩌면 그렇게 온건하나" 라고 힐난하고,

0106

"미국사람들이 이승만, 박정희 정권을 뒷받침하고 현 정권을 지원하여 우리의 자유를 짓밟고 민주주의를 가로 막고 있지 않는가"

"바로 며칠전 이 자리에서 김세진, 이재호군이 왜 그들의 몸을 불사르면서 죽었는가" 라고 외쳐서,

o 현저히 사회적 불안을 야기할 우려있는 집회.시위를 선동.

* 동 집회 시위선동으로 연설중 학생들이 일제히 "미제타도" 등 격렬구호 제창, 학교 유리창등 싯가 100만원 상당을 손괴하는등 약 2-3시간동안 격렬한 불법시위 감행

* 강연도중 이동수 (원예1)가 학생회관 4층에서 분신 후 신 자살.

(2) 대구 계명대 불법시위 선동사건

o 5.21.12:30경 대구시 계명대 노천극장에서 운집한 2,000여 학생들에게 "노동자, 농민, 학생을 포함한

0107

모든 민중세력들의 헌신적인 투쟁의 대열에 서서

싸워 나가라" 는 투쟁을 촉구하는 성명서를 낭독,

대량 배포하는등 현저히 사회적 불안을 야기할

우려가 있는 불법시위 선동

* 동 집회시위 선동으로 학생들이 "군부독재"타도등

구호제창, 교내시위

다
(3) 인천사태 관련 수사상황

86. 5. 3. 인천소요사태 수사결과, 문익환이 대표로

있는 민통련 (민주화통일 민중운동연합)이 극렬시위를

주도한 것으로 밝혀져 현재 검찰에서 동인의 인천소요

사태에 관여여부를 예의 수사중임.

0108

관리번호	86-1356

발 신 전 보

번 호 : WUS-2232　일 시 : 60603 2030　전보종별 : 지급

수 신 : 주 미 대사 · 총영사

발 신 : 장 관 (미북)

제 목 : 문익환목사 구속

대 : USW-2658

연 : WUS-2112

대호 문익환목사 구속관련 관계부처 설명자료를 아래 타전함.

- 아 래 -

1. 피의자

문익환(67세, 민주통일 민중운동 연합의장)

2. 죄 명

집회 및 시위에 관한 법률위반

3. 범죄개요

가. 서울대 불법시위 선동사건

o '86.5.20, 07:00 미리 서울대에 은밀히 잠입

o 15:00경 서울대 "5월제" 행사에 학생 2,000 여명이 참석한 가운데, "광주, 민중항쟁의 역사적 재조명"이라는 제하의 강연을 하면서,

o "내나이 70인데 과격하다면 젊은 여러분이

보안통제	

앙고재	86년 6월 3일	북미과	기안자	과 장	국 장	차 관	장 관

외신과	접수자	통 제

0109

더 과격하여야 할것아니냐, 해방선언을 읽어 보았더니 젊은이들이 어찌면 그렇게 온건하나" 라고 힐난하고, "미국 사람들이 이승만, 박정희 정권을 뒷받침하고 현정권을 지원하여 우리의 자유를 짓밟고 민주주의를 가로막고 있지 않는가"

"바로 며칠전 이자리에서 김세진, 이재호군이 왜 그들의 몸을 불사르면서 죽었는가" 라고 외쳐서,

ㅇ 현저히 사회적 불안을 야기할 우려있는 집회, 시위를 선동

* 동집회 시위선동으로 연설중 학생들이 일제히 "미제타도"등 격렬구호 제창, 학교 유리창등 싯가 100만원 상당을 손괴하는등 약 2-3시간 동안 격렬한 불법시위 감행

* 강연도중 이동수(원예 1)가 학생회관 4층에서 분신 투신 자살

나. 대구 계명대 불법시위 선동사건

ㅇ 5.21, 12:30경 대구시 계명대 노천극장에서 운집한 2,000여 학생들에게 "노동자, 농민, 학생을 포함한 모든 민중세력들의 헌신적인 투쟁의 대열에 서서 싸워 나가라"는 투쟁을

0110

촉구하는 성명서를 낭독, 대량 배포하는 등
현저히 사회적 불안을 야기할 우려가 있는
불법시위 선동

* 동 집회시위 선동으로 학생들이 "군부독재"
타도 등 구호제창, 교내시위

다. 인천사태 관련 수사상황

86.5.3 인천 소요사태 수사결과, 문익환이 대표로
있는 민통련(민주 통일 민중운동연합)이 극렬시위를
주도한 것으로 밝혀져 현재 검찰에서 동인의 인천
소요사태에 관여 여부를 예의 수사중임.

예고 : 86.12.31.일반.

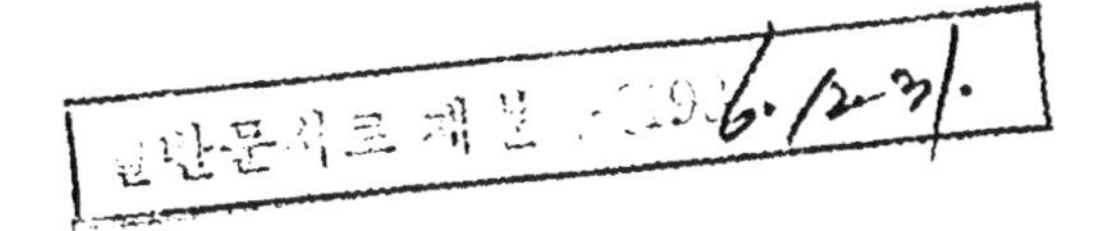

0111

관리 번호	86-1403

외 무 부 착신전문

번 호 : LAW-0934 일 시 : 60610 1700 종 별 :

수 신 : 장 관(영재,미북,정일,기정,해공)

발 신 : 주 라성 총영사

제 목 : 문익환 목사 석방시위

(자료응신 제5호)

1. 금 6.10.(화) 11:30-12:30 간 당관앞 노상에서 소위 문익환 목사 및 민주투사 석방 추진위원회(위원장 명재휘) 약 20명이 문익환 목사 석방, 파쇼헌법 철폐 등 피켓트와 구호를 외치면서 시위를 벌린후 자진 해산함.

2. 동시위에는 노길남(전 신한민보 주필), 예정웅(민자통협), 이정(민통연합 나성지부) 등 당지 반정부 세력이 다수 포함되 었으며, 특히 민족학교 소속 청년들이 한복차림으로 꽹과리를 두드리는등 주위의 이목을 끌려고 노력한점이 주목됨.

3. 당관은 만약의 사태에 대비, 주재국 경찰당국에 연락하는 한편, 동 시위의 효과 극소화 및 확산방지를 위해 당지 언론에 대해 협조요청을 해둠.끝

(총영사 김기수-국장)

예고: 86.12.31.까지

일반문서로 재분류(1986.12.31.)

영교국 차관실 1차보 2차보 미주국 정문국 청와대 안 기 문공부

PAGE 1

86.06.11 20:09
외신 2과 통제관

0112

발 신 전 보

관리번호: 86-1962

번 호: WUS-3543 일 시: 60903 1800 전보종별:

수 신: 주 미 대사·총영사

발 신: 장 관 (미북)

제 목: 문익환등 인권상수상 추진

대: USW 3907

1. 관계기관에 의하면 대호 미상원의원 보좌관 일행으로 방한한 Nancy Sorderberg(Kennedy 의원 보좌관)이 8.31 민통련 사무실을 방문하고 Robert Kennedy 추모사업회에서 시상하는 86년도 '인권상' 수상 후보자로 지목된 문익환 및 이소선 (민통련 부의장)의 인권활동 사항을 조사한 바 있다 함. 상기 타 관련사항을 가능한 조속히 탐문 보고 바람.

2. 상기 '인권상'은 상금 5만불로써 미국내에서 '노벨평화상' 정도의 인기있는 상으로 알려지고 있다하며 86.9.15경 수상자 발표, 10월초 수상식이 거행될 예정이라 함을 참고 바람.

(차관 - 이상옥)

예고 : 1986.12.31. 일반

일반문서로 재분류(1986.12.31.)

앙고재	86년 9월 3일	북미과	기안자	과 장	심의관	국 장	제1차관보	차 관	장 관
			(서명)	(서명)	(서명)	(서명)	(서명)	(서명)	

발신시간 :

외신과	접수자	과 장
	(서명)	

0113

美 ｢ 人權賞 ｣ 關聯　諜報

86.9.2
治安本部長 報告

○ 美케네디 上院議員 秘書인 NANCY SORDERBERG (女)는 8.25頃 訪韓

△ 美國 로버트 케네디(케네디 大統領의 弟) 追慕事業會에서 每年 人權活動에 功이 큰 사람에게 주는 86年度 ｢人權賞｣ 對象者를 調査키 爲하여

△ 8.31 14:00 ~ 15:40間 文東煥(文益煥의 弟)의 子 文영근 案內로 民統聯 事務室을 訪問

事務室 全景등을 촬영한 뒤 人權賞 候補者로 指目된 文益煥(民統聯 議長, 拘束中)·李小仙(民統聯 副議長)의 人權活動 事項을 調査해 간바 있다는 諜報임

※ ｢人權賞｣은 美國에서 ｢노벨平和賞｣처럼 人氣있는 賞이며 賞金은 五萬弗

86.9.15頃 受賞者 發表, 10月初 受賞式豫定

0114

한국일보 6/20 金

文益煥 民統聯의장 公訴狀

〈요지〉

仁川사태관련및 서울大토론참가 부분

1、피고인 文益煥은 지난 4월29일 서울鍾路5가 소재 기독교 선교1백주년 기념관에서 新民黨 李敏雨총재를 비롯한 공소외 金大中、咸錫憲、桂勳梯、白基琓、李敦明 등과 회동、기자회견을 통해 최근 일부소수학생의 과격한 주장을 지지할수 없음을 분명히 밝힌다는 요지의 발표를 하고 그 내용이 같은날 석간신문등에 크게 보도됨으로써 피고인을비롯한 민통련의장단에대하여 이른바 학생운동권은 물론 민통련산하가맹단체에서도 민통련의노선이 기회주의적이고 개량주의적으로 변질되어 선명성을 상실하였다는 비난과 항의를 계속하기에 이르자 운동권학생들의 반발을 무마하고 산하가맹단체의 분열을 방지하는등 곤경을 타개할 방책모색을위하여 민통련 지역대표자 회의및 중앙집행위원회의 연석회의를 긴급 소집했다。

같은해 4월30일하오8시경부터 5월1일상오8시경까지 서울中區獎忠洞1街56소재 분도회관 뒤편 분도수도원 피정의집 지하강의실에서 민통련 부의장 桂勳梯등 30여명과 회동、4월29일자 민국연 기자회견 경위설명및 대책、新民黨의 5·3仁川개헌추진지부결성대회시 민통련의 시민대회 개최문제등을 의제로 하여 피고인의 주재하에 위연석회의를 개최하고 토론을거쳐、민국연 기자회견시의 발표내용은민통련의 의사결정과정을거치지아니한채 의장단 임의로 개인적의사를 표명한 것이므로 민통련의 공식적견해가아니란는것과 이같은 문제가 발생하게된 것은 민통련의 명백한이념과 선명한 정치노선등 확고한 운동론이 정립되어 있지 아니한데서 비롯된것이므로 부의장 李昌馥、정책연구실장 張琪杓、사무처장 李富榮、대변인 金鍾澈등과 지역단체대표 등으로 실무자 회의를 구성하여 운동론의 정립과 조직체제 정비강화책을 시급히 준비하도록 한다는것을 결의한다음 5월3일 仁川에서의 新民黨 개헌추진지부결성대회에서 민통련이어떻게 할것인가란는 의제를 논의한끝에 당일 仁川시가지에서 대대적인 가두투쟁을 전개하기로 공모한 다음 仁川에 집결할 학생들과 군중을 상대로 仁川개헌추진지부 결성대회 주최측인 新民黨을 비난선동하고 민중봉기를 선동하는 요지를 기재한 위 유인물 초안을 검토하고、위 민국연 탈퇴 성명서등과 함께 각종 유인물을 대량 인쇄하여 당일 仁川에서 살포할 준비에 만전을 기하도록 독려、약 8시간에 걸쳐서 다중을 집결시키고 선동、격앙케 하여서 仁川시 도심지인 위 시민회관부근 일원의 시가지 교통을 완전 두절시키고、위 서광석에게 약12주간의 치료를 요하는 제5요추 분리증상을 입히는등 경찰관등 191명을 상해에 이르게하는 한편 民正黨 仁川 제1지구당사、경찰차량3대、위 김노진소유 승용차1대등을 소훼하는등 도합 시가1억6천33만원상당의 재물을 손괴하게 하는등 그일대의 평온을 해함으로써 소요를 주도한것이다。

2、같은해5월6일하오2시 위 민통련사무실에서 서울대 총학생회 간부라는 성명불상 학생으로부터 같은달 20일 동교에서 열리는 5월제 집회에 참석하여 강연해 달라는 청탁을받고 승낙한다음 같은해 5월20일 상오7시경 서울대 구내에 잠입하여 학생회관 전물등지에서 은신하면서 집회시간까지 대기하다가 같은날 하오 2시40분경 동교 도서관앞 속칭 아크로폴리스 광장에서 2천여명의 학생이 집결한 위 집회에 참석、그때 동교 학생처장 이상익으로부터 동집회는 소정의 신고가 되어 있지도 아니하고 학교당국에서도 승인한 집회가 아니라는 사실과 피고인이 강연을 하게되면 학생들이 흥분하는 사태가 우려되므로 강연을 하지말고 퇴거하여 달라는 요청을받고 지받고도 이에 불응한채、같은날 하오3시경부터 학생들의 전면에 준비된 연단에 나가 마이크를 들고、『강연을 하려고 새벽 4시에 학교에들어왔다。학생처장은 돌아가라고 하지만 이야기를 해야겠다。오늘 대검의 중간수사발표를 보니 인천사태의 주도세력이 민통련등 재야 과격단체라고 했던데 내가 과격파의두목이 되어버렸다。내나이 70인데 과격하기로 한다면 젊은 여러분들이 나보다 더 과격할 것이 아닌가。그러나 어제 해방선언을 보았더니 젊은이들이 어쩌면 그렇게도 온전한가。바로 며칠전에 이 자리에서 김세진군과 이재호군이 왜분신자살을 하였는가。6년전 광주에서는 시민들이 왜 총탄앞에 맨몸으로 돌진하며 싸웠는가。모두 민주주의를 위하여 싸운 것이다』라고 외쳐서 격앙된 참석자들이 약 2회가량「미제축출」이라는 구호를 제창하게하고 같은날 하오2시20분경 동교원예학과1년 망 이동수가 그곳옆에있는 학생회관 4층에서 온몸에 신나를 끼얹고 위장소를 향하여 「미제는 물러가라」는 등의 구호를 외친뒤 몸에 불을 붙이고 투신할때까지 강연을 계속하여서、흥분한 참석학생들이 경비중인 경찰관들과 학교건물등에 투석하고 시위를 전개하는등、현저히 사회적 불안을 야기시킬 우려가있는 집회및 시위를 선동한 것이다。

0115

文益煥씨 起訴狀

<要旨>

피고인은 1977년3월22일 대법원에서 국가안전과 공공질서의 수호를 위한 대통령긴급조치 제9호 위반죄로 징역5년및 자격정지5년을 선고받고 같은해 12월31일 형집행정지 결정되었다가 1978년11월24일 위 결정이 취소되어 재집행중 1979년12월8일 형면제되고 1980년11월3일 육군계엄고등 군법회의에서 내란음모등의 죄로 징역15년을 선고받아 1981년1월23일 대법원에서 상고기각되고, 동일자로 징역10년으로 감형된후 다시 1982년3월3일 징역5년으로 감형되어 집행중 같은해 12월24일 형집행정지결정 (잔형기2년6월24일) 으로 출소한 자로서,

1984년10월16일 소위 민주통일국민회의 (민통국으로 약칭) 를 결성하여 의장으로 활동하다가 1985년3월29일 이른바 범민주세력의 전열을 정비한다는 명목으로 공소외 金승훈, 金동완 李부영등이 공동대표로 있던 소위 민중민주운동협의회와 통합, 소위 민주·통일 민중운동연합 (민통련으로 약칭) 을 결성하여 의장에취임한후

1, 1986년1월7일발표한「1986년을 민주화의 해, 민족해방의 해로」라는 제하의 신년사를 통하여, 「1986년을 국민이 민주·통일의 세상에 살수있게 되는지 판가름하는 역사적인 해가 될것이라고 단정하면서 국민의 단호한 결단으로 모든것을 바쳐 싸워야 한다고 강조하는 한편 같은해 3월31일의 민통련 창립1주년기념사를 하면서도, 1986년은 민중해방을위한 싸움에서 결정적인 시기가 될 것이므로 더욱 견고한 연대와 실천을 통하여 주체적으로 싸움을 전개하여야 한다고 역설하는등 같은해3월23일이후 4월27일사이에 부산 광주 대구 대전 청주등지에서 개최된 신한민주당의 개헌추진지부결성 대회를 계기로 이에편승, 동당의 활동을 지원한다는 구실로 가두시위, 유인물살포 등을 주도하도록 조종하여왔다.

○같은해 4월29일 서울 종로5가소재 기독교선교 1백주년기념관에서 신한민주당 李민우총재를 비롯한 공소외 金大中 咸錫憲 桂훈제 白기완 李돈명등과 회동, 민주화를위한 국민연락기구(민국연으로 약칭) 의 모임을가졌다.

○같은해 4월30일 하오8시부터5월1일상오8시까지 서울중구 장충동1가56 소재 분도회관 뒷편 분도수도원 피정의집 지하강의실에서 민통련부의장 계훈제등 30여명과 회동, 4월29일자 민국연 기자회견 경위 설명및대책, 신한민주당의 5월3일 인천개헌추진지부 결성대회시 민통련의 시민대회 개최문제등을의제로하여피고인의주재하에위연석회의를 개최.

―신민당과 민주협은「청원」이란는 기본적 입장에서 개헌서명을 벌이고… 4·29 민국연 이름으로 열린 기자회견은 활동의 한계를 벗어난 것으로서… 이러한 현상은 보수정치인들의 외세의존적이고 타협적인 자세에 기인 한는 것이므로… 민국연에서 탈퇴한다.

―민통련 지도부는 민국연 기자회견에서 민통련의 입장을 올바르게 반영하지 못했고 민중·민주운동대열에 엄청난 혼란을 일으켰으므로 의장단과 집행부 전체가 총사퇴한다라는 요지로 작성한 성명서 초안을 검토하여 통과시킨다음, 5월3일 인천에서의 신한민주당 개헌추진지부결성대회에서 민통련이 어떻게 할것인가 란는 의제를 논의한 끝에

―대회는 전국민의 관심이 집중되고 있어서 민주화운동의 획기적인 전기로 삼을수 있다.

○피고인은 같은해 5월1일 상오10시쯤 민통련의 사무실에서 성명불상 기자들에게 위 민국연 탈퇴에관한 성명서배포및 회견을한다음 대변인 김종철이 5·3인천투쟁에서 살포할것이라고 하면서「군사독재 타도하고 민주정부 수립하자」제하의 유인물 초안을 제출하자,

―국민 여러분은 언제까지 압제와 착취에 시달려야 하는가.

―모두 용기있게 일어나 손에 손을잡고, 어깨에 어깨를 걸고 군사독재타도투쟁의 앞장에 나서자는등 인천에집결할 학생들과 군중을 상대로 인천개헌추진지부 결성대회주최측인 신한민주당을 비난선동하고 민중봉기를 선동하는 요지를 기재한 위 유인물 초안을 검토하고, 위 민국연탈퇴성명서등과 함께 각종 유인물을 대량인쇄하여 5월3일 인천에서 살포할 준비에 만전을기하도록려했다.

○같은날 상오 11시쯤부터 5월2일 상오11시쯤 사이에 홍보국장 박계동, 사무처장 이부영, 대변인 김종철 등은 민통련 총무국 간사 임병주, 동 이달원에게 피고인이 인쇄 지시한 위 유인물을 각2만부씩 인쇄하고「광주는 지금도 계속되고 있다」제하의 소책자는5백부,「민주헌법을 우리 힘으로」제하의 소책자는 3천부를 추가인쇄하되 민통련 자료 보관실에 있는 각종 유인물과 책자 재고분을 전부수집하여 포장해두라고지시하여위임병주이달원이 서울중구을지로2가 소재 세진인쇄소 및 대동인쇄소에서 인쇄한 유인물과 보관중인 재고분 유인물 및 책자 도합 8종 약 5만1천부를 라면박스등에 포장하고, 같은해 5월2일 하오10시30분쯤 위 박계동은 위 이달원과 함께 포장한 위 유인물을 번호불상의 봉고차에 싣고 출발하여 같은날 밤12시 인천시 주안5동 소재 주안5동 성당에 도착, 그곳에서대기하다가 같은해 5월3일 상오6시쯤 인천시주안1동 소재 주안1동 성당으로 옮겨 위 유인물 상자를 그곳에 은닉하여두고

○같은해5월3일상오11시쯤 위 주안1동 성당에서 인천[illegible] 기우대, 동편[illegible] 집회장 [illegible] 지도로 민통련 산하단체 회원[illegible]이 [illegible] 확성기와마이크 앰프등을 설치하는 한편 그곳 지하실에서 플래카드, 화염병, 각목등을 준비하여 두었다가

○같은날 하오2시쯤 개최예정이던 신한민주당의 위결성대회개시전인 같은날 낮12시쯤부터 위시민회관 주변시가지 일원에 서울대학교, 고려대학교, 연세대학교, 인하대학교등의 대학생과근로자, 민통련의 각 산하단체회원등 2천여명이 스크럼을짜고「속지말자 신민당」,「몰아내자 양키놈」등의플래카드를 앞세우고「미·일외세몰러가란」「민중정권수립하자」등의 구호를 외치면서시위하여 군중이 4천여명이상으로증가, 민통련에서 공급한 위유인물은 물론「인천을 해방구로」「해방인천만세」「천만노동자해방투쟁승리만세」「철천지원수미제와 그앞잡이 깡패적 반동정권의 심장부에 해방의 칼을 꽂자」는 등의 유인물을 대량으로 살포하면서 그곳 부근을 완전히 점거하여 질서가 마비되기에 이르렀다.

2, 5월6일 하오 2시쯤 민통련 사무실에서 서울대총학생회간부라는 성명불상 학생으로부터 같은달 20일 동교에서 열리는 5월제 집회에 참석하여 강연해달라는 청탁을받고 승낙한다음 같은해 5월20일 상오 7시쯤서을 관악구 신림동소재서울대학교 구내에잠입하여 학생회관 건물공지에서 은신하면서 집회시간까지 대기하다가 같은날 하오 2시40분쯤동교 도서관앞 속칭 아크로폴리스 광장에서 2천여명의 학생이 집결한 위집회에 참석, 그때 동교 학생처장 이상이으로부터 동집회는 소정의 신고가 되어있지도 아니하고 학교당국에서도 승인한 집회가 아니라는 사실과 피고인이 강연을 하게되면 학생들이 흥분하는 사태가 우려되므로강연을 하지 말고 퇴거하여 달라는 요청을 고지받고도 이에 불응한채, 같은날 하오3시쯤부터 학생들의 전면에준비된 연단에나가 마이크를들고「어제 해방선언을보았더니 젊은이들이 어쩌면 그렇게도 온전한가. 바로 며칠전에 이자리에서 김세진군과 이재호군이 왜 분신자살을 하였는가. 6년전 광주에서는 시민들이 왜 총탄앞에 맨몸으로 돌진하며 싸웠는가. 모두 민주주의를 위하여싸운것이다」라고 전제한 다음「민주주의가 도대체 무엇인데 한반도에 살수없는 생명인 그[illegible] 내놓는단 말인가.

민주주의가 무엇인[illegible] 진군과 이재호군은 [illegible] 바로 이 앞에서 자기[illegible] 을 지르고 죽었던 [illegible] 고하여 참석자들의 [illegible] 러일으키다가「민주[illegible] 하게 하는 기운가 [illegible] 승[illegible] 회장[illegible] 권을 뒷받침[illegible] 유를 짓밟고 민주주의를 [illegible] 로 막고 있다」라고 외치[illegible] 격앙된 참석자들이 약2[illegible] 량「미제축출」이라는 구호를 제창하게 하고 같은날 하오3시20분쯤 동교 원예학과 1년 망 이동수가 그곳 옆에있는 학생회관4층에서 온몸에 신나를 끼얹고 위 장소를 향하여「미제는 물러가라」는등의 구호를외친뒤 몸에 불을붙이고 투신할때까지 강연을 계속하여, 흥분한 참석학생들이 경비중인 경찰관들과 학교건물등에 투석하고 시위를 전개하는등, 현저히사회적 불안을 야기시킬우려가 있는집회및시위를선동하고,

3, 같은해 5월21일 0시10분쯤 택시편으로 대구시에 도착, 같은날 상오9시쯤 대구시남구대명동 소재 계명대학교 후문을 통하여 동교에 잠입, 같은날 12시쯤까지 동교 총학생회 사무실에 은신하고 있으면서, 같은날12시30분쯤 동교구내의 노천극장에서 개최예정인 학생집회에참석하여강연대에서성명서를낭독 할것을 기도하고, 위사부심에서「한국의 민주주의와 민족통일을 염원하고 지지하는 전국민과 해외의모든 인사에게 드리는 말씀」이라는 제목으로『이나라 민주화의 마지막 한걸음을남기고 최후의투쟁을하고 있는 노동자·농민·학생을 포함하는 모든 민중세력들의 헌신적인 투쟁의대열에서서 싸워오다 나는 [illegible] 받았다.

[illegible] 다짐한[illegible] 방[illegible] 서[illegible] 생에게 [illegible] 참석자[illegible] 시하고, 그[illegible] 에서 동[illegible] 실장 전[illegible] 위 집회[illegible] 인하지 아니[illegible] 고지하고 퇴거[illegible] 받고도 이[illegible] 거절[illegible] 날 낮 12시30분[illegible] 장에서 2천여명이 [illegible] 참석한 위 집회의 연[illegible] 가 강연대신에 성명서[illegible] 한다음 경찰에 자진출석[illegible] 고한다는 말을하고, 위 성[illegible] 서를 낭독한뒤, 스크럼을 [illegible] 고「독재타도」「미제축출」등의 구호를 외치는 7천여명의 학생들 선두에서 성[illegible] 불상학생 3명의 부축을받고 20여분간에걸쳐 동교 구내일대를 선회하고, 같은날 하오1시30분쯤 위 학생들의 호위를받으며 동교정문으로 나와 그들의 앞에서 대구남부경찰서로 출발하여 이에 격앙된 위 학생들이 학교밖에서 경비중인 경찰관들에게 같은날 하오3시10분쯤 화염병투척및 투석하는등 현저히 사회적불안을 야기시킬우려가있는 시위를 선동한 것이다.

1971. 6. 19 (木). 조선일보

文益煥씨 소요罪 추가

검찰 "「仁川사태」연루 밝혀져… 오늘 起訴"

검찰은 민통련의장 文益煥목사(68)에게 집회및 시위에관한 법률위반(시위선동)혐의외에 소요죄를 추가적용, 19일중 구속기소키로 했다.

검찰의 한 관계자는 18일 文목사에 대해서는 당초 서울대 「5월제」에서의 강연내용과 관련, 집회및 시위에관한 법률위반부분만 적용했으나 검찰송치이후 정밀조사를 편 결과 인천소요사태에 연루됐음이 명백히 드러나 소요죄를 추가적용케된것 이라고 밝혔다.

검찰에 따르면 文목사는 인천사태전인 지난4월30일과 5월1일 이틀간에 걸쳐 서울 중구 장충동 민통련사무실에서 桂勳梯 白基玩씨등 부의장단과 지명수배중인 사무처장李富榮 상임위원 林采正씨등 민통련간부들과 함께 대규모적인 대중시위를 모의했다는 것이다。

검찰은 이에따라 文목사에게 소요죄를 적용, 구속기소된 인천사태 관련자 57명과 공동정범으로 간주, 이를 추가 적용했다는 것이다。

소요죄는 제5공화국들어 지난달 31일 인천사태관련자들에 대한 1차기소당시 처음 적용됐던것으로 「다중이 집합하여 폭행,협박 또는 손괴의 행위를 한사람」에 대해 적용되며 집시법보다 형량이 무거운 1년이상 10년이하의 징역이나 금고 또는 2백만원이하의 벌금에 처하도록 규정하고있다。

검찰의 관계자는 『현재 여·야 대타협의 정신아래 구속자 석방문제가 거론되고 있고, 1차로 구속자 36명을 석방하고 있으나 文목사에 대해선 죄질이 중해 정상참작의 여지가 전혀 없는것으로 드러났다』며 구속기소배경을 밝혔다。검찰은 그러나 현재 형집행정지상태인 文목사의 형집행정지결정은 취소하지 않을 것으로 알려졌다。

文목사는 지난80년 계엄법위반혐의등으로 구속기소돼 81년 1월 대법원에서 무기징역이확정됐다가 두차례의 감형조치후 2년7개월의 잔여형기를 남겨둔채 82년12월 형집행정지로풀려났었다。

1986. 6. 19. (木) 조선일보

0117

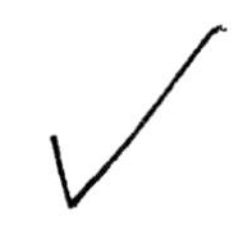

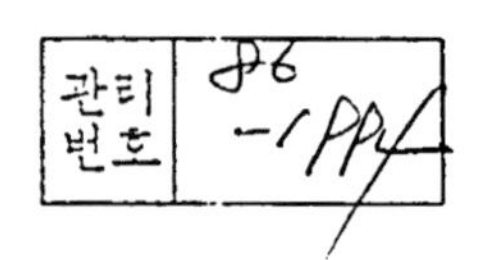

외 무 부 착신전문

번 호 : USW-4096 일 시 : 609051857 종 별 :

수 신 : 장관(미북)

발 신 : 주 미 대사

제 목 : 로버트 케네디 인권상

1. 대호 ROBERT KENNEDY 추모 사업회에서 선정, 시상하는 인권상은 84 년부터 시작, 첫해에는 엘살바돌의 COMMITTEE OF MOTHERS AND RELATIVE S OF POLITICAL PRISONERS, DISAPPERARED, AND MURDERED 에게, 85 년에는 3 명의 남아공인(MANDELA, BOESAK 신부, NAUDE 신부) 에게 각각 수상되었음.

2. 86 년도 인권상 후보로는 10 명(또는 단체)이 추천되어 있는바, 이중 소련과 한국의 후보가 유력시 되고 있는 것으로 탐문됨. 금년 수상자 발표는 9.15. 뉴욕에서 시상식은 11.20 죠지타운 대학에서 있을 예정임.

3. R. KENEEDY 추모사업회의 시상 사업으로는 언론상(68 년 제정) 저수상(80 년) 및 인권상이 있는바, 이중 인권상이 비교적 연조가 떨어지나, 미국언론에서 관심을 가지고 보도되어 왔음. 85 년에는 남아공 정부가 MANDELA 및 BOESAK 의 수상식 참가를 위한 출국을 금지함으로써 미언론이 더욱 관심을 갖고 동 내용을 보도한 바, 동 보도내용은 파편 송부예정임.

4. 한편, 동 인권상과 관련하여 21 명으로 구성된 국제자문위원회가 있으며, 동 위원중에는 소련의 AKSYONOV 남아공의 TUTU 신부, 아국의 김대중등이 포함되어 있으나 수상자 결정의 권한이나 정례적 모임등은 없는 상징적 기구에 불과하다함.

(대사 김경원-차관)

예고문: 1986.12.31. 일반

일반문서로 재분류(1986.12.31.)

미주국 차관실 1 차보 청와대 안 기

PAGE 1

86.09.06 10:34
외신 2과 통제관

0118

관리 번호	86-7995

발 신 전 보

번 호: WUS-3629 일 시: 60910 1000 전보종별:

수 신: 주 미 대사 · 총영사

발 신: 장 관 (미북)

제 목: 인권상 수상 후보

대 : USW-4096

연 : WUS-3543

1. 대호 문익환은 인천 소요사태 주도 및 서울 대학내에서 학생 소요를 선동한 혐의를 받아 구속중인 형사 피고인이므로 인권상 시상자로 적합치 않음을 가능한 방법으로 추모사업회측과 접촉, 설명하고 결과 보고 바람.

2. 동 피고인에 대한 1심 재판은 아시아게임후인 10월중순경으로 예정되어 있음.

(차관 오재희)

예고 : 1986.12.31. 일반.

일반문서로 재분류(1986.12.31.)

앙 고 재	86년 9월 9일	북미과	기안자	과 장		국 장	1차관보	차 관	장 관
								전결	

발신시간 :

외신과	접수자	과 장

0119

번호 86-2008

기 안 용 지

분류기호 문서번호	미북 700-2129	(전화 :)	시행상 특별취급	
보존기간	영구·준영구. 10. 5. 3. 1.	장		관
수신처 보존기간				
시행일자	1986. 9. 10.			

보조기관			협조기관		문서통제
	국 장	전결			
	심의관				
	과 장				
기안책임자		조백상			발송인

경유 수신 참조	주미대사	발신명의	
제 목	문익환 관련자료 송부		

연 : WUS-3629

연호 관련, 문익환이 의장으로 있는 민통련에 관한 자료를 송부하니 참고 바랍니다.

첨부 : 동 자료 1부. 끝.

예고 : 1987.6.30.일반.

0120

1505-25(2-1) 일(1)갑
85. 9. 9. 승인

190mm×268mm 인쇄용지 2급 60g/m²
가 40-41 1986. 2. 13.

민통련의 사상적 배경

1. 조직구성과 운동방향

o 이념 : 민중민주주의

o 조직구성 : 민중연합체

- 국민대표성을 갖는 민주인사 : 재야원로, 직업운동가
- 부문운동단체 : 노동운동단체, 농민운동단체, 청년운동단체, 문화. 문인단체, 언론인단체
- 지역운동단체 : 전국적 규모로 국민대표성 확립

  * 각 조직단체간에 통일전선 구축

o 목표 : 민중해방을 보장하는 정치. 경제체제 구축

- 전략목표 : 반독재 민주화투쟁
  반외세 민족자주독립투쟁
- 당면목표 : 군사독재정권 퇴진과 민중정부의 수립

o 기본전략 : 민중봉기

o 운동성격 : 반합법, 민중운동

o 운동내용

- 군부의 3반성 (반민주. 반민중. 반민족) 폭로
- 민중생존권투쟁 지원 강화
- 민중봉기 유도를 위한 집회. 시위 주도
- 민주화. 민주통일의 당위성 선전

0121

o 민통련의 역할 및 조직적 과제

- 대표성 발휘
- 지도성 확립
- 대체성 축적
- 기층민중운동 역량 강화
  * 이를 위해 범야권(야당. 대학가. 종교계. 언론계 등)과 제휴, 연계투쟁을 획책

2. 한국사회의 현상황에 대한 인식

o 한국사회의 현상황을

- 민족적으로 대외 예속과 남북분단
- 정치적으로 예속적 군사독재
- 경제적으로 예속적 국가독점 자본주의로 규정하고

o 이와같은 사회구조 때문에

- 민중이 경제적 곤궁, 정치적 탄압, 가치관의 전도, 노동의 소외속에 고통스럽게 살고있어
- 현 사회를 인간적사회(민중해방의 새사회)로 개혁해야하며

o 이를 위해서

- 반외세 민족자주와 민족통일
- 반독재 민주화와 민주정부의 수립
- 예속적 관료독점 자본주의의 타파와 민중복지경제의 구현 등을 위한

현실적투쟁을 전개해야 한다고 주장

o 개혁의 방법으로 민중봉기를 제시

0122

3. 한국의 사회구조에 대한 인식

o 한국사회 구성원을 지배. 피지배계층으로 분류
o 지배층 (체제 유지세력-지배세력)
 - 군부 (고급장교), 특권층 (고급관료. 여당정치인),
  독점재벌, 중간관리층 (중급공무원. 회사간부),
  어용지식인 (교수. 언론인. 종교인)
 - 하수인 : 하급공무원, 경찰, 병사, 미각성 국민대중
o 피지배층
 - 노동자, 농민, 도시하층민, 중. 소상공인, 하위직공무원
o 자주계층 (체제개혁세력-민중세력)
 - 양심적지식인, 노동운동세력, 농민운동세력, 각성된 민중,
  대학생
  * 피지배층, 자주계층, 하수인을 민중 (민중연합세력)
   으로 규정

4. 민통련의 주장 및 사상 분석비판

가) 공산주의 이론에의 접근
 o 사상기조의 좌경성
  - 모든 사회병폐의 근본적 원인이 "사적소유"에
   기인한다고 보고
  - 사적소유의 철폐를 통한 생산수단의 "만인공유"
   를 주장하고 있는바

0123

- 이는 지향하는 이상사회가 "능력에 따라 일하고 수요에 따라 분배받는다"는 공산주의 사회임을 시사하는 것으로 유추, 해석할 수 있음.

o 공산주의 이론의 원용

- 정세분석에 있어 공산혁명 정세분석방법과 유사
- 공산주의 철학이론인 "소외" 이론을 원용
- 기본적인 투쟁방법으로 "무장투쟁"과 "민중봉기" 등 2가지를 제시하고 현단계에서 "민중봉기"를 주장하고 있음은 공산혁명 수행과정에서 정세에 따른 전술적 변화이론과 유사

나) 북괴 주장에의 동조

o 투쟁의 주체로 "민중"이란 개념을 도입하고, 지배층과 광범위한 민중연합세력으로 구분하는 계층분류수법은 공산주의자들의 통일전선 구축수법과 유사

o 투쟁전략에 있어 "반외세투쟁"과 "반독재투쟁"의 동시전개를 주장함은 북괴 대남전략과 일치

o 정치적 폭로와 통일전선전술을 강조하고 있음은 북괴와 일치

o 정치. 경제. 군사 등 모든 부문이 예속되었다고 모략함은 북괴와 동일

0124

다) 북괴주장과의 비교도해

구 분	민주통일 민중운동론	북 괴
투쟁의 역량	o 민중의 범위는 노동자, 농민, 도시하층민, 중소 상공인, 양심적지식인, 학생, 양심적정치인, 병사, 하급공무원	o 노동계급, 농민, 청년학생, 지식인, 도시소자산계급, 일부민족자본가 등 (북괴 정치용어사전 P 7 1 9) o 노동자, 농민, 진보적청년, 학생, 지식인, 애국적군인 및 민족자본가, 소자산계급 (남조선혁명과 조국통일 이론 P 7 5)
투쟁 전략	o " 운동의 궁극적 목표인 민중 (인간) 해방을 실현하기 위해서는 당장 민족적 과제인 반외세 민족자주와 민족통일, 민주적과제인 반독재 민주화와 민주정부의 수립을 실현해야 한다는 점에서 민주통일운동은 민족주의적 성격과 민주주의적 성격을 동시에 포함하고 있어, 반외세 투쟁과 반독재투쟁을 동시에 수행하기 위해서는 민중연합세력의 구축이 필요하다"	o 남조선에서의 민족해방인민민주주의 혁명은. . . . 미제의 남조선 강점으로 말미암아 해방후 복잡해진 조선혁명의 구체적인 현실에서 출발하여 민족해방혁명과 인민민주주의의 혁명을 동시에 수행해 나갈 민족해방, 계급해방의 길은. . . . (남조선혁명과 조국통일이론 P 4 1)

0125

통일 전선 전술	o " 반외세. 반독재민주화 투쟁을 가장 효율적으로 전개하기 위해서는 민중 연합세력 (노동운동. 농민 운동. 학생운동. 지식인 운동) 이 하나의 조직 체계로 편제되는 것이 바람직스럽다" (통일전선의 구축)	o " 통일전선을 형성하고 강화하는 문제는 혁명을 승리에로 이끄는데서 매우 중요한 의의를 가진다. 로동계급과 령도밑에 로동 동맹을 튼튼히하고 혁명에 리해관계를 가지는 모든 계급과 계층들을 통일전선에 묶어 세워야만 반혁명 세력을 고립시키고 혁명의 주력군을 끊임없이 확대 강화할 수 있다" (북괴 정치용어사전 P 6 1 5)
정치적 폭로 전술	o 선전활동을 통해 군사 독재정권의 폭력성과 반민중성을 폭로. 규탄하여 민중의 불만과 분노를 높이고. . . .	o 학생들의 좌경적투쟁, 과격한 구호를 표제로 내지 말고 주로 ooo의 폭압책동을 철저히 폭로해야 함. (8 6 . 5 김정일 지시)
학생 운동의 선도적 투쟁	o 물리적 힘을 최대로 동원해낼수 있는 세력이 학생운동세력이며. . . . 학생운동의 선도적투쟁이 투쟁공간을 확보해야. .	o 한국학생운동은. . . . 대중전반을 이끌어 나가는 선두자 주도자의 역할을 수행하고 있고. . . . 학원생활의 집단적 여건으로 단결력을 가진 큰 역량이며 과감한 투쟁력을 가진 청년 (4 . 1 8 민민전방송)

0126

통일 방안	o 민족적으로 외세의 부당한 압력을 배격하고 자주독립성을 확립함으로써 군사적 대립이 없이 평화와 통일을 성취하여야 할 것이며. . . .	o 조국통일은 외세에 의존하거나 외세의 간섭을 받음이 없이 민족자결의 원칙에서 자주적으로 통일하자는 것 (" 남조선 혁명과 조국통일 이론" P201)
대외 예속	o 정치. 경제. 군사. 외교. 문화. 교육 등 전부문에 걸쳐 민족자주성과 주체성을 상실, 외세에 의존하거나 예속	o 남조선을 강점한 미제는 괴뢰정권을 조작하고. . . 정치. 경제. 군사. 문화의 모든부문에 걸쳐 남조선에 대한 지배와 예속관계를 더욱 더 강화하였다. (" 남조선혁명과 조국통일 이론 P65)

5. 결론

- o 민통련은 현체제내의 합법적 개혁은 불가능하다는 인식하에
  - 군부독재의 3반성 (반민주. 반민중. 반민족) 폭로
  - 민중생존권투쟁 지원. 강화
  - 기층민중운동 역량 강화
  - 연대화된 집회 및 시위 주도 등의

  투쟁방향성을 지닌 전국적 연합조직으로 결성된 단체로
- o 궁극적으로 반합법적인 민중봉기에 의해 현정부를 소위 군부독재체제로 매도하고 이의 타도에 그 목표를 두고 있으므로
- o 그 이적단체성이 명백해짐.

0127

관리번호	86-1887

발 신 전 보

번 호 : WUS-3645　일 시 : 60910 1820　전보종별 : 지 급

수 신 : 주　미　대사 · 총영사

발 신 : 장　관 (미북)

제 목 : 인권상 수상

연 : WUS-3543, 3629

미확인 정보에 의하면 연호 문익환 및 이소선이 인권상 수상자로 결정되었다고 하는바, 동건 진위 여부 파악 보고바람.

(미주국장 장선섭)

예고 : 1987.6.30.일반.

일반문서로 재분류(1987. 6.30.)

앙고재	86년 9월 10일	북미과	기안자	과 장		국 장		차 관	장 관
						전결			

발신시간 :

외신과	접수자	과 장

0128

관리번호	86-2024

외 무 부 착 신 전 문

번 호 : USW-4214　　일 시 : 609121906　　종 별 :

수 신 : 장관(미북)

발 신 : 주 미 대사

제 목 : 인권상 수상

대: WUS-3629(1), 3645(2)

1.로버트 케네디 인권상 수상자는 상금 결정되지 않은 것으로 파악됨. 2.대호(1) 관련, 당관 장참사관은 금 9.12. 우선 KENNEDY 의원의 보좌관 NANCY SODERBERG 와 면담, 문익환 목사에 대한 인권상 수여가 합당치 않음을 지적하고 로버트 케네디 추모사업회측이 그와같은 그릇된 결정을 내리는 일이 없기를 강력히 요청함. 이에대해 동 보좌관은 특히 문목사의 아국내 소요사태 선동 내용에 관심을 표시하면서 아측의 입장도 이해는 할수 있으므로 한국측이 그러한 견해를 갖고 있음을 추모사업회측에 충실히 전달되도록 최선을 다하겠다고 말함. 3.이에 장참사관은 당관으로서도 문목사의 행적에 관한 상세한 자료를 가지고 추모사업회측과 접촉코자함 을 밝힌바, SODERBERG 보좌관은 동 사업회가 극히 자존심이 강하고 독립적인 단체이므로 한국정부가 동 단체의 결정내용에 영향을 미치려는 인상을 줄 경우 오히려 부작용이 우려된다고 말함. 동보좌관은 따라서 자신이 최근 방한 경험을 근거로 추모사업회측에 아측입장을 전달토록 하는것이 좋을것으로 본다면서, 그러나 동사업회가 독립적 성격을 강조하고 있고 현재 후보선정 작업이 어떻게 되고 있는지 모르므로 자신의 노력이 얼마나 효과가 있을지는 자신이 없다고 조심스럽게 부언함.

4. 본건 진전사항 수시 추보 하겠음.

(대사 김경원-차관)

예고문: 1986.12.31. 일반

일반문서로 재분류(1986.12.31.)

미주국　차관실　1차보　정문국　청와대　안기

PAGE 1　　86.09.13 10:38　외신 2과 통제관

0129

관리번호 86-2188

주 미 대 사 관

미국(정)700-339

수신 : 미주국장

제목 : 문익환목사 관련 서한

연 : 미국(정)700-300 (86.10.23)

문익환 목사에 대한 서울지방법원의 86.11.4자 판결과 관련, 본직은 James L. Oberstar(민주-미네소타) 등 하원의원 5명으로부터 별첨(1) 연서 서한을 접수하고 별첨(2)와 같이 회신하였음을 보고합니다.

첨부 : 1. Oberstar 의원 등의 연서서한 사본 1부.
2. 본직 회한 사본 1부. 끝.

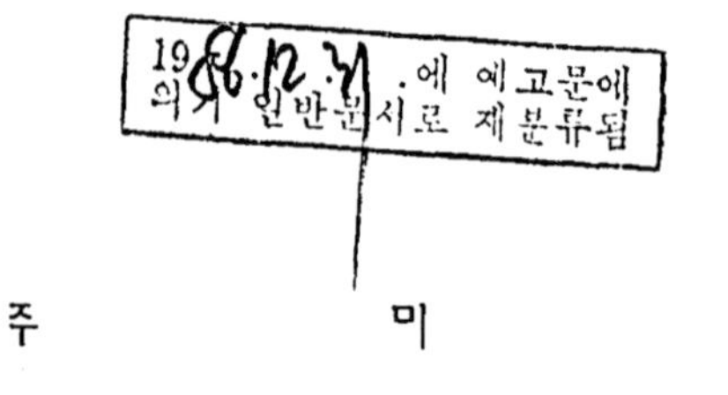
1986.12.31.에 예고문에 의거 일반문서로 재분류됨

주 미 대

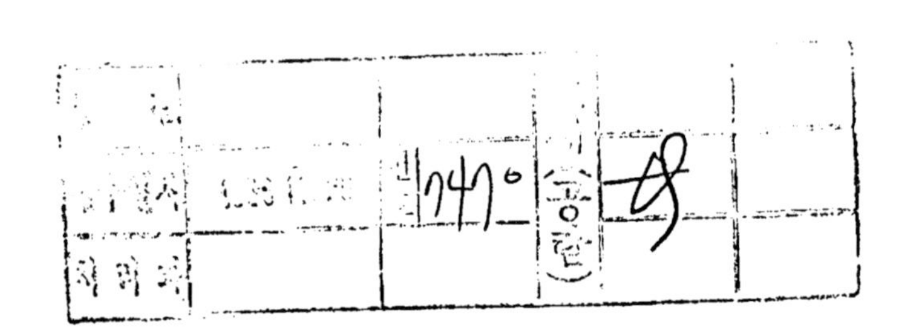

0130

THE AMBASSADOR

EMBASSY OF THE REPUBLIC OF KOREA
WASHINGTON, D. C.

December 16, 1986

The Honorable James L. Oberstar
2351 Rayburn House Office Building
Washington, DC 20515

Dear Congressman Oberstar:

With due respect, I have read your letter of November 20, 1986, regarding the sentence of Rev. Moon, Ik-Hwan.

The Seoul District Court handed down its verdict after thoroughly examining the evidence presented by both the prosecution and defendant at Rev. Moon's trial. Since Rev. Moon did not make an appeal to a higher court, that verdict is final.

In this context, I would like to remind you that the Judiciary is independent of the Executive branch of the Government, and is guaranteed as such by our Constitution.

Sincerely yours,

Kyung-Won Kim

0131

JAMES L. OBERSTAR
8TH DISTRICT, MINNESOTA

COMMITTEES
PUBLIC WORKS AND
TRANSPORTATION

CHAIRMAN:
SUBCOMMITTEE ON INVESTIGATIONS
AND OVERSIGHT

MERCHANT MARINE AND
FISHERIES

Congress of the United States
House of Representatives
Washington, DC 20515

PLEASE SEND REPLY TO:
WASHINGTON OFFICE:
2351 RAYBURN HOUSE OFFICE BUILDING ☐
WASHINGTON, DC 20515
(202) 225-6211

DISTRICT OFFICES:
BRAINERD CITY HALL ☐
501 LAUREL STREET
BRAINERD, MN 56401
(218) 828-4400

CHISHOLM CITY HALL ☐
316 LAKE STREET
CHISHOLM, MN 55719
(218) 254-5761

231 FEDERAL BUILDING ☐
DULUTH, MN 55802
(218) 727-7474

November 20, 1986

His Excellency
Ambassador Kim Kyung-Won
Embassy of the Republic of Korea
2370 Massachusetts Avenue, N.W.
Washington, D.C. 20008

Dear Mr. Ambassador:

Thank you for your response to our letter of October 3, 1986 urging the immediate release of Rev. Moon Ik-Hwan, a leading democratic dissident and human rights monitor.

We were deeply disappointed to hear of Rev. Moon's sentence of three years imprisonment handed down by your District Court on November 4, 1986. Since it is our understanding that appeals in your country are seldom successful, we are doubly disappointed and concerned about his imprisonment. We respectfully protest Rev. Moon's imprisonment, and urge you to do all in your power to have the court reconsider its decision in his case. We understand from Korean Church sources that Rev. Moon does not, nor has he ever, advocated violence. Further, it is our understanding that he had nothing whatever to do with the student's threats to kill themselves at Keimyung University in Taegu.

Rev. Moon Ik Hwan has a long and distinguished record as a spokesman for the families of political prisoners and as a prominent opposition political leader who favors peaceful, democratic, political change. We hope that his appeal will be successful, and that he will be released and permitted to continue his human rights activities.

Thank you for your attention to this important matter.

Sincerely,

James L. Oberstar

Edward Feighan

Edolphus Towns

Walter Fauntroy

Thomas L. Foglietta

0132

中央일보 號 1986年10月21日 火曜日

文益煥목사 7年구형

서울地檢 재판거부, 5分만에 退廷

文益煥목사

仁川사태등과 관련, 소요죄등 위반으로 구속기소된 民統聯의장 文益煥목사(68)에게 징역 7년이 구형됐다.

서울형사지법합의14부(재판장 朴英武) 심리로 21일상오 열린 결심공판에서 文목사는 재판시작 5분만에 『더이상 재판을받을 이유가 없다』며 퇴정해버렸다. 서울지검 辛光玉검사는『민주화를 요구하며 정작 사법적인 재판절차에 응하지 않는것은 피고인의 민주화주장을 스스로 뒤엎는 자가당착이며 그동안의 본인진술을 통해 仁川시위를 배후주동하고 서울大 불법집회에서 선동연설을 하는등 모든 공소사실은 증명이 되고도 남음이 있다』고 구형이유를 밝혔다.

文목사에 대한 3차공판이 열린 법정에는 가족및 民統聯관계자등 1백여명이 나와 재판을 지켜보다 文목사가 재판거부의사를 밝히며 퇴정하자 박수와 함성을 지르다 재판장의 제지를 받았다.

文목사가 검찰의 직접 신문을 거부하고 퇴정하는 바람에 변호인측 반대신문도 자동적으로 생략됐다.

변호인들이 다음기일로 공판을 연기해줄 것을 요청했으나 재판부가 이를 받아들이지 않고 곧바로 결심, 검찰이 피고인및 변호인, 방청인들이 모두 퇴정해버린 가운데 궐석구형을 했다.

선고공판은 11월4일 상오10시에 열린다.

– 선고공판
–「징역7년」

0133

文益煥씨 出廷거부

2차 公判도 延期

민통련의장 文益煥씨에 대한 2회 공판이 14일오전10시 서울형사지법합의14부 (재판장朴英武부장판사) 심리로 열릴 예정이었으나 文씨의 출정거부로 공판이 21일오전10시로 연기됐다. 文씨는 지난7일에 있었던 첫공판에서 「이번 재판은 당국이 민통련의 민주화운동을 와해시키려는 각본에 따라 진행되는것이어서 응하지않을 생각이었으나 다만 첫공판이기때문에 민주에대한 출정을 알리고자 나왔을 뿐」이라며 앞으로 진행될 재판을 거부할 뜻을 밝혔었다.

10.15. 조선일보

0134

文益煥씨 오늘 첫公判

서울大「5월제」강연내용과 仁川사태등에 관련, 구속기소된 民統聯의장 文益煥목사(68)에 대한 집시법위반·소요등 사건 첫공판이 7일 상오10시 서울형사지법 합의14부(재판장 朴英武부장판사) 심리로 대법정에서 열렸다.

文목사는 재판부의 인정신문에는 순순히 응했으나 재판부에 진술기회를 요청, 『이번재판이 民統聯을 와해시키려는 각본으로 이뤄진 것이라고 생각돼, 재판을 거부하겠다』고 말했다.

文목사는 이어 『서울大집회에서의 강연도중 한 젊은이가 분신하는 것을 목격하고 생애 최대의 충격을 받았다』면서 그젊은이의 명복을 빌며 그 죽음의 참뜻을 살리는 심정에서 옷깃을 여미며 이자리에 섰다』고 진술했다.

○…첫공판이 열린 서울형사지법 대법정 주변은 경비계도대·사복형사등 80여명이 배치돼 긴장된 분위기.

방청객들은 상오 9시쯤부터 나와 줄을 선채 기다리다가 9시40분부터 입장. 법원측은 종래 방청권을 발부하던방식을 바꿔 주민등록증만 제시하면 그대로 방청시켰다.

일부 방청객들은 입장할때 정리·청원경찰들이 가방등 소지품을 검사하려하자 『자, 멋대로 실컷뒤져봐라』고 야유하며 항의 했고 民統聯 보도실장 朴容秀씨(48)는 카메라를 들고 文목사의 모습을 촬영하려다 제지받고 몸싸움을 벌였다.

○…상오9시48분쯤 文목사는 서울8나2600호 베이지색 봉고차를 타고 법정뒤편 구치감에 도착. 文목사는 포승및 수갑을 찬채 푸른 수의를 입고 있었으며 文목사의 양옆과 앞뒤좌우에는 교도관 6명이 둘러싼채 호송.

차에서 내리면서 보도진들의 카메라플래시가 터지자 文목사는 잠시 웃음을 띠며 둘러보기도 했는데 더부룩한 머리에 수염을 깎지 않아서인지 표정과는 달리 비교적 초췌한 모습이었다.

○…1백30여석규모의 대법정은 방청객들로 꽉찼고 뒤쪽에는 30여명이 서있는등 법정은 초만원. 이날 방청석에는 朴燦鍾·李哲의원등 新民黨의원들과 金泳三新民黨고문·民統聯부의장 桂勳梯씨·張乙炳교수·尹潽善전대통령부인孔德貴여사등 재야인사들이 나와 재판을 지켜봤다.

첫공판을 받기위해 법정으로 들어가는 文益煥목사. <申東燕기자>

10.7. 중앙일보

0135

외교문서 비밀해제: 한국 인권문제 11
한국 인권문제 미국 반응 및 동향 3

초판인쇄 2024년 03월 15일
초판발행 2024년 03월 15일

지은이 한국학술정보(주)
펴낸이 채종준
펴낸곳 한국학술정보(주)
주 소 경기도 파주시 회동길 230(문발동)
전 화 031-908-3181(대표)
팩 스 031-908-3189
홈페이지 http://ebook.kstudy.com
E-mail 출판사업부 publish@kstudy.com
등 록 제일산-115호(2000. 6. 19)

ISBN 979-11-7217-065-3 94340
979-11-7217-054-7 94340 (set)

이 책은 한국학술정보(주)와 저작자의 지적 재산으로서 무단 전재와 복제를 금합니다.
책에 대한 더 나은 생각, 끊임없는 고민, 독자를 생각하는 마음으로 보다 좋은 책을 만들어갑니다.